Читайте романы
примадонны иронического детектива
Дарьи Донцовой

Дарья Донцова

Человек-невидимка в стразах

роман

ЭКСМО

Москва

2009

ИРОНИЧЕСКИЙ ДЕТЕКТИВ

Дарья Донцова

Кулинарная книга ЛЕНТЯЙКИ

Есть в заначке у каждой хозяйки
"Кулинарная книга лентяйки"!
Нет, готовить им вовсе не лень –
Но зачем "убивать" целый день!

ПРОДАНО БОЛЕЕ 1 500 000 ЭКЗЕМПЛЯРОВ!

www.eksmo.ru

Любимая книга в новой обложке!
Быстрые, вкусные, полюбившиеся рецепты!
+ НОВЫЙ РАЗДЕЛ: "Диетическое питание"!

Глава 1

Если черная кошка, перебегая через дорогу, показала вам язык, не следует продолжать свой путь. Я не верю в приметы, но подобный казус должен насторожить любого человека.

Около здания издательства места на парковке не было, поэтому я пристроила свою машину чуть подальше, возле супермаркета, находящегося на другой стороне узенькой улочки, шагнула на проезжую часть и замерла. Откуда ни возьмись материализовался котяра и прошмыгнул прямо перед моим носом. Я хотела спокойно продолжить путь, но тут мурлыка обернулся и продемонстрировал мне язык, похожий на кусок свежей докторской колбасы. Мои ноги приросли к тротуару, я на секунду закрыла глаза, решила еще раз посмотреть на котофея и никого не увидела. Представитель семейства кошачьих исчез так же внезапно, как и появился. Я уже упоминала, что не верю в приметы, но сейчас на всякий случай остановилась и призадумалась. Пожалуй, лучше все же подождать, пока кто-нибудь другой перейдет дорогу. Однако минуты текли, а на пешеходном переходе как назло люди не показывались. В конце концов мне пришлось пересечь улицу. В издательство я вошла с растущим чувством беспокойства.

Гарик Ребров, хозяин «Элефанта», принял меня со всевозможными почестями: чай, кофе, коньяк, конфеты. Я от всего отказалась. Заварка у Реброва из пакетика, который противно пахнет бумагой, и секретарша всегда насыпает в кружку много сахара, кофе в издательстве растворимый, у меня от него моментально просыпается гастрит, конфеты с утра я не ем, пригубить же спиртное не имею права, потому что сегодня я за рулем.

Не ожидая неприятностей, я предложила:

— Давай лучше сразу о делах.

Ребров странно засуетился, поперекладывал на столе бумаги и, отведя глаза в сторону, завел:

— Ты же знаешь, как я тебя люблю, но...

Дальше повисла тишина.

— Но? — повторила я.

— Это не мое решение, — замел хвостом издатель.

— Скажи прямо, о чем речь! — потребовала я.

— Ну, наш отдел продаж провел исследование, — занудил тот, кого я считаю своим другом, — и получилась безрадостная картина. Понимаешь, чтобы читатель не потерял интерес к писателю, тот должен выпускать четыре книги в год. Теперь вспомни, когда ты в последний раз приносила в «Элефант» рукопись.

— В апреле, — отрапортовала я. — А сейчас май.

— Небольшое уточнение, — пропел Гарик, — да, мы получили от тебя роман в апреле, однако ты забыла упомянуть — какого года!

— Ну да, прошлого, — тихо ответила я.

— Вот-вот, — закивал Гарик, — у тебя больше двенадцати месяцев простоя! Через неделю стартует фестиваль детектива, который каждый год в преддверии летнего сезона устраивает крупнейший московский книготорговый дом, а писательницу Виолову туда не позвали. Милейшая Арина исчезла с горизонта, нового давно не пишет. Что ты представишь публике?

— Думаю, Маше Горбатовой приглашение вручили одной из первых, — съязвила я.

— Не надо ехидничать, — укоризненно покачал головой Ребров. — Да, Горбатова не радует нас свежими произведениями, но включи любой канал телевидения и наткнешься на Машеньку. Она светится во всех программах с утра до вечера, раздает советы, как лечить болезни, удержать мужа, выдрессировать собаку, спасти мир от голода, пляшет в ластах на льду, участвует в поедании сосисок на скорость, плавает с гирей на шее в океане. Купи газету, журнал, календарь и найдешь там фото Горбатовой! Маша без устали работает на пиар, подбрасывает дровишки в топку своей популярности, а в мертвый сезон, когда светская жизнь затихает, в июле — августе и в начале января, она всегда разводится или выходит замуж. Горбатову обожает пресса: ну какие новости могут быть летом? Кризис? Дефолт? Очередная катастрофа? Народ устал от ужастиков, хочет простых, человеческих известий, и тут Маша устраивает показательную драку с очередным мужем. И какие баталии демонстрирует! То рвет отношения с китайцем: он запретил ей ходить в мини-юбке и заставлял носить сари, то сообщает об эскимосе, который приказал несчастной писательнице сидеть день-деньской в юрте и варить плов. Не успеет страна первого января опохмелиться, как Машенька снова герой дня, теперь она бежит в загс с вождем племени людоедов, каннибал приехал в Москву, чтобы издать кулинарную книгу в издательстве «Элефант», и влюбился в Горбатову. Да, ее позвали на фестиваль первой, потому что народ толпой ринется на нее посмотреть. Милада Смолякова тоже будет в центре внимания. А где Арина Виолова?

Я разозлилась.

— Думаю, что писатель должен привлекать внимание читателей не скандальным поведением, а интересными книгами. И позволь тебе заметить: в Китае сари не носят, это национальная индийская одежда, а эскимосы не живут в юртах и не едят плов.

Гарик глупо хихикнул.

— Горбатова гениальна! Кому интересен индиец, велевший жене таскать пресловутую тряпку? А вот китаец и сари — это фишка! Короче, у тебя есть два пути: либо постараться писать не менее четырех книг в год, либо пахать на прессу, как Горбатова. Мне все равно, что ты выберешь, хороши оба варианта. Милада Смолякова пишет за год десять романов, а Маша Горбатова выдает одну книгу в пятилетку, зато ее опусы стабильно переиздаются. Ну, что тебе нравится больше?

— Ничего! — сердито ответила я. — Смолякова не человек, а робот-сквоттер, никто, кроме нее, не способен на поточное производство. Выходить же в начале года замуж за австралийского кенгуру, чтобы в августе показательно с ним развестись, я тоже категорически не хочу.

Ребров стер с лица улыбку.

— И когда соизволишь принести новую рукопись?

— Ну... не знаю, — честно призналась я. — Сейчас у меня творческий кризис, но готова подписать с издательством новый договор. Ты ведь меня за тем сегодня и позвал?

Гарик опять начал судорожно наводить порядок

на письменном столе. Когда он в пятый раз переставил стаканчик для ручек, я не выдержала и спросила:

— Что происходит?

— Ты не работала целый год! Просто взяла и исчезла из зоны видимости! Думаю, у тебя сейчас элементарно закончились деньги, вот почему ты и прибежала по первому зову. Примчалась и... — Не закончив фразы, хозяин «Элефанта» снова принялся двигать туда-сюда ежедневник, настольную зажигалку и коробку со скрепками.

Я завершила за него:

— ...хочешь получить аванс. Ну почему ты постоянно подозреваешь людей в корыстолюбии?!

— Не людей, а авторов, — уточнил Гарик. — Пойми, сейчас на книжном рынке сложное положение, у меня финансовые трудности. Я не могу рисковать средствами, зная, что в ближайшее время не получу книгу.

— Короче, договор не подписываем? — задала я прямой вопрос.

— Ну почему же, — заюлил Ребров. — С дорогой душой скрепим наши намерения подписями на бумаге. Но вот аванса не будет. Кстати, это даже лучше! Потом, когда роман выйдет в свет, ты получишь всю сумму сразу. Очень удобно!

Я кивнула.

— Хорошо, я подумаю над твоим предложением.

Гарик округлил глаза и схватил со столешницы книгу. Я машинально посмотрела на обложку — Белла Ви «Как лопать все и похудеть». Ну и чушь выпускает Ребров! Приятель фальшиво улыбнулся:

— Вилка, ты обиделась?

— Нет, — стараясь казаться невозмутимой, ответила я.

— Ты исчезла на год, — Гарик швырнул опус Беллы Ви на стол и побежал по второму кругу, — а предыдущий твой роман продавался плохо.

Слава богу, в этот момент в моей сумке задергался мобильный, я схватила трубку и услышала хорошо поставленный женский голос:

— Добрый день, госпожа Тараканова. Вас беспокоят из кредитного отдела банка «Фос»[1].

— Очень приятно, — изобразила я радость.

— Вы пропустили платеж, и нам хотелось бы внести ясность...

— Крайне интересное предложение, — перебила я менеджера, — давайте прямо сейчас я приеду к вам, и мы обсудим детали нашего сотрудничества.

— Хорошо, — явно растерялась тетка, не ожидавшая от задолжавшей клиентки столь позитивной реакции, — мы работаем до девятнадцати ноль-ноль.

— Ты с кем это общалась? — полюбопытствовал Ребров.

— С генеральным директором издательской группы «Михаил К.», — как ни в чем не бывало соврала я, — он хочет приобрести рукопись моей новой книги, причем готов ждать ее столько, сколько понадобится. Жаждет заключить договор и прямо сегодня заплатить деньги.

— Виолочка, не совершай опрометчивых поступков! — мгновенно залебезил Гарик. — Знаешь, когда зовут замуж, всегда сулят золотые горы, но едва отзвучит марш Мендельсона, начинается бытовуха, муж сует в руки жене сковородку и тряпку.

— Издательство «Михаил К.» провело свои ис-

---

[1] Названия банка, издательств, конфет, НИИ, кафе и торговых центров придуманы автором, любые совпадения случайны.

следования рынка, — вдохновенно врала я, — и их
специалисты считают меня яркой звездой на небо-
склоне российской прозы. Прощай, Гарик, никаких
обязательств у меня перед тобой нет.

— Погоди, Вилка! — закричал Ребров, пытаясь
встать из-за стола. Но я проворно выскочила в приемную и, со всего размаха стукнув дверью о косяк,
побежала по направлению к лестнице.

Лишь отъехав пару кварталов от «Элефанта», я
пришла в себя, припарковалась около какого-то рес-
торанчика и начала подсчитывать боевые ранения.
Если быть откровенной, то у Гарика есть веские
причины делать недовольную гримасу при упомина-
нии моего имени. Я на самом деле за год не написала ни строчки. Причина проста: не придумала сюжета. Дело в том, что Господь не отсыпал мне фантазии, сочинение хитро закрученных историй отнюдь
не является моим коньком, зато я гениально описы-
ваю произошедшие в реальности события и считаю
себя мастером диалога. Для создания криминального романа мне, грубо говоря, нужно вляпаться в какую-нибудь историю, но богиня приключений отвернулась от литераторши Арины Виоловой — все
авантюры обошли меня стороной. Я честно пыталась усадить себя за стол, однако мои титанические
усилия ничего не дали. В конце концов, чтобы не
закиснуть от безделья, я решила заняться квартирным вопросом, продала свою скромную жилплощадь, прибавила к вырученной сумме заначку и приобрела многокомнатные хоромы. Зачем мне, одинокой женщине, апартаменты, в холле которых можно
без особого труда посадить вертолет, спросите вы?
Хороший вопрос, на который я не могу ответить.

Поскольку все имеющиеся на моем счету средства были истрачены, для ремонта я взяла немаленький кредит, надеясь начать его погашение, когда получу аванс от Реброва. Но Гарик не поторопился открыть сейф. И что я имею в результате? Огромную квартиру, совершенно не приспособленную для проживания, долг банку и разрыв отношений с «Элефантом». Нужно немедленно садиться за новую книгу! Да, да, следует в рекордные сроки написать роман и отнести его в какое-нибудь крупное издательство. Хоть Ребров и пытался сегодня показать мне, что мое место — последнее у печки, все же, думаю, очередное произведение Арины Виоловой должно заинтересовать, допустим, уже упомянутое издательство «Михаил К.». Вот только в моей голове нет ни одной мысли о сюжете.

Да, кстати, совсем забыла! На время отделочных работ в новых хоромах я сняла крохотную однушку в не самом престижном районе Москвы и должна ежемесячно расплачиваться с хозяйкой. Ох, не зря сегодня черная кошка показала мне язык! В столь неприятном положении я давно не оказывалась. И если в прежние времена у меня была палочка-выручалочка — Томочка, которая всегда находила нужные слова для поддержки павшей духом подруги, то сейчас, после нашей ссоры, ждать сочувствия и помощи мне не от кого[1].

В носу защипало. Обозлившись на себя за проявленную слабость, я быстро нажала на педаль газа и понеслась по неожиданно пустой улице. Если сейчас позвонить Томочке и рассказать ей о свалив-

---

[1] Читайте книгу Д. Донцовой «Зимнее лето весны», издательство «Эксмо».

шихся на меня неприятностях, я непременно услышу в ответ:

— Вилка, я жду тебя!

Живи Тамара одна, я бы, наступив на горло собственной гордости, действительно к ней обратилась. Но она замужем, и ее муж Семен состоит в наитеснейшей дружбе с Олегом Куприным. Сделать экс-супруга свидетелем своего фиаско для меня просто немыслимо.

Светофор впереди мигнул, я решила, что успею проскочить перекресток, и посильнее вдавила педаль газа. И тут краем глаза отметила, что сигнал стал красным, увидела что-то большое, быстро надвигающееся сбоку, крутанула рулем, ощутила толчок, услышала скрежет, визг тормозов и еще успела удивиться внезапно наступившей темноте.

Глава 2

Слишком жесткий матрас не дал мне как следует выспаться, я села, открыла глаза и пару секунд не могла прийти в себя от удивления. Где же я нахожусь? Какое-то странное помещение.

Нет, это не однокомнатная квартирка, которую я сняла, чтобы спокойно пережить ремонт. Сейчас я вижу длинный коридор, застеленный рваным линолеумом, и череду белых дверей. Под моей головой плоская, как блин, подушка, а тело прикрывает тоненькая тряпка из байки, которую язык не поворачивается назвать одеялом.

— Эй, ты как? — тихо спросил кто-то рядом.

Я осторожно спустила ноги с кровати, повернула голову влево и увидела парня лет двадцати пяти, тоже сидящего на такой же кровати на колесиках.

— Ты как? — повторил он.

— Супер, — ответила я, борясь с тошнотой, — где мы?

— В больнице, — пояснил незнакомец.

— А почему не в палате? — удивилась я, пытаясь найти хоть какую-нибудь обувь.

— Места нет, — улыбнулся сосед и тоже сел, — ты как сюда попала?

Я порылась в памяти.

— Угодила в ДТП, но ничего больше не помню.

— Похоже, тебя по башке шарахнуло, — предположил парень, — на лбу здоровая шишка торчит. Били?

Я попыталась покачать головой.

— Нет, никто меня не бил. Просто некоторые люди не соблюдают правила дорожного движения и слишком торопятся. Я пересекала перекресток, причем начала движение на зеленый свет, а потом загорелся красный. И тут кто-то влетел прямо в мой автомобиль. Все, дальше абзац!

— Аналогичная история, — откликнулся собеседник, — я спокойно стоял в потоке, потом поехал, и тут невесть откуда тачка. Хрясь! Только, в отличие от тебя, я быстро в себя пришел, уже в «Скорой» оклемался. Обычно с такой ерундой в клинику не везут, но я знаменитость, поэтому медики решили перестраховаться.

Я окинула взглядом замызганный коридор и не удержалась от ехидства:

— Да, уж, похоже, ты селебретис.

— Угу, — кивнул сосед, — били.

— Говорю же, никто меня не бил. Я даже не знаю кто он, тот шофер-идиот — мужчина или женщина, — вздохнула я.

— Я тоже, слава богу, со своим болваном не познакомился, — подхватил товарищ по несчастью, — в моей тачке дверь заклинило, вылези я сразу не смог, а когда выкарабкался, кретина уже «Скорая» увезла. Не переживай, ты еще узнаешь, кто тебя протаранил. Били...

— Да нет же! — разозлилась я.

— Что нет? — удивился парень.

— Меня не лупили!

— Тебя перемкнуло? — заморгал он. — Чего постоянно про побои несешь?

— Я несу? — возмутилась я. — Ты же все время спрашиваешь: «Били? Били?»

Сосед крякнул.

— Я познакомиться хотел. Меня зовут Билли.

Я улыбнулась.

— Полное имя Уильям?

— Нет, просто Билли. Билли Иванович Кузнецов, — сообщил парень, — а тебя как величать?

— Ви... — начала я и осеклась, задумавшись. Представляться писательницей Виоловой как-то не с руки, наверное, надо назвать не псевдоним, а настоящее имя.

— Ви? — поразился, не дождавшись продолжения, Билли. — Звучит как-то по-китайски.

— Это фамилия, — быстро сказала я, — Ви. Просто Ви.

— Красиво! — щелкнул языком Билли. — А имя?

— Белла, — ляпнула я. И удивилась: ну с какой стати я вру?

— Почти в рифму, — обрадовался сосед, — Билли — Белла!

А вот и объяснение моему глупому поведению. Рифма!

— Здорово, — радовался Билли, — кем ты работаешь?

— Слушай, где мои тапочки? — сменила я тему.

— Здесь обувь не выдают, — пояснил Билли, — а нашу, уличную, наверное, отобрали, чтобы микробов не занести.

— Однако меня положили на каталку прямо в футболке и джинсах, даже в пижаму не переодели! — запоздало возмутилась я.

— Ишь чего захотела! — фыркнул Билли. — Может, ты еще на шампанское рассчитываешь?

— И как в туалет пойти? Не босиком же! — разозлилась я.

— Хочешь, дам тебе свои носки? — предложил парень, — я в них уже в сортир бегал, а потом снял и на пол положил.

Билли продемонстрировал редкостное великодушие, и я решила ответить ему тем же:

— Огромное спасибо, но я пока потерплю.

— Когда приспичит, пользуйся, — выдал мне карт-бланш новый знакомец, — мне не жалко. Так где ты работаешь?

— Девушка... — проигнорировав вопрос парня, окликнула я медсестру, с усилием толкавшую перед собой каталку, на которой лежало тело, похожее на кокон гусеницы. Оно все было забинтовано, а одна рука, прикрепленная к железной конструкции, торчала вверх под странным углом.

— Чего? — недовольно отозвалась красавица в белом халате.

— Не дадите мне тапки? — попросила я.

— Их положено из дома приносить, — раздалось в ответ.

— Я жертва аварии!

— Тут все не по своей воле, кроме дур, которые из окон сигают, — не стала добрее сестра милосердия.

— Мне никто утром не сообщил, что я попаду в ДТП, а то прихватила бы из дома «тревожный чемоданчик», — возмутилась я.

— Нечего тут орать, — повысила голос девица, — надеюсь, ты не претендуешь на мои туфли?

— Сказал же, бери носки, — вмешался Билли, — вон они, на полу.

— Лучше умереть! — в запале ответила я и тут же пожалела о своей бестактности. — Прости, пожалуйста!

Медсестра захихикала и покатила каталку дальше. Я, охваченная здоровым негодованием, сняла с подушки наволочку, без всяких угрызений совести разодрала ее на две части, обвязала тряпками ноги и слезла с каталки.

— Круто! — восхитился Билли. — Я до такого не додумался.

— Я мыслю нестандартно, — буркнула я и схватила за полу халата другую пробегавшую мимо медсестру, — я хочу выписаться из больницы, что для этого надо сделать?

— Идите к врачу, — вырвав из моих пальцев халат, ответила та, — ординаторская слева.

Я быстро добралась до нужной двери, распахнула ее, увидела лысого толстячка, сосредоточенно смотрящего на экран компьютера, и заявила:

— Я хочу уйти домой.

— Температура нормальная? — не глядя на меня, поинтересовался лысый.

— Да, — уверенно соврала я, про себя подумав: даже если сорок, я ни на секунду больше не останусь в этой богадельне.

— Хорошо, — протянул доктор, — фамилия?

— Тараканова, — представилась я, — Виола.

— Хорошо, — повторил врач, — температура нормальная?

— Да, — еще раз подтвердила я.

— Ну, и ступайте спокойно, — не посмотрев в мою сторону, объявил последователь Гиппократа.

— Просто так? Без осмотра? — поразилась я. — И где мои туфли?

— В обязанности травматологов не входит забота об одежде умерших, — пропел доктор. — Мы спасаем жизнь, а не следим за вещами.

— Вы не заметили, что я жива и стою перед вами в импровизированных портянках? — вскипела я.

— Хорошо, — как попугай, повторил эскулап, тупо пялясь в монитор, — хорошо. Температура есть?

— У меня чума, — ехидно сообщила я, — бубонная форма. Заразилась в Индии, куда летала отдыхать, а градусник показывает сорок шесть и пять.

— Хорошо, — не выказал ни малейшего удивления Айболит.

— Что хорошего? — налетела я на пофигиста. — Радуетесь факту наличия в вашем отделении человека со страшной болезнью?

Лекарь наконец-то оторвался от компьютера и начал медленно изучать меня сонным взглядом. Я набрала полную грудь воздуха, собираясь высказать ему все, что про него думаю, но тут в ординаторскую вошла чуть полноватая женщина и радостно воскликнула:

— Александр Григорьевич! Наконец-то я вас нашла!

— Слушаю, — с оттенком раздражения в голосе отреагировал медик.

— Вы меня помните? Васюкова Римма Марковна, — представилась незнакомка.

— Если вы опять пришли расспрашивать о сыне, то ничем помочь не могу, — покраснел Александр Григорьевич, — я уже сто раз вам говорил: его здесь не было. И перестаньте сюда ходить...

— Васюков Артем Петрович, — перебила врача Римма Марковна, — попробуйте вспомнить! Умоляю!

— Может, сюда и доставляли такого, но он скорее всего отказался от помощи и ушел, — предположил врач, — по документам такой не числится.

— Вообще-то мы еще не закончили разговор, — обозлилась я на мадам Васюкову. — Я пришла сюда раньше вас.

— Это с какой стороны посмотреть. Лично я тут уже давно нахожусь! — парировала тетка.

Мне стало смешно.

— И где же вы прятались, когда я вошла в кабинет? Подождите за дверью! Невоспитанно врываться к доктору без стука и уж совсем неприлично заводить разговор, когда в комнате находится посетитель!

— Лучше вам поцапаться в коридоре, — Александр Григорьевич решил избавиться разом от нас обеих.

— Я не уйду, пока не получу от вас ответа! — не сговариваясь, хором воскликнули мы.

Доктор зацокал языком и с крайне озабоченным видом уставился в компьютер. Я решила проявить настойчивость и бесцеремонно потрясла его за плечо.

— Эй, я ничего особенного не прошу! Дайте мне справку о пребывании в клинике, верните мои туфли, и мы распрощаемся навсегда.

— Фамилия? — буркнул эскулап.

— Тараканова, — с трудом сдерживая ругательство, вертящееся на языке, сообщила я.

Доктор выпрямил спину.

— Не могу дать вам выписку!

— Почему? — зашипела я, удивленная молчанием Риммы Марковны.

— Вы не лежали в нашей больнице, — объяснил Александр Григорьевич.

Я ощутила, как к лицу приливает жар.

— Простите, не поняла? Где я стою?

— В кабинете, — сообщил медик.

— А до того спала на каталке в коридоре, — уточнила я, — то есть я нахожусь в клинике.

— Но вас еще не оформили! — воздел указательный палец травматолог. — Здесь приемное отделение, так что можете спокойно отбывать восвояси, больница пока не взяла на себя ответственность за состояние вашего здоровья.

Меня трудно выбить из колеи, но доктору это удалось.

— ДТП случилось после полудня, — растерянно пробормотала я, — часы в вашем кабинете показывают пять. И мне, жертве аварии, по сию пору не оказали помощь?

— У нас очень много работы, я, между прочим, завотделением, а вынужден из-за отсутствия кадров дежурить здесь, на приеме, — отбил подачу Александр Григорьевич. — Радуйтесь, что вы не в том состоянии, когда я должен других бросить и вами заняться.

— Хм, действительно... — признала я его правоту. — А что у вас считается поводом для тревоги? Оторванная голова? И почему я не помню, ни как меня вынимали из машины, ни как сюда доставили?

Александр Григорьевич громко чихнул.

— Вопрос не по адресу. «Скорая», видимо, вам что-то вколола. Они, как правило, сразу внутривенно коктейль забабахивают, если человек психически не стабилен. Короче, хотите уйти?

— Да, — кивнула я.

— До свидания! — радостно выпалил Александр Григорьевич. — На вас карту завести не успели, следовательно, вас тут и не было.

— Где мои туфли? — вопросила я.

— Узнайте у среднего медперсонала, — насупился добрый Айболит.

— И что с моей машиной? — осведомилась я.

— Поинтересуйтесь у сотрудников ГАИ, — последовал ответ.

Я заколебалась. Если я сейчас схвачу со столика графин с мутной водой и шарахну им врача по лысине, сочтут ли мой поступок естественным следствием перенесенного стресса? Интересно, мне просто вколют новую порцию транквилизатора или Александр Григорьевич истошно завопит: «Убивают!» — и в кабинет ворвется местная охрана?

С одной стороны, я испытывала острое желание перейти от слов к грубым физическим действиям, с другой — обезьянник в районном отделении милиции намного хуже даже этой больницы... Нечеловеческим усилием воли мне удалось подавить праведный гнев. Я вылетела в коридор, села на ободранный стул рядом с мальчиком, упоенно листавшим комикс, и постаралась объективно оценить свое положение.

В «Элефант» я больше не вернусь, а в других издательствах никто аванс без готовой рукописи не даст. Ни одного сюжета за последний год жизнь мне не подкинула; денег нет совсем, зато есть солидный кредит с пропущенным платежом, в новой, по дури купленной квартире идет ремонт; когда рабочие его закончат, я сдам шикарную жилплощадь, а сама останусь в убогой однушке, за которую буду платить арендную плату, разница между прибылью и убытком и составит мой бюджет до написания нового детектива. Отчего-то такая перспектива не радовала. И, кстати, строители обещают привести в божеский вид громадные апартаменты в сентябре, но я стреляный воробей и знаю: прораб — последний человек, которому можно верить. Если вы договорились с ним, что въедете в отремонтированную квартиру осенью, новоселье удастся устроить не раньше декабря — января! Машина у меня, похоже, сильно пострадала, а страховка (вот оно, мое счастье!) закончилась вчера. Я как раз сегодня хотела получить аванс и оформить новый полис. В качестве десерта к вышеописанным «блюдам» можно добавить пропавшие туфли. Хорошо хоть сумочка осталась при мне! А еще радовало, что меня так и не сделали полноправной больной и поэтому не успели раздеть. В принципе я могу выйти на улицу и так, с намотанными на ноги тряпками, один раз я уже проделывала такой трюк...[1]

— Тетя, вам больно? — звонко спросил сидевший рядом мальчик.

Я на него посмотрела.

— Нет. А почему ты так решил?

— Вы все время вздыхаете, — объяснил ребенок, — мне вас жалко.

---

[1] Читайте книгу Д. Донцовой «Муму с аквалангом», издательство «Эксмо».

Я улыбнулась милому созданию.

— Не волнуйся, у меня просто плохое настроение.

Едва я произнесла последнее слово, как школьник сунул мне в руки комикс.

— Хотите почитать? Очень весело! Видите, вот главный герой. Он мужеженщина, мутант, умеет перевоплощаться — убивает как Элла, а живет как Эл. У Эллы ножи вместо пальцев. Хрясь, хрясь и все без головы! Силу ей дают волшебные таблетки, их делают в виде конфет. Еще она может пожар устроить. Прикольно!

Я машинально повторила:

— Прикольно, — и пролистала тонкую тетрадь.

Интересно, кто издает подобную чушь? Художник, кстати, постарался: иллюстрации яркие и не совсем обычные для комиксов. Но текст... «Умри, гадина!» «Бумс. Тебе конец». «Вырви ему глаза!» и т.д. На мой взгляд, малышам лучше изучать менее кровожадные произведения. Перевернув последнюю страничку, я увидела название издательства, выпустившего сию забаву: «Элефант». Ну и ну! Никогда бы не подумала, что Гарик печатает кровавые истории для младших школьников.

— Коля, нам пора домой, — послышалось рядом — и я увидела женщину в цветастом платье.

Мальчик выхватил у меня комикс.

— Понравилось? Меня мама зовет.

Я решила проявить толерантность.

— Отличный журнал.

— Супер! — заорал Коля и унесся прочь.

Я вздохнула. Можно с младенческих лет читать ребенку про мудрую золотую рыбку и смелого Иванушку-дурачка, но потом чадо пойдет в школу, и вы перестанете управлять его литературными пристрастиями. Хотя в сказках тоже полно насилия, богатыри там рубят головы врагам, а мачехи сживают со света падчериц. Правда, потом добро побеждает зло и... убивает его.

Дверь кабинета, соседнего с тем, где находился Александр Григорьевич, распахнулась, и появилась девушка, толкавшая инвалидную коляску, в которой сидела женщина лет пятидесяти пяти с загипсованной ногой.

— Наташа, — раздалось из кабинета, — вы забыли блокнот и рецепт не взяли.

— Совсем память потеряла, — ответила девица, — что неудивительно, я так переволновалась. Девушка, — обратилась она ко мне, — не посмотрите за моей мамой? Ее нельзя даже дома одну на минуту оставить...

Я улыбнулась и кивнула, Наташа скрылась в кабинете.

— Со мной все хорошо, подумаешь, нога! — улыбнулась мне в ответ женщина в коляске. — Ничего страшного, похожу какое-то время на костылях. Теперь все решаемо, все лечат.

— Просто ваша дочь тревожится, — ответила я, — это же естественно. А что с вами случилось? Кстати, меня зовут Виола.

— Галина Викторовна, — представилась больная, — знаете, я сама виновата. Встала на табуретку, хотела занавески для стирки снять, не удержалась, дальше как в кино, упала, очнулась — гипс.

— Подобное может случиться с каждой, — вздохнула я.

— С одной стороны, вы правы, — согласилась Галина Викторовна, — но если посмотреть с другой стороны, то мне следовало еще несколько лет назад начать принимать препараты кальция. Оказывается, с пищей мы не получаем столько кальция, сколько нужно, — качество-то еды не очень хорошее. И что в итоге? Кальция поступает недостаточно, а уходит он из организма стремительно. Вы пьете кофе? Курите? Много нервничаете? Сидите на диете? Если хоть на один вопрос ответите «да», вам точно не хватает кальция, а значит, может начаться остеопороз. Мне врач сейчас все подробно рассказала и объяснила. В зону риска попадает большинство женщин, у нас остеопороз проявляется особенно остро. Начинает проявляться болезнь незаметно — чуть-чуть побаливает спина, ноют колени. В тот же миг надо бежать к врачу, но наш народ привык приезжать к доктору в машине реанимации. И понеслось: перелом руки или ноги. Чуть стукнулась об угол стола или споткнулась о камень, даже не упала — кость ломается!

Я ощутила ноющую боль в пояснице и быстро спросила:

— А что же делать?

— Я на своем опыте поняла, что нужно было как можно раньше начать профилактику остеопороза. Моя подруга, например, принимала Кальцемин, занималась лечебной гимнастикой и еще бросила курить. А вот я не отнеслась к вопросу профилактики серьезно, решила, что все обойдется. Как видите, не обошлось. Действительно, легче предупредить болезнь, чем ее лечить. Маленькая проблема может перерасти в большую.

Из кабинета врача вышла Наташа.

— Спасибо вам большое, — кивнула она мне.

— Не за что, — ответила я, — ваша мама убедила меня идти в аптеку за препаратом кальция.

— Это теперь она умная, — покачала головой

дочь. — Знаете, болезнь можно предупредить. Надо просто вовремя начать пить профилактическое средство.

— Поправляйтесь! Счастливо вам! — попрощалась я с мамой и дочкой.

Девушка повезла коляску к лифту, я поежилась. До сих пор ничего не знала об остеопорозе, а ведь точно нахожусь в зоне риска: курю, мало ем, не занимаюсь спортом, нервничаю, терпеть не могу молочные продукты... И спина давно болит! Прямо сейчас поеду в аптеку и куплю средство с кальцием. Буду пить его для профилактики — совершенно не хочу к старости превратиться в «стеклянного человека» и стать обузой для близких. А еще позвоню всем подругам, расскажу им о том, что большой неприятности можно избежать, всего лишь вовремя начав принимать Кальцемин.

— Мы находимся в полуподвале, — неожиданно прозвучал над ухом знакомый голос.

Я вздрогнула, вынырнула из раздумий и увидела Римму Марковну.

— Мы находимся в полуподвале, — без малейших признаков агрессии повторила она.

Я вежливо откликнулась:

— Не знаю. Никогда раньше не посещала этой клиники, но думаю, да, ведь в коридоре нет окон.

— А я не первый раз сюда приезжаю и знаю местные порядки, — продолжила Римма Марковна. — Вы правильно сделали, решив уйти, здесь безобразно относятся и к больным, и к их родственникам. Если подниметесь на первый этаж, у входа найдете ларек, в нем можно приобрести разные вещи, в том числе кроссовки и сланцы. Показать вам туда дорогу? Здесь легко заплутать.

— Огромное спасибо, — обрадовалась я.

— Сюда, налево, — засуетилась Васюкова, — лучше подняться по лестнице, а то лифта не дождаться. Кажется, вы только что представились в кабинете врача Таракановой?

— Да, — кивнула я.

— Валентина? — не успокаивалась Римма Марковна. — Господи, вот удача! То есть, конечно, я очень сожалею о той неприятности, из-за которой вы тут очутились, но вы мой последний шанс! Хотя... Ой, поняла!

Римма Марковна остановилась, выпучила глаза и схватила меня за плечо.

— Не волнуйтесь! Я никому не расскажу! Это очередное задание? Ну как я сразу не догадалась?

— Я не совсем понимаю, о чем вы говорите, — перебила я Васюкову и попыталась вывернуться из ее неожиданно сильных рук.

Но Римма Марковна держала меня крепче, чем аллигатор жирного поросенка, и продолжала тараторить:

— Я всегда смотрю программу «Захват».

— Рада за вас, — ошарашенно сказала я.

— И восхищаюсь Валентиной Таракановой, — частила дама, — вы стольким людям помогли!

Я начала постигать суть происходящего. Почти полгода один из дециметровых каналов показывает некое шоу, а ведет его баба непонятного возраста и постоянно меняющейся внешности: телезвезда то блондинка, то брюнетка, то толстая, то худая, то в очках, то без оных. Думаю, на самом деле это разные женщины, они просто представляются Валентиной Таракановой и всегда начинают передачу словами:

— Здравствуйте, с вами документальное шоу «Захват» и его постоянная ведущая, человек-хамелеон. Преступники не дремлют, на меня идет охота, поэтому истинное лицо Валентины Таракановой всегда скрыто под гримом. Итак, к нам обратилась Татьяна Ивановна, у которой украли деньги, и наша бригада немедленно выехала на место...

Не стану дальше цитировать речь ведущей, скажу лишь, что шоу является на сто процентов постановочным, это спектакль, который разыгрывают актеры. Но наиболее наивная часть телезрителей верит всему, что демонстрирует голубой экран, и с открытым ртом следит, как ищут вора, утащившего кошелек. Похоже, Римма Марковна принадлежит к числу таковых.

— Фамилия моя на самом деле Тараканова, — улыбнулась я, — вот только по паспорту я Виола, а не Валентина. Таракановых в стране довольно много, мне даже один раз повстречалась полная тезка, правда, ничего хорошего из нашего знакомства не получилось[1]. Я думаю, ведущая шоу носит совсем другую фамилию, для телепрограммы у нее псевдоним.

— Понимаю, — закивала Васюкова, — вы соблюдаете секретность! Но я, как услышала вашу фамилию — Тараканова, чуть не завопила от радости. Вы же мне поможете?

Мне пришлось повторить:

— Я Виола Тараканова.

— Конечно, конечно, — согласилась Римма Марковна, — не стану спорить. Кстати, экран вас практически не изменяет, вы там такая же, как в жизни!

Я вспомнила разномастных ведущих и не на-

---

[1] Читайте книгу Д. Донцовой «Горячая любовь снеговика», издательство «Эксмо».

шлась, что сказать в ответ. Но по счастью, в эту минуту я увидела прилавок и ринулась к нему с воплем:

— Есть ли в продаже кроссовки?

Полная продавщица протянула мне пару, по дизайну больше подходящую для лошади, которая тянет похоронные дроги. Верх у произведения обувного искусства оказался истошно красным, низ траурно-черным, а шнурками служили золотые тесемочки. Но я была счастлива купить любые, очень уж хотелось поскорее добраться до своей съемной норы, принять душ, выпить кофе и подумать о том, как жить дальше.

Пока я примеряла тошнотворно гламурные кроссовки, продавщица и Римма Марковна ни на секунду не закрыли рта. Они обращались ко мне, и их пронзительные, въедливые голоса гвоздями впивались в уши.

— Анатомическая стелька с изгибом делает кроссовки уникальными.

— Могу изложить свою проблему в деталях...

— Материал экологически чистый...

— Мой сын уже отпраздновал двадцатилетие...

— Никакой аллергии, стираются в машине...

— Но по сути, он совершенный ребенок, очень добрый, деликатный и ранимый.

Старательно пропуская «пение дуэта» мимо ушей, я завязала шнурки и спросила, открывая сумочку:

— Сколько?

Продавщица назвала цену, увидела мое вытянувшееся лицо и живо добавила:

— Сделаю скидочку.

И куда деваться? Не топать же босиком к метро.

— Ладно, — вздохнула я. Открыла кошелек и

прошептала: — Ой, а где деньги? В портмоне была приличная сумма...

— Стырили! — всплеснула руками Римма Марковна. — Ну, народ! Либо «Скорая» постаралась, либо тут, в приемном, поработали — вкатили вам транквилизатор и порылись. Вот вам еще темочка для шоу! Молчу, молчу!

Васюкова демонстративно захлопнула рот и сжала губы.

— Бабок нет? — деловито уточнила торговка.

— Похоже на то, — согласилась я.

— Сымай кеды!

— Кроссовки, — поправила я.

— Да хоть пинетки! — разозлилась хозяйка прилавка. — Отсутствуют рублики — прощайте бублики!

— Понимаете, — попыталась я разбудить в толстухе сочувствие, — я попала в аварию, не помню, как меня сюда привезли, туфли исчезли, деньги испарились. Ну как теперь домой ехать?

— Предлагаешь подарить тебе эксклюзивную обувь? — прищурилась собеседница.

— Нет, конечно! — воскликнула я. — Просто дайте в долг, завтра прямо с утра отдам всю сумму.

— Я много чего от людей слышала, но до такого никто не додумался. Скидавай тапки! — звенящим от напряжения голосом приказала продавщица.

Я присела, чтобы развязать шнурки.

— Держите деньги, — вдруг сказала Римма Марковна.

— Здесь сотни не хватает, — заявила торговка, пересчитав купюры.

— А скидка? — напомнила Васюкова. — Вы обещали цену скостить!

Глава 3

Я стала кланяться Римме Марковне:

— Не знаю, как вас благодарить!

— Люди обязаны друг другу помогать, — торжественно объявила Васюкова. — Валечка, выслушайте меня! Я попала в тяжелое положение, одна надежда на ваше шоу!

Я вздохнула. Очевидно, Римму невозможно убедить в том, что я всего лишь однофамилица ведущей программы. Никакие здравые аргументы типа: «Скрывая внешность и меняя парики, главное лицо шоу использует псевдоним, ведущая в жизни носит другую фамилию», — на нее не подействуют.

А еще я теперь должница Риммы Марковны, поэтому придется дать ей высказаться. К тому же одна из моих знакомых, Оля Банникова, работает на телевидении. Я попрошу ее найти подход к шоу «Захват» и познакомлю Римму Марковну с кем-нибудь из организаторов программы. Дама помогла мне в трудную минуту, а долг платежом красен.

— Давайте сядем под лестницей, — предложила Васюкова, — там самый тихий уголок.

— Хорошо, — согласилась я.

История Риммы Марковны оказалась очень простой, и чем дальше Васюкова излагала события, тем яснее я понимала: режиссер «Захвата» никогда не заинтересуется таким сюжетом.

У Васюковой есть сын Артем. Ему двадцать лет, но с виду он похож на восьмиклассника, парень невысок ростом и хрупкого телосложения. В отличие от большинства молодых людей Тема никогда не увлекался спортом, боевыми искусствами, футболом или автомобилями. Шумным компаниям он предпочитал чтение книжек, любил рисовать и получал одни пятерки.

Когда он учился в школе, поначалу все шло гладко. Хотя таких ребят не особо любят одноклассники, но Артем спокойно ходил на занятия, и мать считала, что у сына нет проблем с ровесниками. Когда отпрыск среди зимы вдруг попросил ее перевести его в другое учебное заведение, Римма Марковна весьма удивилась и спросила:

— Что случилось?

— Ничего, — ответил Тема, — мне школа не нравится.

— Посреди года никак нельзя переводиться, — попыталась образумить чадо мать.

— Почему? — нахмурился Тема.

— Так никто не делает, — пожала плечами Римма Марковна.

— А я хочу, — уперся Артем.

— Глупости, — не согласилась мать и сочла вопрос решенным.

На следующий день сын отказался завтракать и идти на уроки. Васюкова ушла на работу, а вернувшись домой, обнаружила Тему мирно читающим очередной том Майн Рида. На гневный выговор матери мальчик спокойно заявил:

— Хочу учиться, но не там.

Три дня у них шла борьба, в конце концов мать сдалась и направилась в школу, где задала классной руководительнице Нинели Львовне прямой вопрос:

— Что случилось?

Учительница отвела глаза в сторону.

— У Темы есть странности. Например, он патологически аккуратен, никогда не пользуется школьным туалетом, терпит до дома.

Римма Марковна кивнула:

— Верно, мальчику с детства привили такие навыки. Простите, конечно, но общественные сортиры оставляют желать лучшего. Есть болезни, допустим, желтуха, дизентерия, которые легко можно подцепить, справив нужду в не очень чистом санузле. Ничего плохого в поведении Артема нет!

— Еще он всегда вытирает в столовой ложку салфеткой, — продолжала Нинель Львовна, — говорит, что она липкая.

— И в этом случае он поступает правильно, — пожала плечами Васюкова, — вам следует сделать замечание посудомойкам.

— Если кто-то попросит у Артема откусить от его яблока, он всегда говорит: «Забирай все себе», ни за что не станет доедать после другого человека, — вздохнула Нинель Львовна.

— Вы полагаете, что дети должны хлебать из одной миски общей ложкой? — поразилась Римма Марковна.

— Я всего-то удивляюсь благоразумию Темы, — протянула классная руководительница, — большинство детей относились к нему терпимо. Артем не вредный, отлично учится, дает списывать, подсказывает на уроках. У него нет закадычного друга, и вашего мальчика нельзя назвать душой коллектива, но в целом его не отторгали... пока...

— Пока что? — переспросила Васюкова и, забыв о воспитании, потребовала: — Хватит мочалку жевать, рассказывайте!

— Артем очень стеснительный... — замямлила Нинель Львовна. — У нас по пятницам второй урок физкультура, так он никогда не переодевается. Натягивает дома вместо белья спортивную форму и просто скидывает в раздевалке верхнюю одежду, а потом, после занятия, вновь облачается в брюки и рубашку. Думаю, он не хочет демонстрировать свое тело одноклассникам, Артем ведь щуплый, с неразвитой мускулатурой. А тут у нас появился Павел...

— Это еще кто такой? — налетела на учительницу Васюкова.

— Хитрук, его сюда в сентябре перевели, — закатила глаза Нинель Львовна. — Сложный мальчик, учится плохо, но успел за несколько месяцев стать лидером в классе. Внешне Павел хорош собой — высокого роста, с красивой фигурой и очаровательной улыбкой. Все девочки в него влюбились. А мальчиков Хитрук подкупил дисками с играми. Павел из обеспеченной семьи, поэтому у него самый лучший мобильный телефон, какие-то невероятные часы, навороченный компьютер, коллекция модной музыки. Отец и мать Хитрука целый день на работе, они ни разу в школе не были, мальчик предоставлен сам себе, он часто водит одноклассников за свой счет в кино или кафе.

— Тема никогда не рассказывал о таких походах, — вклинилась Римма Марковна в речь училки.

— А его и не приглашают, — сухо ответила Нинель Львовна, — у Артема с Павлом отношения не сложились. Хитрук подшучивает над вашим сыном, остальные дети переняли его манеру общения.

Римма Марковна возмутилась:

— Иными словами, в классе появился отвратительный тип, который начал травить Тему и подбил на это других детей? Вы тут осуждаете чрезмерную аккуратность моего мальчика, а сами даже не попытались защитить отличника от хулигана!

— Если я вмешаюсь, сделаю только хуже, — прикинулась заботливой овечкой Нинель Львовна, — дети терпеть не могут любимчиков.

— Понятно, — махнула рукой Васюкова, — у Хитрука родители с деньгами, они ценные люди и для школы, и для, вас лично. А Тему воспитывает одинокая мать, с которой взятки гладки...

— Да как вы смеете! — побагровела Нинель Львовна. — Я отношусь ко всем детям одинаково, невзирая на их социальное происхождение, в нашем коллективе имеют значение лишь хорошие отметки и безупречные знания!

— Именно поэтому вы позволяете двоечнику Хитруку унижать отличника Васюкова! — заорала возмущенная мать.

Классная руководительница вскочила и тоже перешла на крик:

— Ваш мальчик психически неполноценный! Его необходимо показать врачу! В туалет не заходит, в буфете есть боится, переодеваться стесняется, постоянно молчит, держится от одноклассников на расстоянии... Он аутист!

— Дура! — не выдержала Римма. — Все, забираю от вас ребенка! Перевожу его в другую школу!

— Желательно для психически неадекватных детей, — выпустила последнюю ядовитую стрелу учительница, — знаете, что ваш тихоня учудил? Драку они с Павлом в спортраздевалке затеяли. После того как физрук мальчишек разнял, Хитрук назвал Тему... э... ну, в общем, гомосексуалистом.

— Пидором? — уточнила мать.

— Да, — с неохотой признала Нинель Львовна, — а что, вполне литературное слово. Артем ничего Павлу не ответил, просто ушел.

— Странно, что вы не поставили ему двойку за

неконфликтное поведение, — не удержалась от сарказма Васюкова.

— Неконфликтное поведение? — со странной интонацией повторила классная руководительница. — Вы не дослушали! Когда закончились уроки, ваш сын подошел к Павлу и заявил:

— Я нормальный человек, не смей меня обзывать!

Хитрук хотел что-то возразить, но Васюков не дал ему раскрыть рот. Он вынул из пенала бритвенное лезвие, полоснул себя по руке и стал капать кровью на дневник Павла.

Присутствовавшая при том Нинель Львовна обомлела, девочки завизжали, кое-кто из мальчиков тоже закричал, а Павел явно испугался.

— Сейчас я слабый, — спокойно, словно не испытывая ни малейшей боли, заявил Тема, — и мне с тобой не справиться. Но, клянусь на крови, с этого момента я буду готовиться к мести. Непременно вырасту, стану сильным и тогда тебя убью. И всех твоих родственников. А потом всю правду всем расскажу.

Затем Артем наклонился к Павлу и что-то шепнул тому на ухо.

Хитрук посерел, а Тема завязал рану носовым платком, взял свой портфель, подошел к двери, обернулся и заявил:

— Больше я сюда не вернусь. Но знайте: я отомщу всем, кто надо мной издевался. Одной Кате Фирсовой помогу!

— И вы мне не позвонили? — прошептала Римма Марковна, когда учительница закончила рассказ. — Не поставили в известность о случившемся?

— Я постеснялась, — глупо ответила классная руководительница, — ведь мало кому приятно узнать про психические загибы родного ребенка.

— Что произошло в раздевалке? — не успокаивалась Васюкова.

— Потасовка.

— Почему Хитрук обозвал Тему? — потребовала ответа мать.

— Понятия не имею, — призналась Нинель Львовна, — физрук вошел, когда мальчики уже дубасили друг друга. Он их растащил, и тогда Павлик высказался.

— Позовите Хитрука, — потребовала Васюкова.

— Его родители забрали из школы прямо на следующий день, — буркнула училка.

— Тогда ведите сюда Фирсову! — стукнула кулаком по столу Римма Марковна.

Катюша оказалась милой девочкой с обрамленным кудряшками лицом ангела. Она честно призналась Васюковой, что Артем ей нравится.

— Он очень умный, — смущенно лепетала школьница, — столько всего знает! Кучу стихов выучил, замечательно рисует. У Темы талант! Отправьте его в художественную школу. Хотите адрес дам? Я туда на будущий год перейду.

— Ты не в курсе, что случилось в раздевалке? — спросила Васюкова.

Фирсова слегка порозовела.

— Тема... ну... он... мы...

— Я не собираюсь тебя ругать, — попыталась вывести Катю на откровенность Римма Марковна, — надо же во всем разобраться!

Девочка залилась краской.

— Переодевалка в конце коридора, он там разветвляется, справа спортзал, слева медкабинет, перед ним лавочка. Врача никогда нет, на скамейке обычно сидят те, кому к доктору надо. Мы с Темой частенько туда уходили.

— Катя! — сдвинула брови Нинель Львовна. — Что я слышу!

— Молчать! — рявкнула на нее Римма Марковна. — Дети наверняка ничего плохого не делали, Артем не такой.

— Все мальчики в четырнадцать такие, — гадко ухмыльнулась классная руководительница, — только об одном и думают!

Фирсова зарыдала.

— Мы просто разговаривали. О жизни! Потом в тот коридор заглянул Хитрук и спросил: «Че? Лижитесь?»

— Вы целовались, — торжествующе заявила Нинель Львовна.

— Нет! — закричала Катя. — И Тема Павлу ответил: «Мы беседуем». Тот хихикнул: «Ага, порнуху обсуждаете». Артем спокойненько так возразил: «Нет, творчество Кандинского». И все!

— Все? — поразилась Васюкова.

— Да, — кивнула Катюша, — я ушла, а потом из раздевалки шум пошел, Хитрук с Темой там вдвоем были. Вот. Это Пашка начал, он гад! Артем мне перед уходом сказал: «Не волнуйся, я буду твоим ангелом-хранителем».

— В школе нужно думать об уроках, а не о том, как обжиматься по углам с мальчиками, — тявкнула Нинель Львовна, — Фирсова, я сообщу твоему отцу, чем занимается его дочь.

— Нет, ты правда дура, которую нельзя подпускать к школе на сто километров! — взорвалась Римма Марковна и полетела к директору.

Скандал вышел знатный. В результате Артем и

Катя покинули учебное заведение и очутились в художественном училище. Фирсова выучилась на декоратора, а Артем поступил в полиграфический институт — он собрался стать иллюстратором детских книг.

Если не считать этой давней школьной истории, более никаких неприятностей Артем матери не доставлял. И в училище, и в институте он не обзавелся близкими друзьями, но со всеми поддерживал ровные, хорошие отношения и считался юношей с большим творческим потенциалом. Тема не пил, не курил, не устраивал дебоши, не волочился за девушками. Иногда к нему приходила Катя Фирсова, и они преспокойно пили чай, перелистывая журналы или обсуждая какие-то спектакли и выставки.

Один раз Римме Марковне пришло в голову, что молодым людям просто негде заняться любовью. У Фирсовой была большая семья: папа, мама, бабушка, старшая сестра, брат, — и все ютились в малогабаритной трехкомнатной квартире, а стоило Катюше забежать к Теме, как тут ее встречает старшая Васюкова. Правда, жилищные условия Артема намного лучше, у них с мамой тоже трешка, но на двоих. И Римма Марковна, уйди молодые люди в комнату сына, никогда бы не стала стучать в дверь, а уж вламываться туда без спроса ей и в голову прийти не могло. Но что же за интим, если знаешь о присутствии за стеной взрослого человека?

Так вот, поразмыслив, Римма Марковна решила создать парочке благоприятные условия. Стоило Катюше появиться на пороге, как Васюкова восклицала:

— Хорошо, что ты заглянула! Пейте с Темой чай,

а я полетела по делам, вернусь поздно, не раньше полуночи.

Но, вернувшись, Римма Марковна ни разу не обнаружила никаких следов интимной близости между Катей и сыном. Полотенца в ванной всегда оставались сухими, диван и кресла в гостиной в полнейшем порядке, белье на кровати Темы не перестилали. Зато количество конфет, печенья, сыра и хлеба значительно уменьшалось, и на столе в кухне лежали листы бумаги, покрытые рисунками. Похоже, молодые люди постоянно пили чай, жевали бутерброды и вместо объятий с поцелуями занимались творчеством.

Очевидно, Фирсова обладала ярким талантом. Во всяком случае, едва Кате исполнилось девятнадцать лет, она получила роскошное предложение от одного из заокеанских театров.

Глава 4

Когда необычайно взволнованный Артем сказал матери о том, что его подружка на днях уезжает в Америку, где будет оформлять спектакль, Римма Марковна расстроилась.

— А ты?

— Что я? — удивился Тема. — Я продолжу учебу. Вот здорово, что Катюхе повезло! Получит огромный опыт, поживет в Нью-Йорке. Авось и зацепится там, начнет зарабатывать хорошие деньги.

— И как вы намерены общаться? — совсем приуныла Васюкова, которая привыкла считать Фирсову своей будущей невесткой.

— Есть скайп, ай-си-кью, электронная почта, в конце концов, — загадочно ответил Тема. Глянул на вытянувшееся лицо мамы и уточнил: — Это способы связи через Интернет.

— Ты действительно спокойно относишься к ее отъезду или притворяешься? — решила докопаться до сути Римма Марковна.

— Я просто счастлив за нее, — сказал Тема, — это невероятный шанс, редкая удача! А что такое, мама? Мы ведь с Катей друзья, но и только.

— Да? — разочарованно протянула Васюкова.

Сын усмехнулся.

— Давно собирались тебе сказать: не надо уходить из квартиры, чтобы оставить нас вдвоем, но чего-то постеснялись.

Фирсова укатила в Штаты, и Артем часто сидел у компьютера. Неожиданно молодой человек начал получать хорошие деньги, он устроился на работу и теперь давал маме приличную сумму на хозяйство.

Многие женщины могли бы позавидовать Римме Марковне, Артем был идеальным сыном, который даже в непростые подростковые годы не сказал ей ни единого грубого слова. Да, он не имел закадычных друзей, но ни в институте, ни в родном дворе не было человека, который мог бы сказать о парне гадость. Тема всегда спешил взять у соседок тяжелые сумки и доносил их до двери; если старушка из восемнадцатой квартиры просила его купить молоко или кефир, Артем никогда ей не отказывал. Поскольку по вечерам парень в основном сидел дома, одинокая соседка Тоня Андреева иногда приводила к Васюковым своего семилетнего сына, и Тема охотно приглядывал за ним. А еще он очень любил животных, но завести собаку или кошку не мог, потому что у Риммы Марковны была аллергия на шерсть.

В бытовом плане с Темой тоже не существовало

хлопот. Он был маниакально аккуратен, ежедневно принимал душ, не швырял вещи на пол, не оставлял грязную посуду в мойке, всегда опускал круг на унитаз и ни разу не ушел из дома в нечищеных ботинках. И в еде парень не капризничал. У Риммы Марковны были проблемы со здоровьем, поэтому она не употребляла жирного, жареного, копченого, соленого... Нет, она была готова варить две кастрюльки супа: себе вегетарианский, а сыну щи со свининой, но юноша охотно соглашался питаться диетическими блюдами. Понимаете, какое сокровище выросло у Васюковой? Но Римма Марковна ухитрилась увидеть на своем солнце пятна. Она была недовольна отсутствием у Артема девушки и каждый день говорила ему:

— Люди рождаются, чтобы создать семью. Можешь смело приводить домой подруг!

Сын отшучивался, но мать не отставала. Один раз Артем позволил себе огрызнуться:

— Пожалуйста, оставь в покое тему женитьбы! Мне хочется сделать карьеру, самореализоваться, начать зарабатывать хорошие деньги, а уж потом я буду думать о загсе. Пока я не готов взваливать на свои плечи семью.

— Это эгоизм — жить только для себя! — возмутилась Римма Марковна. — Я мечтаю внуков понянчить.

Артем пожал плечами и в дальнейшем старался избегать подобных разговоров.

За неделю до Нового года сын подарил матери путевку в Эмираты. Римма Марковна ахнула: она ведь никогда не ездила за границу. И стала отказываться, не желая отправляться одна в чужую страну. Но Тема ее уговорил, и двадцать восьмого декабря

Васюкова улетела. Вернулась шестого января и была крайне удивлена, что мальчик не встретил ее в аэропорту.

Римме Марковне пришлось самой тащить чемодан. По дороге она без конца набирала телефон Артема, но в ответ слышала слова автомата: «Данный номер не существует». А дома трубку никто не снимал.

В квартиру Васюкова ввалилась на грани обморока. Правда, когда она увидела в комнатах полный порядок, а в гостиной на столе вазу с цветами, около которой лежал лист бумаги, ледяные пальцы страха, стискивавшие горло, разжались, из груди вырвался вздох облегчения. Слава богу! С Темой ничего ужасного не случилось, он приготовился встретить маму, купил герберы и оставил письмо, в котором объяснил причину своего отсутствия в аэропорту.

Римма Марковна взяла в руки послание. Бедняжка, она не знала, какой удар ее ждет! Текст, написанный аккуратным почерком отличника, радовал стопроцентной грамотностью, расставленными в нужных местах знаками препинания и ошеломлял содержанием.

«Мама, я устал от твоей постоянной опеки. Мне уже достаточно лет, чтобы самому принимать решения. Буду жить так, как хочу. Жениться я не намерен и не испытываю непреодолимого желания иметь детей. Не сочти это за оскорбление, но я не ощущаю радости при мысли о том, что должен воплощать твой сценарий моей судьбы: дом — работа — дом — воспитание ребенка — потом воспитание внука — пенсия — смерть. Хочется внести в этот ряд немного счастья, а в моем понимании оно никак не связано с семьей. Но ты ведь не оставишь меня в покое, будешь беспрерывно пилить, требовать продолжения рода Васюковых. Поэтому я принял весьма непростое решение. Мама, я люблю тебя и уважаю, спасибо за то, что сумела вырастить меня, поставить на ноги, дать образование. Испытывая к тебе глубочайшую благодарность, я понимаю, что жить вместе мы не можем. Я ухожу из дома. В верхнем ящике буфета ты найдешь квитанции на оплату квартиры, телефона и электричества, я внес деньги за год вперед. Если тарифы изменятся, тебе сделают перерасчет. Там же в конверте лежит сумма в евро, трать ее по своему усмотрению. Нам пока не следует встречаться, и тебе и мне необходимо научиться существовать в автономном режиме. Не ищи меня, не приходи в институт, я забрал оттуда документы. Понимаю, что тебя будут мучить вопросы и один из самых главных прозвучит так: как отреагируют знакомые и соседи, узнав правду? Мама, не нужно всегда и всем сообщать об истинном положении дел, лучшим ответом в данной ситуации будет, например, такой: Тема уехал за границу, ему предложили выгодный контракт.

Буду ли я по тебе тосковать? Конечно. Но, повторяю, для нашего общего блага нам нужно разъехаться. Я не готов жить по чужому сценарию, а ты не должна подменять свое семейное счастье моим. Мама, в твоем возрасте женщины спокойно выходят замуж, и теперь, когда в квартире не будет постоянно сидеть взрослый сын, твои шансы найти жениха резко возрастают. Желаю тебе удачи и счастья, а деньги непременно буду передавать с оказией. Артем».

Римма Марковна перевела дух и стала поправлять волосы. Потом спросила:

— Ну и как вам эта история?

— Вполне обычная, — решила я сказать правду, — некоторые люди бунтуют в подростковом возрасте, другие пытаются выйти из-под опеки матери, став взрослыми. Правда, бывает порой совсем безрадостный вариант — когда мужчина безропотно подчиняется матери до ее кончины, а потом спешно женится, желая получить новую мамулю. Но Артем сбежал. Ничего криминального в этом нет.

— Нет, его похитили! — объявила Римма Марковна.

— Не вижу ни одной причины думать о преступлении, — улыбнулась я, — вы получили письмо, оно все объясняет.

— Вот! — горько воскликнула Васюкова. — Именно такую фразу я услышала в милиции, когда явилась туда с заявлением о пропаже человека. С огромным трудом пробилась к начальнику отделения, а тот никаких подробностей слушать не стал, спросил: «Сколько лет вашему мальчику? Двадцать? Он взрослый мужчина, его ровесники уже в армии отслужили. Есть записка, в которой он сообщает об уходе из дома? Есть. Это не наш случай, сами разбирайтесь». Я попыталась растолковать солдафону: Тема абсолютно не самостоятелен, не приспособлен к жизни в одиночестве, — но мент засмеялся: «Гражданка Васюкова, если малышу стали малы памперсы, пора разрешить ему самостоятельно ходить до ветру». Ну не дурак ли? Артем в руках преступника, а он...

Из глаз Риммы Марковны закапали слезы, она вынула из сумочки идеально отглаженный носовой платок и стала аккуратно промокать щеки.

Иногда сущая мелочь расскажет вам многое о человеке. Нынче абсолютное большинство людей перешло на бумажные салфетки, они стоят копейки, не требуют стирки-глажки и намного гигиеничнее прежних платочков. Но у Риммы Марковны оказался при себе раритет: кусочек батиста с кружевной каймой. Очевидно, в раннем детстве ей внушили, что хорошо воспитанная дама всегда имеет при себе перчатки, расческу, пудреницу и носовой платочек. А к ее недорогой сумке был прикреплен брелок в виде маленького плюшевого мишки. Трогательная деталь, говорившая о наивности женщины.

Мне стало жаль Римму Марковну. Она-то хотела Артему счастья, которое было понятно ей: семья, дети, стабильный заработок. Но, видно, у Артема имелось собственное мнение на сей счет и другие планы.

— Думаю, вам не следует беспокоиться, — сказала я, — ваш сын вполне счастлив.

— Он в руках преступников, — безнадежно повторила Васюкова.

— А письмо? — попыталась я воззвать к логике. — Наверное, вы узнали почерк сына? Или текст напечатан на компьютере?

— Нет, послание написано от руки, — всхлипнула Римма Марковна, — тут сомнений быть не может: автор его сам Тема.

— Вот видите! — обрадовалась я. — Конечно, неприятно осознавать, что парень взбрыкнул и удрал из-под вашего крылышка, но он жив-здоров, и это утешает. Не дергайтесь так! Артем никогда не боролся сам с бытовыми трудностями, скоро ему надоест думать о стирке рубашек и покупке продуктов, подождите пару месяцев, сыночек вернется.

— Если к вашей голове приставить пистолет, то вы нацарапаете любой текст, продиктованный бандитами! — заломила руки Римма Марковна. — Послание не аргумент!

— Давайте рассуждать спокойно, — предложила я. — Зачем преступники похищают людей? Есть несколько ответов на данный вопрос: хотят получить деньги, узнать некие секреты, продать в сексуальное рабство, наконец, просто убить. Вас просили заплатить выкуп?

— Нет, — печально ответила Васюкова.

— Вы ведь не обладаете миллиардами? — уточнила я.

— Издеваетесь? — прошептала Римма Марковна. — На пальто полгода собирала.

— Значит, материальный расчет отпадает, — резюмировала я. — Идем дальше — секреты. Тема связан с оборонным производством? Он разрабатывает ракетное топливо? Знает код ядерной кнопки? Или, может, вхож к президенту, пьет с ним по вечерам кефир?

Васюкова, слабо улыбнувшись, пояснила:

— Артем студент, подрабатывает художником, комиксы рисует — дешевое издание для первоклашек.

— Значит, ваш сын не представляет ни малейшего интереса для спецслужб других стран, — ободрила я растерянную мать, — будущий живописец наделал долгов? Он играет в казино? Торгует кокаином? Колется героином? Спит с чужими женами?

Римма Марковна перекрестилась.

— Ужас! Ни о чем подобном и речи быть не может! Тема стопроцентно порядочный человек, он никогда не видел наркотиков, не заглядывал в игорный дом и...

— Зачем тогда его похищать? — перебила я Васюкову. — Где смысл?

Римма Марковна притихла.

— Идите спокойно домой, — сказала я, — и попробуйте пожить для себя. С Артемом все в порядке.

— Нет, его похитили, — уперлась Васюкова.

— Назовите хоть одну причину для похищения, — я начала раздражаться.

— Ну... просто так! — гениально ответила Римма Марковна. — Его видели в этой больнице!

— Со связанными руками-ногами и с мешком на голове? — не выдержала я. — Парня тащили вооруженные до зубов террористы?

Васюкова ойкнула и схватила меня за плечо.

— Сижу я дома, вдруг приходит соседка Элеонора из девятнадцатой квартиры, вроде бы чайку попить, и спрашивает, как себя чувствует Тема...

Римма Марковна еще никому не успела озвучить версию об отъезде сына и решила отделаться стандартным ответом:

— Хорошо.

Соседка положила в чашку сахар, размешала его и вдруг сделала странное заявление:

— Не покупай антибиотики, они теперь слишком дорогие, у меня остались лекарства после операции, я отдам тебе их за копейки.

Римма поперхнулась чаем.

— Антибиотики? Зачем они мне?

Элеонора укоризненно посмотрела на Васюкову.

— Никакого стыда в том, что Артем заболел, нет. Если ты не хочешь, я никому не расскажу. Но зачем зря деньги тратить? Возьми у меня лекарство. Мне понадобилось всего пять уколов, а меньше десяти ампул не продают, вот они и остались.

Римма Марковна похолодела.

— Заболел? Кто?

— Тема, — поджала губы Элеонора, — я сегодня

навещала в больнице коллегу по работе и перепутала палаты, вошла не в сто десятую, а в сто первую. Гляжу — на койке Артем.

— Ты, очевидно, обозналась. Тема уехал в конце декабря... э... э... в Америку, ему там работу предложили, — дрожащим голосом соврала Васюкова.

— Ну и дела! — закудахтала Элеонора. — Встречаются же двойники! То-то он со мной беседовать не захотел. Я поздоровалась вежливо, поинтересовалась: «Темочка, как ты сюда попал? Бедняжечка! Мама ничего о твоей болезни не говорила!» А парень в ответ: «Дайте поспать спокойно, я вас сюда не приглашал». И тут медсестра появляется со шприцами, говорит: «Вы кто? Уходите немедленно, больному пора антибиотики колоть». Риммочка, ты не стесняйся, забери у меня лекарство. Хотя у тебя, наверное, теперь с финансами порядок. Ну надо же, в Америку... Там большие деньги платят! Только, представляешь, тот, из больницы, одно лицо с Темой!

Римма Марковна с огромным трудом дождалась, когда болтливая Элеонора уберется наконец восвояси. А на следующий день бросилась в клинику. Сто первая палата была пуста, и вообще Артем Петрович Васюков не был зарегистрирован в качестве больного. Но мать не удовлетворилась полученными сведениями, она кинулась в ординаторскую, узнала имя заведующего отделением и стала допрашивать Александра Григорьевича.

Доктор был немногословен, но кое-какую информацию сообщил. Сто первая палата имеет особый статус, это одноместный люкс с личным санузлом, и он находится в распоряжении главврача Игоря Олеговича Романенко. Клиника так называемая скоропомощная, сюда машины с красным крестом

свозят не только тех, кому стало плохо дома или на
службе, но и жертв аварий, нападения грабителей, а
также бомжей. Свободных коек в больнице никогда
нет, приемное отделение всегда переполнено. Теку-
честь кадров в клинике огромная, врачи и медсестры не хотят за маленькую зарплату иметь большую
головную боль, поэтому стремятся при первой же
возможности смыться в более спокойное место. Ко-
ридоры забиты каталками, на них лежат те, кому не
хватило места в палатах, в которые втиснуто по пять-
шесть коек. Но, несмотря на такое положение, сто
первая палата остается одноместной. Приказ о помещении в нее больного может отдать только сам
Романенко, более никто. Игорь Олегович сейчас находится на конференции в Лондоне. Никаких сведений о больных доктор давать не имеет права, единственное, что он может сказать, — это следующее:
больного по имени Артем Васюков там никогда не
было.

Римма Марковна растерялась, Александр Григорьевич говорил весьма убедительно, а Элеонора
могла ведь и ошибиться, на койке, наверное, лежал
человек, похожий на Артема.

Ночью Васюкова не смогла заснуть, а утром, сама не понимая зачем, снова поехала в больницу и
прошмыгнула в элитную палату. Римма Марковна
тщательно осмотрела ее, изучила внутренности шка-
фа и тумбочки, обнаружила кругом чистоту, полнейшее отсутствие каких-либо вещей, затем заглянула в
ванную. Там тоже все сияло белизной. Глубоко разо-
чарованная женщина уже собралась уходить и на-
последок открыла небольшое помойное ведро. Убе-
дившись, что внутри лежит лишь новый пакет для
мусора, отпустила педаль. Крышка хлопнула, ведро

сдвинулось с места, и Римма Марковна увидела комочек темно-синей бумаги. Очевидно, кто-то кинул его случайно мимо ведра, а уборщица не заметила скрученный фантик.

Васюкова торжествующе посмотрела на меня.

— Теперь понимаете? Элеонора не обозналась! Тема был в палате, но врач почему-то скрыл от меня сей факт!

Глава 5

— Почему вас так взволновал какой-то фантик? — не поняла я.

Васюкова заявила:

— Он был от конфеты «Фестиваль». Это карамелька, сверху белая, а внутри варенье, вишневое.

— И что? — продолжала недоумевать я.

Римма Марковна чуть сдвинула брови.

— У нас с сыном никогда не было больших денег, шоколадки появлялись на столе только по праздникам, карамель же доступная сладость. Тема очень любил «Фестиваль», я всегда брала для него граммов двести-триста. Даже в начале девяностых, когда пропали все продукты, «Фестиваль» иногда можно было приобрести. А потом появилось огромное количество новых конфет, и простенькое лакомство почти перестали выпускать, так я стала за ним на фабрику ездить в их фирменный магазин. Покупала про запас сразу пару кило. Найдя фантик, я поняла: Тема тут лежал, пил чай с любимой карамелькой! Его похитили! Вот я и стала ходить в больницу, просить, чтобы мне дали адрес Артема.

Я деликатно кашлянула.

— Дорогая Римма Марковна, вы читали письмо, в котором ваш сын четко указал: он желает жить один. Понимаю, тяжело сознать, что сын бросил мать, но лучше на какой-то срок оставить его в покое. Пройдет время, Артем опомнится, непременно захочет встретиться с вами, и тогда вы выработаете новые правила общения. Можно не жить под одной крышей и быть близкими людьми, но бывает и наоборот. Забудьте вы про эту клинику. Вы уже более четырех месяцев ходите, а толку? Ведь когда ваша соседка Элеонора видела тут человека, похожего на Тему?

Васюкова схватила мою ладонь, ее рука оказалась холодной и липкой.

— Во второй половине января... Нет, я не остановлюсь! Побеседую с каждым сотрудником больницы! Жаль, не имею возможности сюда часто приходить. Уверена: кто-то из местных знает, где Артем. Ох, здесь так душно! Господи, я забыла лекарство принять, то-то голова заболела...

Васюкова открыла сумочку, вынула белую коробочку, вытряхнула из нее блистер, выдавила себе на ладонь одну таблетку и быстро проглотила. Я невольно прочитала название средства и тотчас сообразила: Римма Марковна серьезно больна. Это лекарство прописывают своим пациентам психиатры.

В одном из детективов мне пришлось описывать человека с явными отклонениями в поведении, и чтобы не допустить ляпа, я обратилась к психиатру с вопросом: «Какие средства прописывают сумасшедшим?» Выслушала тогда целую лекцию по психиатрии и узнала несколько наименований лекарств. Наиболее часто назначаемым специалист назвал то, которым сейчас воспользовалась Римма Марковна.

Мне стало еще больше жаль больную даму. Теперь понятно, по какой причине сын удрал от мамочки. Несмотря на то что при поверхностном общении Васюкова производит впечатление обычного человека, на самом деле она не совсем нормальна, а постоянно находиться около больной трудно!

Тишину под лестницей нарушила трель мобильного, мы с Риммой Марковной одновременно полезли в сумки.

— Это мой, — сказала мать Артема и поднесла к уху трубку. — Кто говорит? Спасибо, дорогая, уже. Нет, все отлично, скоро буду.

— Дайте, пожалуйста, ваш номер, — попросила я после того, как Васюкова завершила короткий разговор.

— Вы заинтересовались похищением Темы? — обрадовалась несчастная. — Снимете программу? Преступники испугаются огласки и отпустят моего мальчика. Интервью со мной в эфире сделаете? Я буду очень просить их вернуть мне Артема!

Я постаралась не измениться в лице. Если в голове у сумасшедшего засела бредовая идея, никакие логические доводы на него не подействуют. Не стоит сейчас огорчать Римму Марковну, надо ее успокоить.

— Обязательно расскажу генеральному продюсеру вашу историю, — ласково улыбнулась я. — Но окончательное решение принимает он.

Римма Марковна трижды перекрестилась.

— Слава тебе, Господи! Так и знала, что сегодня непременно встречу нужного человека. Записывайте номер...

Я занесла цифры в телефонную книжку.

— Если разрешите, я привезу вам деньги за кроссовки завтра с утра.

— Конечно, — кивнула Васюкова, — после похищения Темы я всегда встаю в шесть. Знаете почему?

Мне совсем не хотелось продолжать беседу, поэтому я проигнорировала вопрос и попыталась уйти со словами:

— Очень рада была с вами познакомиться.

— Не хотите узнать, почему я резко изменила режим дня? — с легкой агрессией спросила Римма Марковна.

Люди с психиатрическим диагнозом легко выходят из себя, а успокаиваются с большим трудом. Я немного испугалась и постаралась подавить конфликт в зародыше.

— Думаю, вы решили вести здоровый образ жизни.

— О, да! — повеселела Васюкова. — Совершенно верно! После похищения Темы я стала испытывать проблемы со здоровьем, появилось головокружение, врач напугал меня возможным инсультом. И я за себя взялась. Ради сына! Непременно должна его освободить! Это цель моей жизни! Нельзя, чтобы тело подвело, поэтому я установила себе режим: подъем, обливание холодной водой, зарядка, завтрак геркулесовой кашей, отдых, пробежка в парке, обед, хозяйственные хлопоты, чтение оптимистичной литературы. Никаких вредных продуктов, только простая пища, отход ко сну в одно время, контроль давления, прием витаминов, аутотренинг.

— Впечатляюще, — искренне восхитилась я, — мало кто так о себе заботится.

— На самом деле я это делаю для Темы, — пояснила Римма Марковна, — я не имею сейчас права на недуги. Я обязана спасти сына от монстра-захватчика!

Снова раздалась трель мобильного, Васюкова быстро вынула телефон.

— Да. Ох, спасибо, Эля. Вечно я что-нибудь забуду.

Римма Марковна встала.

— Это соседка из девятнадцатой квартиры. Мы с ней в хороших отношениях, прямо подруги, вот она и напоминает мне, что нужно лекарство купить, осталась одна таблетка в упаковке. Ах ты, Господи!

— Что-то случилось? — спросила я, тоже поднимаясь со скамеечки.

— Денег-то больше нет, — вздохнула Васюкова.

Мне стало неловко.

— Ну вот, приобрели мне кроссовки, а сами остались без пилюль... Давайте я верну обувь в ларек?

— И как вы пойдете? — озабоченно поинтересовалась Васюкова. — Не волнуйтесь, сегодня мне больше лекарство не надо принимать, а на завтра, на утро, есть. Если вы привезете деньги до полудня, я сразу пойду в аптеку. Никаких проблем. Впрочем, если вернете долг только вечером, после работы, тоже ничего страшного. У меня припрятано несколько тысяч на случай непредвиденных обстоятельств. Вдруг, скажем, понадобится врача позвать.

— Очень предусмотрительно, — согласилась я, — не волнуйтесь, завтра около девяти я позвоню вам и сразу приеду. Еще раз огромное спасибо за кроссовки!

— Надо помогать друг другу, — уверенно заявила Римма Марковна, — я вам, вы мне.

На улице начал накрапывать дождик, я прикрыла голову сумочкой и, еще раз мысленно поблагодарив бедную сумасшедшую за спортивную обувь, поторопилась к метро.

— Белла! — закричал кто-то со стороны дороги. — Эй, Ви! Белла, постой! Ау! Глухая совсем? Белла!

Я невольно обернулась и увидела старую иномарку-развалюху с помятым крылом, покореженным капотом и отсутствующим бампером. Из окна высовывался Билли.

— Ну ваще! — заорал он. — Утекла и не попрощалась! Нашла туфли? Куда направляешься?

Я поежилась из-за капель, попавших за шиворот, и ответила:

— Домой.

— Садись, — скомандовал Билли, — подвезу.

Мелкий дождичек стал переходить в ливень, я живо юркнула в пахнущий бензином салон.

— Здорово тебе машину помяли.

— За рулем часто сидят всякие обезьяны с гранатой, — разозлился Билли.

— Тебя стукнула женщина? — я решила выяснить детали чужой аварии.

Билли хмыкнул:

— Я не видел. Вообще не понял, откуда чумовая тачка взялась. Вынеслась на красный свет и ба-бах! Я башкой о стойку треснулся, очнулся уже в «Скорой». Начал их уговаривать меня отпустить, да врач попался вредный, уперся и приволок в клинику. Я только время зря потерял, а в моем бизнесе каждая минута — клиент. Во, метро!

Я взялась за ручку двери.

— Спасибо, Билли.

— Дай телефончик, — попросил парень.

Я продиктовала цифры.

— Это мобильный, — деловито уточнил Билли, — а домашний?

— Пожалуйста, — согласилась я.

Билли старательно записал номер и вдруг поинтересовался:

— Слушай, а где ты живешь?

— В замечательном месте, — скривилась я, — экологически чистый пустырь в паре метров от МКАД, из окон восхитительный вид. Сядешь на кухне чаек попить — перед глазами многокилометровая пробка. А из комнаты можно полюбоваться гаражами. Адрес звучит лирично: «Машинопогрузочная, восемь». Вот уж что мне непонятно, так это почему у здания такой номер. Там всего два дома стоят!

— Ну ваще! — захохотал Билли и завел мотор.

— Постой, — забеспокоилась я, — мне надо выйти!

— Сиди спокойно, — велел товарищ по несчастью, — доставлю тебя прямо к подъезду.

— Ты подрабатываешь извозом? — осторожно поинтересовалась я. — Прости, но я не хотела брать такси.

— Задарма довезу, — уточнил парень.

— Огромное спасибо, но не стоит. Правду говорю — я живу на краю света. Великолепно прокачусь на городском транспорте, — попыталась я пресечь благородный порыв Билли.

— У тебя в доме на первом этаже магазин «Продукты»? — неожиданно спросил новый знакомый. — А в девятнадцатом «Электротовары»?

— Точно, — удивилась я, — откуда знаешь?

— Так я живу в девятнадцатом, — снова заржал Билли, — и тоже никак не пойму, с какой радости у него такой номер? Справа стоит восьмой, слева ни фига нет. Я как твой домашний телефон услышал, сразу врубился — мой район.

Поудивлявшись такому совпадению, мы почувствовали себя почти родственниками и разговорились. Билли охотно рассказал о себе. Он спортсмен, настоящая звезда, один раз стал чемпионом своего района по бодибилдингу. Но, увы, до пенсии на соревнования ездить не станешь, поэтому перед парнем встал вопрос: чем заняться в жизни. По счастью, у Билли есть лучший друг, очень богатый, крутой бизнесмен по имени Степан. У него точка на рынке, успешное предприятие, торгующее бытовой химией. Вот Степа и решил дать старому приятелю беспроцентный кредит. Билли пару недель назад открыл свое дело, которое обещает приносить огромный доход.

— Молодец, — похвалила я парня, — хорошо работать на себя, а не на хозяина.

— А ты чем занимаешься? — поинтересовался Билли.

— Пишу книги, — брякнула я и тут же прикусила язык.

— С ума сойти! — восхитился водитель. — Типа, Пушкин? Дашь почитать? Я люблю серьезную литературу, детективы в руки не возьму, от них мозг гибнет.

Услышав последнее заявление, сообщать о себе правду я расхотела окончательно и решила слегка приврать.

— Боюсь, тебя не заинтересует мое творчество, оно не художественное, а научное.

— Вау, — протянул Билли, — учебники пишешь?

— Вроде того, — обтекаемо ответила я.

— По математике? — не успокаивался парень.

— Нет, конечно, — засмеялась я, — абсолютно ничего не смыслю в точных науках.

— А о чем тогда? — не отставал Билли.

— По диетологии, — продолжала вдохновенно врать я.

— Типа, как жрать, чтобы не толстеть?

— Точно.

Билли стройный юноша, никаких жировых отложений на его теле незаметно, желания похудеть он явно не испытывает. Мужчины вообще редко думают о здоровом питании, эта проблема им неинтересна. Сейчас он перестанет задавать вопросы о моем творчестве, и тема закроется.

— Супер! — неожиданно возликовал Билли. — Вот повезло! Если ты диетолог, то непременно слышала про «Орис-два»[1].

Я ощутила неловкость, но, раз соврав, трудно остановиться.

— Конечно, «Орис-два» известная штука.

— Помогает? — тут же спросил парень. — Дорогая она, однако!

Я откашлялась и попыталась изобразить ученую даму.

— В принципе проблемы с весом вплотную связаны с химическими процессами в организме, что, учитывая сбои в обмене веществ, непременно может привести как к похуданию, так и к набору веса, о чем можно судить лишь по прошествии некоторого времени, потраченного на диету и фитнес-занятия. Все хорошо в комплексе. Думаю, «Орис-два» не помешает, но главное, чтобы не навредил.

Запас слов закончился, Билли с уважением на меня посмотрел.

— Ты профессор?

— Нет, — ответила я, решив, что лучше не усугублять ситуацию, — просто обычный практик. Ой, спасибо! Мы уже приехали!

Парень притормозил у девятнадцатого дома и спросил:

---

[1] Название придумано автором, любые совпадения случайны.

— Можешь мне помочь?

— Конечно, — опрометчиво пообещала я, — ты был так мил, я сделаю все, что в моих силах.

Билли встрепенулся.

— Тогда пошли, покажу тебе мой бизнес.

— Ладно, — скрывая удивление, согласилась я, — далеко топать? В гаражи? Ты открыл автомастерскую?

— Не-а, фитнес-клуб, — объяснил Билли, — иди сюда, вход с угла.

Я выбралась из покореженной иномарки, сделала несколько шагов и увидела вывеску: «Спортцентр «Бегемот».

— Заходи, — велел парень и открыл дверь, — я у ЖЭКа площадь арендую. Смотри, как здорово все устроил! Здесь раздевалка, там душевая кабинка, а тут зал для занятий. Опля!

Жестом фокусника Билли отдернул занавеску, и я вытаращила глаза.

Посередине небольшого помещения громоздилась странная конструкция, состоящая из педалей, пружин, блоков, веревок и грузиков. С разных ее сторон торчали ручки, в центре чернело седло от велосипеда, а под ним виднелись две педали.

— Ну? — гордо приосанился Билли. — И как тебе?

— Восхитительно, — на всякий случай ответила я, — а это что?

— Вот те на! — поразился парень. — «Орис-два», тренажер для придания фигуре нужных объемов.

— Ну конечно, я узнала аппарат, — захихикала я, понимая, что ситуация стремительно выходит из-под контроля, — просто пошутила. Симпатичный у тебя фитнес-клуб, очень уютный, но маленький, боюсь, двум посетителям тут будет тесно.

— Все с нуля начинали, — философски заметил Билли, — вон Степка сначала возле метро с коробкой бегал, а теперь солидный бизнесмен, павильон на рынке отгрохал. Я пока за потоком клиентов не гонюсь, буду людей по часам записывать. Ну, скажем, Петрова на три, Федорова на пять. А уж потом, когда подзаработаю, расширюсь. Супер?

Я кивнула.

— Одна беда, — пожаловался Билли, — пока не могу найти человека, который бы тут с клиентами работал. В идеале я ищу такого, как ты... Эй! Постой! Ты Белла Ви? То-то я успокоиться не мог, не зря мне твои имя с фамилией показались знакомыми. Щаз!

Билли метнулся в коридор, я прислонилась к стене и попыталась слегка взбодриться. Экий сегодня неудачный день, неприятности пролились на голову ливнем, а теперь еще и эта дурацкая история с фитнесом. Ну зачем я прикинулась диетологом? Надо было назваться журналисткой или учительницей, в конце концов, я когда-то работала корреспондентом у Семена и была репетитором у сына соседки...

— Точно! — заорал из коридора ликующий голос, и передо мной возник Билли с пачкой тоненьких брошюрок в руках. — Вот! Мне мама дала, она такое читать любит.

Я уставилась на обложку. Белла Ви «Как лопать все и похудеть», издательство «Элефант». Вот теперь понятно, отчего при знакомстве в больнице мне в голову пришло это имя: утром я видела на столе у Гарика данное произведение, еще удивилась, что Ребров выпускает такую чушь.

— И фотка суперская, — демонстрировал детский восторг Билли.

Я взяла другую книжонку. Белла Ви «Как избавиться от комплексов и получить мужа». Однако тетенька многогранна, легко пишет на разные темы, еще один ее опус назывался «Как забеременеть от нужного человека и родить здоровое потомство».

— На снимке ты отлично получилась, — толкнул меня в бок владелец фитнеса, — и зря скромничала, не призналась в своих заслугах.

Я перевернула похожее на школьную тетрадку издание и обнаружила размытый снимок то ли пуделя, то ли мужчины, то ли женщины с торчащими дыбом волосами цвета испуганной морковки. Внизу был короткий текст: «Белла Ви, диетолог, фитнес-тренер, психиатр, мануальный терапевт, корректор психосознания и поэтесса. Является академиком Космологической академии вселенского разума, директором лаборатории по исследованию ментальных процессов в позвоночнике, руководителем группы «Анонимные обжоры» и председателем ученого совета Института исследований физических параметров астрального тела и ауры. Ее книги изданы на 325 языках народов мира и стали бестселлерами в 475 странах».

— Круто! — продолжал восхищаться Билли. — Вот мне повезло! Сейчас, конечно, я много заплатить тебе не могу, но потом... Поверь, это очень выгодное предложение, оформлю тебя с сегодняшнего числа. Работа рядом с домом! Шоколадно! Написала страничку — пришла с клиентом попрыгала — вернулась в квартиру, написала страничку — вернулась сюда и с клиентом попрыгала. Ваще!

— И правда ваще! — выдохнула я, оглядывая «Орис-два». Других слов и не подобрать — просто ваще, и все тут.

Глава 6

— Согласна? — скакал вокруг меня Билли. — Вместе мы горы свернем! Так, я побегу, напечатаю на принтере объявы: «В центре «Бегемот» принимает мировая известность Белла Ви» — и разложу по почтовым ящикам. Да у нас продыху от клиентов не будет!

— Постой, — испугалась я, — на самом деле я вовсе не занимаюсь...

— Тук-тук... — пропел от порога нежный голосок-колокольчик, — фитнес-клуб здесь?

Мы с Билли одновременно обернулись, и я, уже не в первый раз за сегодняшний день, лишилась дара речи. На пороге стояла настоящая кукла Барби, длинные, белокурые волосы незнакомки были завиты в тугие локоны и перевязаны розовыми ленточками, из-под сильно накрашенных ресниц смотрели голубые глаза, губы в форме сердечка, цвет кожи как у молочного поросенка. Тело ожившей игрушки обтягивало платье из переливающегося атласа. Стоит ли упоминать, какого оттенка был материал? Короткая юбочка оканчивалась высоко над коленями, обтянутыми кружевными чулками, лодочки были похожи на клумбы из роз, в руке Барби держала сумочку, по размеру подходящую для хомячка. Ясное дело, она тоже была ядовито-розовой. От куклы посетительницу отличало лишь одно — вес ее наверняка перешкалил за полтора центнера, подбородков насчитывалось шесть штук, и, похоже, она могла гордиться эксклюзивными параметрами 200 : 200 : 200.

— Здрасте, — удивленно произнес Билли, — вы к нам?

— Да, — кокетливо прищурилась дама. — Я Мусенька. Так меня все зовут.

— Очень приятно, — пришел в себя владелец клуба, — добро пожаловать. Что желаете?

Я постаралась не засмеяться. Гениальный вопрос! Как вы думаете, что заставило мадам прийти туда, где обещают отшлифовать фигуру? Конечно же, она хочет приобрести живого крокодила! Сейчас я продемонстрирую Билли, как нужно вести себя с потенциальным клиентом.

Изобразив на лице восторг, я перехватила инициативу:

— Здравствуйте! Вы обратились по адресу, мы элементарно решим любую вашу проблему! Прямо сейчас поставим вас на лист ожидания.

— Здесь очередь? — напряглась Барби.

— До августа все расписано, — подтвердила я.

— Вовсе нет! — возмутился идиот Билли.

Я моментально его ущипнула.

— Ой! — взвизгнул дурачок.

— Ну да, наш управляющий внезапно вспомнил про «окно», — воспользовалась я ситуацией, — одна из клиенток, жена президента компании... впрочем, простите, я не могу разглашать имена... заболела гриппом. Если хотите, то...

— Да, да, — закивала Мусенька, — понимаете, я вполне собой довольна, сильно похудела за год.

— Вы потеряли вес? — весьма неприлично удивился Билли.

— Верно, — подтвердила Мусенька, — теперь он в норме, сто сорок кило.

— Ага, — растерялась я.

Мусенька опустила взор.

— Мой муж любит пышечек.

— Отлично, — выдавила я из себя, — главное, чтобы супруг обожал жену.

— Но прораб просит сбросить вес до ста двадцати — иначе нет никакой гарантии, — загадочно сказала толстуха.

Билли потряс головой.

— Прораб? Вы работаете на стройке и начальник предъявляет столь дикие требования?

— Это преследование по внешнему виду, — воскликнула я, — никто, кроме врача, не имеет права заставить вас корректировать фигуру.

— Нет, не в том дело, — улыбнулась Мусенька, — мы с мужем строим дом. Небольшой, в пять этажей. Сейчас мы оба еще молоды и легко поднимаемся по лестнице, но надо же смотреть вперед! Кроме того, у нас есть родственники: отец, мама, дедушка, его сестра, брат бабушки с тремя племянниками...

— А они тут при чем? — встрял в беседу Билли. — Тоже хотят фитнесом заниматься?

— Лифт! — загадочно ответила Мусенька.

— Лифт? — переспросил явно туго соображающий Билли.

— Подъемник? — уточнила я.

— Верно! — радостно захлопала в ладоши Мусенька. — Мы задумались о неминуемой старости и решили установить кабину.

— И чего? — разинул рот Билли. — Мы тут при чем?

Клиентка одернула юбчонку.

— Архитектор ошибся в расчетах, и нам сделали узкую шахту. Теперь мы можем приобрести только один вид лифта, маленький. Другой не помещается.

В моей голове вспыхнул луч понимания.

— Вы не подходите по грузоподъемности!

— Не совсем, — кашлянула Мусенька, — я не пролезаю в дверь.

— Жесть... — брякнул Билли и прикусил губу.

— Что вы, — отмахнулась Барби, — жестяные двери не делают. Да и какой в них прок? Вот, смотрите.

Пальцы, похожие на сардельки, открыли розовый «гробик» и вытащили сантиметр.

— Ширина ее такая, — показала Мусенька, — ну никак, даже боком, даже на голодный желудок я не протискиваюсь. Надо поскорее подогнать себя под лифт, мы хотим в июле переезжать.

Я не нашлась что ответить, зато Билли впал в раж.

— Нет проблем! Около вас стоит Белла Ви, вот ее книги!

— Ничего себе, — пробормотала Мусенька, — не ожидала, что здесь консультирует мировая величина!

Я моментально разозлилась на Билли и хотела ответить: «Увы, завтра я улетаю на год в Америку», — но тут Мусенька с придыханием сказала:

— Вы выглядите доброй, умной, красивой. Приятно заниматься с таким человеком.

— Завтра в восемь вечера вам подойдет? — помимо воли вырвалось у меня.

— Отличное время! — обрадовалась Барби. — Я обещала своим сделать на ужин пятислойный курник, как раз к семи приготовлю, покормлю семью и сюда.

— Сами много не ешьте, — предостерег Билли, — лучше всего за два часа до тренировки слопать банан.

— Непременно так и поступлю, — пообещала Барби и удалилась.

— Никогда не слышал, чтобы женщина худела

под лифт, — пробормотал Билли, — под платье или джинсы — сколько угодно, а вот так...

— Мог бы вообще-то поинтересоваться, согласна ли я работать в «Бегемоте»! — запоздало возмутилась я.

Билли протянул ко мне руки.

— Белла, это же первый клиент! Откажешь ему и бизнесу кирдык! Ну пожалуйста! Кстати, где твоя машина?

— Понятия не имею, — призналась я, — а ты как свою нашел?

Билли вытащил сотовый.

— Мой бывший одноклассник теперь заведует отделом в ГАИ. Я ему звякнул, и через час автомобиль к больнице пригнали. Хочешь, Васька и тебе поможет?

— Да! — обрадовалась я.

Билли набрал номер и стал беседовать с приятелем. Потом торжественно объявил:

— В жизни всегда надо помогать друг другу! Твою таратайку завтра припрут, утром найдешь ее у подъезда. Но... Моя тачка после аварии ездить может, а твоя сдохла. Не волнуйся, я устрою ее в сервис, там ее реанимируют. У меня еще одна машина есть, дам тебе ключи, рассекай, пока твою не починят.

— Ты мастер решения проблем, — восхитилась я.

— Чисто приятельская услуга, — пожал плечами Билли, — мы известные люди, звезды, я чемпион, ты академик, надо держаться друг за друга, иначе черные вороны белых заклюют. Успешных никто не любит. Мне уже третий год на коврик у двери писают! Знаешь почему?

— До своего туалета дотерпеть не могут? — предположила я.

— Из зависти, — поправил меня Билли, — я многого добился, имею влиятельных друзей: Степку с рынка, Ваську-гаишника, Генку из автосервиса. А у других кто в приятелях? Алкашня у магазина. Во все времена простой народ благородных людей камнями зашвыривал. И не говори, что на тебя никогда косо не смотрели.

Друг Билли не подвел. В девять утра я нашла на парковке у дома свой автомобильчик, пребывавший в самом плачевном состоянии. Очевидно, я ухитрилась столкнуться с танком, потому что капот походил на гармошку, передний бампер отсутствовал, одно из крыльев напоминало изжеванный собакой носок, а ветровое стекло отсутствовало. Чуть не зарыдав от горя, я позвонила Билли, а потом к нему отправилась.

— Не переживай, — успокоил меня хозяин фитнеса, — Генка починит, он и не такое собрать может. На вот, держи ключи. Иди в гараж, бокс восемнадцать, документы в бардачке, доверенность сама от моего лица напиши.

— Не боишься техпаспорт в автомобиле оставлять? — удивилась я.

— Кому он нужен? — продемонстрировал замечательный пофигизм Билли. — Короче, занимайся своими делами, а я вызову Генку. Только не забудь к восьми вернуться в клуб.

— Не подведу, — заверила я Билли и отправилась в гараж, по дороге набирая номер Риммы Марковны.

Васюкова долго не снимала трубку. Я успела открыть замок на воротах гаража, войти внутрь и щелкнуть выключателем. Под потолком вспыхнула очень яркая лампа, и в ту же секунду из трубки донеслось тихое:

— Да.

Я, изумленная увиденным, машинально начала разговор:

— Доброе утро. Это Тараканова, хочу привезти вам долг.

— Долг? — переспросила Васюкова.

— Деньги за кроссовки, — уточнила я, — неужели забыли? Вы дали мне их вчера в больнице, не побоялись поделиться приличной суммой.

— Адрес знаете? — прошелестела Римма Марковна.

— Вы мне его сказали. Если я в районе одиннадцати приеду? Извините, конечно, я обещала раньше у вас быть.

— Хорошо, — сдавленно прошептала Васюкова, — деньги мне нужны.

Я мимолетно удивилась странной реакции Риммы Марковны, но размышлять о ее поведении не стала, все мое внимание было приковано к автомобилю.

Для начала я попыталась понять, кто родил его на свет. Капот и передние крылья явно принадлежали «Жигулям», багажник имел иностранное происхождение, задний бампер украшала надпись «Порше». Крыша походила на противень, глушителей почему-то было два, колеса оказались слишком большими для малолитражки, у меня даже возникло предположение, что их сняли с джипа. Еще смущал цвет. Тачка напоминала попугая, передняя часть синяя, задняя зеленая, верх желтый, низ белый, а в салоне красные чехлы из кожзама.

Я влезла внутрь и с радостью поняла, что у гибрида коробка-автомат, а ключ совершенно открыто торчит в замке зажигания. В бардачке лежали документы, Билли припас даже бланк доверенности. Я стала его заполнять и выяснила марку авто — «Нива». Теперь понятно, откуда взялись здоровенные колеса, происхождение же остальных частей осталось покрыто мраком неизвестности.

Бензин в баке был, мотор заработал сразу, разноцветный «зверь» легко выехал на дорогу, и я повеселела. Не сочтите меня снобкой, но по мне лучше три часа маяться в пробке, чем сорок минут в метро. В подземке я падаю в обморок от духоты и запахов, а еще я там пару раз лишилась кошелька и испортила новое белое пальто.

Чем дальше я отъезжала от дома, тем легче делалось на душе. Права была воспитавшая меня Раиса! Мачеха постоянно твердила:

— Ничто не бывает только плохим или только хорошим. Никогда не плачь и не радуйся после ужина, ложись спать, утром разберешься.

В детстве я отмахивалась от нравоучений Раисы, но теперь понимаю: она хоть и пила не просыхая, не была дурой, ей следовало завязать с алкоголем, да только зеленый змий оказался сильнее Раи.

Я покрепче вцепилась в руль. Погода радовала солнышком, от вчерашнего дождя не осталось даже луж. Да, я истратила все деньги на новую квартиру, задержала платеж по кредиту, разбила вдрызг машину и не подписала договор в издательстве. Вчера перечисление всех несчастий чуть не заставило меня зарыдать, сегодня же в полном мраке появились светлые проблески. Автомобиль у меня есть. Правда, внешне он страшнее налоговой декларации, зато бойко катит вперед. Незнакомый Гена непременно починит мою таратайку или купит ее на запчасти. Банк не захочет ссориться с писательницей, которая может сделать ему антипиар. Наверняка там подумают, что госпожа Виолова способна позвонить в «Желтуху» и рассказать охочим до историй корреспондентам о своем печальном опыте. Ну что мешает ей заканючить: «Вот гады! Я случайно забыла заплатить, а они! Нет, в банке «Фос» не любят клиентов, не ходите к ним, там сидят вампиры, думающие лишь о высасывании процентов». Так что, полагаю, с кредитным отделом я договорюсь. Что же касается новой рукописи...

Оптимистический запал погас. В случае с книгой есть лишь один выход: необходимо сесть за ее написание. Впрочем, лучше я подумаю об этом позднее, сейчас отдам долг Римме Марковне и порулю в банк.

Резкий звонок заставил меня вздрогнуть. Краем глаза я посмотрела на дисплей ожившего мобильного и отключила его. Ну уж нет, дорогой Гарик, я не из тех женщин, которые, бесконечно повторяя мужу: «Сейчас уйду, развод и девичья фамилия!», — остаются на месте.

Бабоньки, хотите, чтобы вас уважали? Никогда не грозите разрывом отношений, а уж если произнесли эту фразу, то придется выполнять обещание. И на работе то же самое. Ляпнули сгоряча: «Все надоело, подаю заявление об уходе», — значит, несите бумажку начальнику.

Ребров хотел избавиться от ленивой писательницы, не дал мне аванс, а потом подумал-подумал и решил, что я ему еще пригожусь. Сейчас принялся бы извиняться, ссылаться на усталость, нервное перенапряжение. Но только я назад не пячусь! Найду другое издательство. В конце концов, у меня есть

имя и определенный круг читателей. У Гарика началась звездная болезнь после того, как он переманил
к себе Миладу Смолякову и еще парочку топовых
авторов. Теперь сдувает с них пылинки! Какова была бы реакция издателя, услышь он от Милады фразу: «Хочу отдохнуть полгода»? Неужели Гарик отка-
зал бы ей в договоре на новую книгу?

Я припарковала разноцветное чудовище у бор-
дюра, попыталась вынуть ключ, поняла, что он не
вытаскивается, и позвонила Билли.

— Проблема? — деловито спросил он.

— Из замка зажигания...

— Знаю, — перебил звезда бодибилдинга, — фиг
с ним, оставь так.

— А если угонят? — испугалась я.

— «Ежика»? — засмеялся Билли. — Да кому он
нужен!

Я сунула телефон в карман и пошла к подъезду.
Значит, чудище зовут «ежиком»? Очень мило! Билли, похоже, романтик.

При входе в лифт меня неожиданно настиг все
тот же вопрос: откажет ли Ребров захотевшей временно ничего не писать Миладе в договоре на новую книгу? Правда, Смолякова — вечный двигатель,
она никогда не отдыхает, ей и в голову не придет провести час в сутки без ноутбука.

Глава 7

Римма Марковна осторожно приоткрыла дверь.
Сквозь узкую щель я увидела раритетную вещь: давно забытую всеми цепочку — и один глаз.

— Кто там? — еле слышно спросила Васюкова.

Подавив глупое желание ответить «сто грамм и огурчик», я произнесла:

— Виола Тараканова, принесла деньги за кроссовки.

— Давайте, — тихо откликнулась женщина, — без сдачи!

Хозяйка не собиралась впускать меня внутрь, она вытянула руку и явно ждала, что я положу на ее ладонь деньги и уйду прочь.

Я открыла сумочку и достала конверт.

— Хотите пересчитать?

— А сколько стоили туфли? — вдруг спросила Васюкова.

Мой взгляд упал на руку Риммы Марковны, чуть повыше запястья виднелся уродливый шрам. Я хорошо помню — когда я разговаривала с безумной дамой в больнице, ничего подобного у нее не было.

— Вы не Васюкова! — поняла я. — Позовите хозяйку, отдам долг лично ей!

Женщина, хотевшая забрать купюры, издала странный звук и, сняв цепочку, распахнула дверь.

— Я Мира Марковна, — мрачно сказала дама, поднося ко рту сигарету.

В то же мгновение я сообразила: та, кого я приняла за мать Темы, хоть и очень похожа на нее, но чуть полнее, волосы у нее не каштановые, а светло-русые, нос длиннее, губы тоньше и подбородок не овальной, а прямоугольной формы.

— Можете оставить долг мне, — сказала Мира Марковна, — я непременно передам все сестре, когда она вернется.

— Римма Марковна уехала? — поразилась я. — Но вчера она никуда не собиралась!

Мира Марковна выпустила клуб дыма.

— Решение было принято спонтанно. Нам предложили путевку в санаторий, буквально за копейки, а Римма давно нуждается в отдыхе, поэтому быстро собралась и отправилась в Подмосковье.

— Вечером? — продолжала недоумевать я.

— Почему вечером? — ответила Мира Марковна. — Утром часов в восемь на электричку села.

Я постаралась не измениться в лице.

— Наверное, тяжело ей было одной до поезда чемодан тащить.

— Мы вместе на такси к вокзалу подъехали, — абсолютно не смутившись, соврала сестрица, — шофер оказался услужливым, доволок багаж, а там к станции от санатория микроавтобус подгоняют, встречают отдыхающих.

— Правильное решение, — кивнула я, — Римма Марковна показалась мне взвинченной, ей надо привести нервы в порядок. Простите, можно к вам зайти? Очень пить хочется!

— Сейчас принесу стакан воды, — пообещала сестра Васюковой, продемонстрировав либо плохое воспитание, либо категорическое нежелание впускать незнакомку в квартиру.

— Уж извините, — смущенно улыбнулась я, — на самом деле мне нужно воспользоваться туалетом! Это я так деликатно в сортир попросилась.

— Римма затеяла ремонт, — заявила Мира Марковна, — унитаз демонтирован. За углом есть большой торговый центр, там найдете туалет.

Я изобразила изумление:

— Разгромила квартиру и уехала отдыхать?

Мира Марковна затушила окурок и сложила руки на груди.

— А я на что? Буду тут процессом рулить. Давайте деньги!

Я быстро оглядела прихожую, увидела на крючках два плаща, один серый, другой коричневый, на полу две пары туфель практичного темного цвета и сумки. Тот ридикюль, что стоял ближе ко мне, был украшен брелоком, плюшевым медвежонком, прикрепленным к замку «молнии». Я легко отодвинула Миру и вбежала в квартиру.

— Стойте! — возмутилась сестра Васюковой. — Немедленно вернитесь или я позвоню в милицию!

Но я, не обращая внимания на угрозу, добежала до первой дубовой двери, пнула ее, увидела пустую гостиную, бросилась дальше и в конце концов застыла на пороге спальни.

Просторная комната была обставлена с купеческим размахом. Стен не видно под картинами, на окне тяжелая бархатная занавеска с пышным ламбрекеном. В правом углу громоздится пианино, чуть поодаль от него кресло с высокой спинкой, и дальше по кругу торшер, газетница, журнальный столик, консоль, заставленная безделушками, трюмо с банками и флаконами, рекамье и кровать, огромная, с резной спинкой и высокими витыми столбиками, украшенными наверху мраморными шарами. Вся мебель была старой, но в прекрасном состоянии.

На постели под пуховым одеялом в льняном пододеяльнике с вышивкой лежала иссиня-бледная Римма Марковна.

— Ей плохо! — ужаснулась я. — Немедленно вызовите врача!

Мира устало вздохнула.

— Доктор ушел час назад, сделав необходимые инъекции. И еще раз навестит нас вечером.

— Вы соврали! — налетела я на Миру Марковну. — Наплели про Подмосковье!

— Мало кто станет сообщать незнакомому человеку о семейных неприятностях, — разумно ответила вторая Васюкова, вытаскивая из кармана пачку сигарет.

— Что с ней? — не успокаивалась я. — Мы виделись с Риммой Марковной вчера, она была весьма бойкой, рассказывала о том, что ведет здоровый образ жизни. А сегодня вижу тяжелобольного человека. Очень быстрая трансформация!

— Откуда вы знаете Римму? — устало спросила Мира, вновь закуривая.

— Вчера в больнице потеряли мою обувь, и ваша сестра одолжила мне денег на кроссовки, — честно ответила я. — До этого мы не встречались.

— Это очень на нее похоже, — грустно произнесла Мира Марковна, — Римма готова помочь любому. Повышенная эмоциональность всегда ей мешала. А уж сколько раз ее обманывали! Вы порядочный человек, привезли деньги, но многие не спешат возвращать долги, даже кое-кто из соседей. Мне вечно приходилось порядок наводить. Открою нашу семейную кассу: ба, где рублики? Иду к Римме, а та спокойно сообщает: «Мира, у Елены Сергеевны из восемнадцатой квартиры гипертонический криз, я сбегала ей лекарств купить, она выздоровеет и отдаст». Неделя проходит, вторая, навещаю Елену, спрашиваю: «Дорогая, ты не забыла про долг?» В ответ изумление, обида, вся гамма чувств и заявление: «Римма сама в аптеку полетела, я ее не просила». Пойдемте на кухню, не надо мешать больной спать, хоть она и под воздействием сильного транквилизатора, да вдруг проснется... Тогда ее и трое не успокоят!

— Так чем больна ваша сестра? — спросила я Миру Марковну, усаживаясь на табуретку.

— Физически она совершенно здорова, а вот в голове помутнение, — объяснила та, — мне порой страшно становится. Генетика-то общая, вдруг и я... того... Хотя Римма с детства была слишком ранимая, могла часами рыдать из-за пустяка. А еще она большая фантазерка. Сколько раз ей от нашей мамы влетало! Отправит Римму за хлебом, та вернется и взахлеб рассказывает: «Дом на углу горит, людей полно, жильцов из окон вытаскивают, надо погорельцам одежду отнести!» Мама побежит во двор — ничего, ни огня, ни машин с лестницами. Римму в угол поставит, а та на своем стоит, говорит, что видела пожар. Ну, мамочка за ремень и хваталась. Она нас одна поднимала, отец рано умер. Хотела из дочек хороших людей вырастить, вот и воспитывала как могла. Лупила Римму, пока ей не посоветовали дочь профессору показать, а тот сказал: «У вашего ребенка дар. Это не вранье, никакой выгоды она не получает. Римма фантазерка, не душите в ней талант. Девочка станет художницей, актрисой или писательницей, творческим человеком». Мама поверила, бить сестру перестала, просто от ее сказок отмахивалась, повторяла: «Прекрати, это никому не интересно».

Привычка придумывать истории не помешала Римме, когда она выросла, выйти замуж. Брак был удачным, супруг Петр Михайлович очень любил жену. С годами она перестала сообщать о пожарах, и хотя временами ее заносило, могла небылицу придумать, но в основном собой управляла. Она научилась жить в мире фантазий и казалась очень счастливой. Когда Петр Михайлович скончался, Мира на следующий день после похорон позвонила Римме, спросила:

— Как ты себя чувствуешь?

А та очень весело отвечала:

— Великолепно. Петины рубашки глажу, он просил к вечеру чемодан собрать.

Мира решила, что у Риммы от горя помутился рассудок, и помчалась к сестре.

— Мируся, — обрадовалась ей та, — представляешь, какая удача! Петруша отправился в Париж, он там будет лекции студентам читать!

С тех пор Римма ни разу не назвала супруга покойным. Она считает, что тот живет во Франции, рассказывает Мире о его телефонных звонках и письмах, иногда хвастается полученными с оказией подарками. Васюкова никогда не посещает кладбище, за могилой мужа не ухаживает...

— Понимаете, сестра не придуривается, ничего не изображает, она на самом деле верит в придуманную сказку. Иногда я ей завидую, — вздохнула Мира Марковна, — я не лгу людям и себе. Кстати, я работаю директором школы. Так вот, сама-то я никогда не фантазировала, горжусь своей честностью, но сестра намного счастливее меня. Я знаю: Петр Михайлович в могиле, а она живет с мыслью, что он во Франции. Или Тема. Он погиб, но у матери другая версия: якобы сына похитили, а Римма непременно его найдет.

— Артем умер? — отшатнулась я.

Мира Марковна искоса посмотрела на меня.

— Римма рассказывала вам о похищении?

— Да, — подтвердила я, — честно говоря, я подумала, что юноша захотел самостоятельности и сбежал от излишне заботливой мамули. Правда, у Риммы Марковны концы с концами слегка не сходились — она поведала про письмо от Темы и тут же объявила о похищении.

Мира Марковна молча выслушала меня, потом прикрыла глаза ладонью.

— Прощальное послание от Темы — это что-то новенькое, остальное я слышала не один раз.

Я сделала уточнение:

— Римма Марковна не производила впечатление вруньи. Я подумала, что она сильно расстроена решением сына, не способна адекватно оценить, кто виноват в создавшейся ситуации, вот и предпочла версию о похищении. Потом увидела у нее таблетки и заподозрила, что у несчастной есть какие-то проблемы, но не катастрофические, раз она одна передвигается по городу.

Мира подперла щеку кулаком и снова задымила как паровоз.

— Верно, два раза в год, осенью и поздней весной, как правило, в мае, Римма впадает в беспокойство. Посторонним она кажется вменяемой. Три года назад сестра приехала с чемоданом в «Шереметьево» и попыталась пройти на посадку в самолет, отправляющийся в Париж. Когда ее попросили предъявить паспорт и билет, Римма так искусно изобразила жертву воровства, что ей поверили и отвели в отделение милиции для подачи заявления о краже. Хорошо хоть не стали сразу по компьютеру проверять, покупался ли авиабилет на фамилию Васюкова. И еще здорово, что она попросила у милиционеров разрешения сходить пообедать, а уж потом писать заявление. Представьте мое состояние, сижу на работе, звонит Римма в истерике: «Мируся, меня обокрали! Не могу лететь к Петеньке!» Как я неслась в

«Шереметьево»! Моя школа в Тушине, до аэропорта недалеко, я быстро добралась, но до сих пор не понимаю, как мне удалось Римму домой незаметно увезти и почему шума не подняли. Нам просто повезло.

— В Васюковой пропала гениальная актриса, — буркнула я.

— Маловероятно, — возразила Мира Марковна, — весной и осенью у нее случаются припадки, она корчится в судорогах, кричит. И чем старше становится, тем хуже ей делается. Еще пару лет назад Римма лежала после них час-другой и вставала, а теперь неделю мается. Да вы сами ее сейчас видели.

— Не позавидуешь вам, — посочувствовала я женщине, — а что случилось с Артемом?

— Осложнение после гриппа, — грустно ответила Мира Марковна, — начиналось все обычно: температура подскочила, мы врача вызвали, стали мальчика лечить, он на поправку пошел. А потом вдруг потерял сознание, отек легких и смерть. Племяннику едва двадцать лет исполнилось, Тема был очень талантливым художником, постоянно рисовал, день и ночь работал, его взяли в издательство, крупное, называется... э... «Слон».

— Может, «Элефант»? — переспросила я.

— Точно, — кивнула Мира Марковна, — Артем очень понравился начальнику художественного отдела, мальчику дали задание, пообещали быстрый карьерный рост... и такая глупая, нелепая смерть.

Я встала.

— Извините, пожалуйста, я вела себя непозволительно, но мне показалось...

— Ерунда, — перебила Мира Марковна, — я отлично вас понимаю. Спасибо, что вернули деньги.

— Еще раз простите, — расшаркалась я, уже стоя у выхода, — Римма Марковна очень добрый человек. Мало кто в наше время сразу придет на помощь незнакомцу, даст деньги и не попросит расписки.

— Да, сестра у меня замечательная, но... жизнь у нее пошла наперекосяк, — грустно сказала Мира Марковна, закрывая за мной дверь.

Глава 8

На улице вовсю сияло солнце. Я посмотрела на автомобиль и поняла, что не испытываю ни малейшего желания стоять в пробке. Лучше провести время вон в том торговом центре. Денег у меня в обрез, но я не собираюсь ничего покупать, просто пошляюсь по этажам, поразглядываю витрины, может, выпью чашечку чая в местном кафе, если, конечно, она там не стоит триста рублей за наперсток. А уж потом, окончательно успокоив нервы, отправлюсь в банк беседовать о кредите.

Несмотря на середину недели и разгар рабочего дня, в универмаге колыхалась толпа. Сначала я заглянула в отдел косметики, отметила, что ничего интересного на стендах нет, и с легкой душой двинулась дальше по лавкам. Везде переливались стразами летние коллекции, модельеры, словно сговорившись, усыпали свои изделия яркими камнями. Больше всего меня поразили крохотные трусики, тонкую ткань которых безжалостно проткнули железными «лапками» украшений с фальшивыми брюликами.

В некотором замешательстве я стала рассматривать белье. Ну ладно, пуловер в крупную дырку и кукольная куртка длиной до середины груди хоть както пригодны для носки. В принципе можно натянуть и юбку, напоминающую сильно зауженный книзу бочонок. Правда, ни свитер, ни «косуха» не спасут от ветра и холода, а в юбчонке даже я стану похожа на мисс Пиги, да еще при ходьбе придется семенить. Но трусишки? На секунду я представила, что надеваю поверх стразового великолепия джинсы, ощутила, как камни впиваются в тело, и вздрогнула. Брр! Спасибо, обойдусь без такой красоты. Считаете меня глупой? Полагаете, что трусики в брюликах из бутылочного стекла все же можно поддевать под юбку? Может, и так, но только сидеть на них будет неудобно. Интересно, модельер, сотворивший это чудо, сам его использует?

Вволю насмотревшись на шмотки и поняв, что не хочу приобрести ни одну из них, я зарулила в кафе. Нашла там вполне бюджетный пирожок с капустой, напилась чаю и почти впала в блаженство.

Ехать в банк не хотелось категорически, ведь он находится на Каширском шоссе, я устану, как цирковая мартышка. Может, попытаться решить проблему по телефону?

Спустя четверть часа я потеряла горячее, как свежесваренная картошка, ухо и стала себя нахваливать. Молодец, Вилка, уладила все дела, банковское начальство оказалось покладистым, нам удалось прийти к консенсусу. Дело за ерундой: нужно срочно написать книгу и отнести ее в хорошее издательство.

Ход мыслей прервал звонок телефона. Забыв глянуть на дисплей, я схватила трубку.

— Алло...

— Ну наконец-то дозвонился! — возликовал Ребров. — Я уже начал волноваться, почему ты не отвечаешь?

— Раньше не замечала за тобой привычки беспокоиться о посторонних людях. Извини, я очень занята! — каменным тоном ответила я. А потом сказала в сторону: — Простите, Аврелий Германович, я забыла отключить аппарат.

— Что? — взвыл Гарик. — Кто? Аврелий? Ты в издательстве «Михаил К.»?

— Верно угадано, — стараясь не расхохотаться, подтвердила я. — Ты же от меня отказался, а мне кушать хочется, пришлось подписывать договор с Аврелием Германовичем.

— Ты уже оформила бумаги? — зашипел Гарик.

— Еще нет, пока их читаю.

— Немедленно выйди из кабинета, — приказал Ребров.

— Зачем? — прикинулась я полной дурой.

— Мы же с тобой друзья... — соловьем запел издатель.

— Я так и считала до того момента, пока кое-кто не выгнал меня без аванса, — сделала я свою подачу.

— Покинь Аврелия! — заорал Гарик.

Я поскребла ногтем по микрофону мобильного и через полминуты раздраженно спросила:

— Ну? Почему ты мне мешаешь?

— Ты в коридоре? — уточнил издатель.

— Да, — спокойно солгала я, — любуюсь на портреты авторов «Михаил К.». Здесь, оказывается, полно замечательных имен. И есть подходящее местечко для фото Арины Виоловой.

— С ума сошла! — взвился Ребров. — Что за демарш? Почему ты не взяла вчера аванс?

— Ты же мне его не дал, — напомнила я.

— Кто? — изумился собеседник.

— Ты.

— Я?

— Точно. Рассказал про маркетинговые исследования, посетовал на лень Арины Виоловой.

— Ох уж мне эти бабы! — взвыл Ребров. — Прости, Вилка, но ты давно к врачу ходила?

— Считаешь, мне пора отправиться на диспансеризацию?

— Непременно! Ты все неправильно поняла! Поставила с головы на ноги!

— С ног на голову, — поправила я.

— Не умничай, — обозлился Гарик, — я сказал тебе: «Сегодня денег нет...» Сегодня! Не вообще, а сегодня! «...Поэтому договор подпишем завтра. У нас временные трудности с наличкой».

— Да? — усомнилась я.

— Звоню ей, звоню — не подходит! — горячился Гарик. — Документы готовы, купюры отсчитаны, и где Виолова? Она у Аврелия в кабинете! Это как называется, а? Немедленно рули в «Элефант».

— Я не планировала на сегодня посещение издательства, — раскапризничалась я, — занята до десяти вечера.

— Отлично, — заметно повеселел Гарик, — прикатывай в одиннадцать, в полночь, когда сможешь. Будем ждать!

Я ощутила себя звездой, но решила не сдавать позиций.

— Ладно, если не очень устану. Кстати, мне рукопись у Аврелия оставлять?

Ребров поперхнулся, но сумел справиться с приступом душившей его злости.

— У тебя есть текст?

— Всего двести страниц, — промурлыкала я, — чуть больше половины. Аврелий Германович...

— Не желаю более слушать про этого проходим-
ца! — взвизгнул Гарик. — В следующий раз буду обсуждать с тобой дела в присутствии переговорщика,
который объяснит тебе разницу между фразами: «Сегодня налички нет, договор подпишем завтра» и «Денег не дадим, документы никогда не составим».

В таком духе Ребров вещал еще минут пять. В конце концов я поняла, что испытывал Кутузов, когда
гнал прочь от Москвы Наполеона, и, насвистывая
веселую песенку, пошла на выход.

На улице сильно пахло гарью, сбоку от торгового
центра поднимались сизые клубы дыма, и у меня по
непонятной причине екнуло сердце. Ноги сами по-
несли меня к дому Риммы Марковны, туда, где я оставила «ежика».

Я увидела толпу и несколько пожарных машин,
три «Скорые помощи», мини-вэн с надписью «Милиция». И тут я наступила в лужу, по тротуару и про-
езжей части текли потоки воды.

— Что случилось? — спросила я у женщины в домашнем халате, которая прижимала к груди мелко
трясущуюся крохотную ушастую собачку.

— Пожар, — лязгая зубами, ответила та, — хорошо, что весь дом не полыхнул, только две квартиры.

— Какие? — кашляя от едкого запаха, поинтересовалась я.

— Васюковой и Мальковой, — ввела меня в курс
дела тетка, — вон!

Она ткнула пальцем вверх, я задрала голову. Три
окна на пятом этаже зияли черными дырами, два на
четвертом выглядели не лучше.

— Хозяева живы? — выдохнула я.

Собачница пожала плечами, вместо нее ответила
девушка в спортивном костюме:

— Малькова в «Скорой» сидит, своими ногами вышла, а про Васюкову не знаю. Ой, мама! Несут!

Я приподнялась на цыпочки и увидела мрачных парней с носилками. Сначала из подъезда вытащили один черный наглухо застегнутый мешок, потом второй. Оба трупа запихнули в квадратный «рафик». Из подъезда вышел мужчина в форме пожарного и закричал:

— Граждане, расходитесь, дискотеки не будет!

— Можно домой возвращаться? — спросили из толпы.

— Очаг возгорания ликвидирован, — ответил дядька, — второй и третий подъезд без повреждений, живите спокойно. В первом две квартиры в плохом состоянии, девятнадцатая и двадцать вторая. Ну и весь стояк залило.

— А кто нам ремонт оплатит? — возмутилась женщина с собачкой.

— Не ко мне вопрос, обращайтесь в ДЭЗ или зовите представителя страховой компании. А вообще, скажите спасибо, что не ночью полыхнуло и все живы остались, — решил завершить беседу пожарный.

— Вы ничего не перепутали? — заорали из гущи людей. — А кого в мешках тащили?

— Два тела из двадцать второй, — мрачно уточнил брандмейстер.

— Римма Марковна! — заплакала собачница. — Ой, несчастная, ой, бедная! А кто второй?

В толпе стали переговариваться, я, энергично работая локтями, пробилась вперед и успела схватить пожарное начальство за робу.

— Чего надо? — не особо вежливо спросил мужчина.

Я сунула ему под нос диктофон, который всегда ношу с собой.

— Здрасте, газета «Желтуха». Из-за чего произошло возгорание?

— Не знаю, — не пошел на контакт пожарный.

— Поджог? — не отставала я.

— Не знаю.

— Замкнуло старую проводку?

— Не знаю, — привычно огрызнулся интервьюируемый, — вам только намек дай, мигом хрени понапишете.

— У Риммы Марковны большая квартира, — насела я на пожарного, — неужели она могла так быстро выгореть?

Брандмейстер скривил рот.

— Огонь мигом распространяется.

— Но почему ее сестра не позвала на помощь?

Дядька вытер лоб.

— Вы с ними знакомы?

— Была пару часов назад в гостях. Когда я уходила, и предположить не могла, что они погибнут.

— Родственники? — с сочувствием спросил пожарный.

— Нет, по работе заглядывала, но все равно мне жутко, — призналась я.

Мужчина кивнул.

— Ясно. Небось пожилые?

— Не старые, около пятидесяти, — я попыталась объективно оценить возраст сестер.

— Одно тело лежало на кровати, — неожиданно разговорился пожарный, — наверное, женщина спала и задохнулась. Второе рядом нашли, на полу. Сейчас в квартирах полно пластика, обои синтетические, ковры, мебель, все это при горении выделяет ядовитые вещества, пары минут хватит, чтобы отравиться. Тем более женщины, небось испугались, растерялись...

— Значит, несчастный случай, — протянула я.

— Слушай, отстань, а? — попросил пожарный. — У экспертов спрашивай. Два тела, третья пострадавшая целехонька. Если хочешь «жареных фактов», с ней поговори.

Я поспешила в сторону машины с красным крестом и заметила худого парня в джинсах и кедах. Рост у юноши был невелик, зато размер ноги, похоже, больше сорок третьего, брюки у него держались на причинном месте, упасть на землю им не давал черный ремень с большой пряжкой, из-под которого высовывались белые трусы на широкой резинке с надписью фирмы, создавшей исподнее. Сверху на нем была короткая толстовка с капюшоном, полностью закрывающим лицо, из-под нее высовывался край футболки. Руки он засунул в карманы. Издалека было невозможно определить возраст праздного наблюдателя, ему могло быть и пятнадцать и тридцать лет. Хотя на четвертом десятке мало кто оденется по моде, которую ввел один из молодежных певцов; в джинсах, мотающихся у колен, на работу не пойдешь, если ты, конечно, не тот самый шоу-соловей.

Я не могу объяснить, чем привлек мое внимание парень, подобных ему довольно много на улицах, мне просто нужно было пройти мимо него, чтобы очутиться около соседки Риммы Марковны. Но в ту секунду, когда я поравнялась с фигурой в толстовке, незнакомец выудил из кармана конфету, быстро развернул ее, швырнул фантик на землю и, прижав подбородок к груди, смешался с толпой.

Мне очень не нравятся неряхи, которые мусорят на улице, выбрасывают из окон машин опорожненные пластиковые бутылки, выплевывают под ноги прохожим жвачку, поэтому я с неодобрением покосилась на яркую бумажку. Затем сделала шаг вперед, но тут порыв ветра поднял обертку и швырнул ее мне в лицо.

В последний момент я успела схватить фантик. Хотела скомкать его и кинуть в кучу грязи, которая стихийно возникла справа от подъезда, но тут прочитала название «Карамель «Фестиваль».

Из глубин памяти всплыло воспоминание: мы с Раисой стоим в булочной возле дома. Маленькая Вилка прилипла носом к высокому прилавку — там, за стеклом, меня манят конфеты в больших прозрачных вазах: ириски, так называемый «постный сахар», «цветной горошек», сливочная тянучка и карамельки.

С шоколадными конфетами во времена моего детства была проблема, их «выбрасывали» в продажу редко, они стоили немалых денег и мне доставались только в подарке на Новый год. Обычно я ничего у мачехи не клянчила, у нее была легкая на оплеухи рука, но в тот день Раиса получила зарплату, купила себе чекушку и пребывала в чудесном настроении, поэтому я и рискнула пропищать:

— Тетя Рая, купи конфет...

— Больно дорого! — отмахнулась мачеха.

Стоявший за ней в очереди мужчина покосился на авоську, которую Раиса цепко сжимала в руке, и не удержался от замечания:

— На водку-то тебе хватило.

— Пожалуйста, — ныла я, — несколько штучек!

Мужик осуждающе засопел.

— Каких хочешь? — сменила гнев на милость Раиса.

— Мармеладки, — обрадовалась я.

— Губу закатай! — приказала Рая. — Вона ириски.

— Лучше «Фестиваль», — попросила я.

— На цену глянь, — посуровела мачеха, — нам еще хлеба надо.

И тут, как назло, в булочную влетела Зинаида, подруга Раисы. Они разговорились, мачеха взяла батон и отошла от прилавка. Я дернула ее за кофту.

— А ириски?

— Вот пристала! — вышла из себя Рая. — Мы с Зиной отдохнуть хотим, ливерную на закусь купить.

— От сладкого зубы болят, — добавила Зинаида.

Я чуть не заревела от обиды, но сдержалась. Внезапно мне на плечо легла тяжелая рука.

— Держи, — сказал мужик из очереди, протянув мне пакет с карамельками «Фестиваль», — ешь на здоровье.

Я вцепилась в подарок. Но Раиса выхватила у меня добычу, швырнула ее в урну, а потом сурово сказала:

— Запомни: ты не нищая, чтобы принимать подачки. Не заработала на шоколад — у других не клянчи. Иначе ничего в жизни не добьешься, будешь от людей куска ожидать, злиться и завистничать: почему кому-то дали, а тебе нет. Сколько потопала — столько и полопала, рассчитывай только на себя, не унижайся.

В тот момент я поняла только одно: у меня отняли вожделенные конфеты, а потому я заревела, получила затрещину, и день закончился плохо. Но в дальнейшем, видя в магазинах конфеты «Фестиваль», я всегда вспоминала полученную взбучку и мало-помалу сообразила: Раиса была права. Все свои проблемы нужно решать самой, не следует ждать подарков от судьбы, даром ничего не получишь.

Раньше карамель «Фестиваль» продавалась везде, но в последние годы она исчезла из магазинов вместе с квадратными брикетами «Кисель плодово-ягодный», консервными банками «Тюлька в томатном соусе» и ситниками[1]. И вот я держу в руке раритетный фантик, который прилетел сюда как будто из моего детства.

Дверь машины «Скорой помощи» приоткрылась, оттуда вылезла женщина в сером халате. Я сунула обертку в карман кофты и кинулась к погорелице.

— Вы Элеонора?

— Да, — вздрогнула подруга Риммы Марковны.

— Как вы себя чувствуете? — задала я идиотский вопрос.

— Ужасно, — прошептала бедняга.

— Вам лучше поехать в больницу, — посоветовала я.

— Нет, — коротко откликнулась Элеонора. И вдруг из нее буквально посыпались слова: — Я пошла помойку выбрасывать, а мусоропровод оказался забит. Наверное, из двадцатой квартиры в него снова строительный мусор нашвыряли. Ну не нести же полное ведро назад! Я поехала вниз, в конце двора у нас контейнер стоит. А потом с Леной Перовой из третьего подъезда языком зацепилась, она меня к себе зата-

---

[1] С и т н и к — круглый, размером с десертную тарелку белый хлеб с тремя насечками наверху. Вкуснее его в Москве был только калач с «ручкой». (*Прим. автора.*)

щила. Поразводили мы с ней тары-бары и тут вдруг вой сирены услышали. Мы еще не сразу пошли посмотреть в чем дело, ну никак представить не могли, что наш дом полыхнул. Теперь в квартиру и не войти, что не сгорело, то от воды погибло. Осталась я с одним ведром. Но как подумаю, что с Риммой случилось...

— Мира тоже погибла, — тихо добавила я.

Элеонора вскинула подбородок.

— Да?

— Вам есть где ночевать? — спохватилась я.

— К дочери поеду, — растерянно отозвалась Элеонора, — вот только как к ней добраться? В халате, тапках и без денег...

— Садитесь в мою машину, доставлю вас в нужное место, — предложила я.

— Неудобно, — заколебалась Элеонора, — Светлана живет в Тушине.

— Ерунда. Как сказала мне вчера Римма Марковна, люди должны помогать друг другу, — процитировала я Васюкову.

— Она эту фразу часто повторяла, — шмыгнула носом Элеонора, — святая женщина! Добрая, умная, деликатная, ранимая. Я потеряла близкую подругу.

Глава 9

Разноцветная таратайка завелась с полоборота и резво помчалась по шоссе. Я спросила у пассажирки:

— Вам не душно?

— Нет, все в порядке, — откликнулась та.

— Открыть окно?

— Не беспокойтесь, пожалуйста, — еле слышно

ответила Элеонора, — все прекрасно. Мы раньше не встречались? Ваше лицо кажется мне знакомым.

— По-моему, нет, — улыбнулась я, — у меня самая заурядная внешность, ничего особенного.

— Наверное, в подъезде сталкивались, — не успокаивалась Элеонора, — вы врач из районной поликлиники, да?

— Нет. Римма Марковна вчера одолжила мне небольшую сумму денег, мы с ней познакомились в больнице. Я приехала отдать долг, а тут несчастье, — объяснила я.

— Риммочка была святая, — всхлипнула Элеонора, — вот уж кого не приходилось просить о помощи, сама вызывалась!

— Мира нравилась вам меньше, — сделала я напрашивающийся вывод.

Пассажирка замялась.

— О покойных плохо не говорят, сестры просто были очень разные, хотя внешне похожи, словно близнецы. Когда Васюкова в наш дом переехала, мы сразу подружились. А вот Миру я увидела только после того, как Тема умер.

— Сестры не общались? — поразилась я.

Элеонора попыталась привести в порядок волосы, продолжая рассказывать:

— Когда я говорю о дружбе, то имею в виду тесные соседские отношения, не более того. Мы одалживали друг у друга мелочи, лень в магазин вечером бежать, вот и идешь к Римме за стаканом муки или коробкой спичек. Мы никаких откровенных разговоров не вели, обсуждали сериалы, новости, цены в магазинах. Я, конечно, знала, что она вдова, одна воспитывает сына. Тема был поздний ребенок, мать о нем очень беспокоилась. Сколько же ему исполнилось, когда они к нам перебрались? Лет четырнадцать-пятнадцать.

Я въехала в пробку, сбросила скорость до минимума и запоздало удивилась:

— Мне отчего-то показалось, что сестры жили в сгоревшей квартире чуть ли не с детства.

— Нет, Римма переехала из другого района, а о Мире я ничего не слышала до января нынешнего года, — со странным выражением на лице уточнила Элеонора, — я очень удивилась, когда про нее узнала! Риммочка никогда раньше о ней не упоминала.

— Вы назвали Васюкову вдовой... — не отставала я от пассажирки.

— Да, у нее муж умер.

— Хороший был человек?

— Римма из-за смерти Петра жилье и сменила, — ответила женщина, — один раз она обронила: «Так тяжело входить в дом и знать: никогда больше мужа не увидишь. Вот я и решила перебраться в стены, которые не хранят воспоминаний».

— Она вам рассказывала про Париж? — наседала я на Нору.

— Тот, который во Франции? — удивилась погорелица. — Нет. Насколько я поняла, Римма никогда за границу не ездила.

— А Мира? — не успокаивалась я.

Элеонора не стала отвечать на мой вопрос, попросила:

— Здесь, если вас не затруднит, налево. А вон и моя дочь стоит!

Я послушно притормозила у старой пятиэтажки, вышла и помогла выбраться пассажирке. Полная молодая женщина, качавшая коляску, бросилась к моей спутнице:

— Мама!

— Квартира сгорела, — всхлипнула Элеонора.

— Ерунда, главное, ты цела! — воскликнула дочь.

— Мебель! — стонала Элеонора. — Кухня почти новая! Вещи! Наверное, ничего не осталось! Я не смогла подняться и посмотреть, мне очень страшно.

— Мамочка, мы купим все новое! — с жаром заверила дочь.

— Машенька, на какие шиши? — внезапно перестала плакать Элеонора. — У меня накоплений нет, а у тебя скоро второй малыш появится.

— Что-нибудь придумаем, — уже с меньшей уверенностью сказала Маша, — кредит возьмем.

Элеонора вытерла лицо рукой и зарыдала:

— Я даже носового платочка не имею!

Я быстро вынула из кармана кофты упаковку бумажных платков и протянула бедолаге.

— Видишь, мамулечка, — преувеличенно радостно сказала Маша, — одна проблема уже разрешилась, и с остальными справимся!

— Это что? — вдруг совсем другим тоном спросила Элеонора. — Что? Что?!!

— Где? — растерялась Маша.

Мать молча ткнула пальцем вниз. Я посмотрела на тротуар, увидела около своей ноги смятый фантик и усмехнулась.

— Обертка от карамельки выпала из моего кармана, когда я доставала платки. Сама не знаю, зачем прихватила бумажку с собой. Не люблю мусорить, а один парень...

— Я вспомнила! — заорала Элеонора, не дав мне договорить. — Маша! Посмотри на нее! Она кто?

— Не знаю, мамочка, — испугалась дочь, — ты приехала на ее машине. Пожалуйста, не волнуйся!

— На автомобиле... — зарыдала Нора, — добренькая тетя!.. Я все поняла! Ты за ней следила! Ты ее убила! А теперь за мной охотишься? Но я ничего не знаю! Она мне ничего не рассказывала! Никогда! Уйди! Исчезни!

Размахивая руками, Элеонора стала ко мне приближаться.

— Тише, тише... — попыталась я ее остановить. — Я увидела вас сегодня впервые и просто подвезла!

— Добренькая! — орала Нора. — Деньги она вернуть приехала! А конфета откуда? Она тебя выдала! Их давно нет! Вот! Весь ящик пропал!

Мне оставалось лишь пятиться к машине и надеяться, что внезапно сошедшая с ума Элеонора не пустит в ход кулаки. Погорелица вдруг опомнилась, схватилась руками за голову и кинулась в подъезд.

— Что это с ней? — выдохнула Маша. — Мама никогда себя так не вела!

Я открыла сумочку и вытащила блокнот с ручкой.

— Шок, стресс, реактивный психоз... Простите, я не врач и не могу поставить точный диагноз, но если хотите, напишу вам свой номер телефона, перезвоните мне после десяти вечера, дам координаты отличного доктора, он помог многим в подобной ситуации. Правда, за визит придется заплатить, но за квалификацию специалиста я ручаюсь.

— Спасибо, — оглядываясь на дверь подъезда, ответила Маша, — можно вас попросить коляску покараулить? Я ребенка наверх отнесу...

— Нет проблем, — кивнула я.

Маша вынула из коляски малыша и ушла в дом. А минут через десять вернулась и сообщила:

— Мама спит. Представляете, она прошла в комнату, упала на диван и заснула. Даже не переоделась! На нее это совсем не похоже.

— Не каждый день у человека сгорает квартира, — вздохнула я, — у вашей матери сработал предохранитель, организм решил восстановить силы. Обязательно позвоните мне.

— А как вас зовут? — догадалась спросить Маша.

— Виола, — представилась я.

— Не обижайтесь на маму, — спохватилась дочь погорелицы, — она несла ерунду! Вы потратили свое время на чужого человека и вместо «спасибо» получили скандал.

Мне захотелось успокоить беременную:

— Все в порядке, не переживайте.

— Но ваше лицо и правда мне знакомо... — вдруг протянула молодая женщина. — Вы не заходили стричься в салон «Аурелия»?

— Нет, и никогда не слышала об этой парикмахерской, — заверила я.

— У нас отличный стилист, Миша Львов, к нему запись на полгода вперед, — деловито продолжила Маша, — хотите, я устрою вас без очереди? Я в «Аурелии» косметологом работаю.

— Машуля, подожди, помогу коляску поднять! — закричал женский голос.

Я обернулась, увидела блондинку лет двадцати пяти и, не отреагировав на предложение Маши, сделала шаг к машине.

— Я возьмусь за ручку, — распоряжалась знакомая Маши, пробегая мимо меня, — а ты хватайся за переднюю часть.

Дочь Элеоноры помахала мне на прощание.

— До свидания, позвоню вечером.

— Обязательно, — отозвалась я, открывая дверцу.

Блондинка посмотрела на меня, ее глаза округлились, рот приоткрылся.

— Это что? — проронила она.

— Машина, — усмехнулась я, — зовут «ежик». Правда, прикольно?

Блондинка застыла на месте, а я быстро завела мотор и уехала. Несмотря на экзотический вид, вгоняющий людей в ступор, «ежик» оказался идеальной «лошадкой» с отличным двигателем и ходовой частью. У автомобилей, как и у людей, внешность часто не совпадает с внутренним содержанием. «На лицо ужасные, добрые внутри» — это про «ежика».

В фитнес-центр я ворвалась без пятнадцати восемь. Билли впустил меня и сказал:

— Тренируй ее спокойно. Вот ключ, потом запрешь замок, — и живо убежал.

Я стала рассматривать «Орис-два» и только сейчас сообразила, в какую авантюру ввязалась. Ну зачем я наврала Билли? По какой причине не сообщила, что я — автор детективов? Впрочем, на этот вопрос есть ответ: меня смутило заявление парня о том, что криминальные романы «сушат мозг». Но нельзя же всем нравиться! У Билли одно мнение, у моих читателей другое. И уж чего я абсолютно не предполагала, так это наличия у него книг тетушки с замечательным именем Белла Ви. Все сложилось, как конструктор: я прикинулась специалистом по здоровому питанию и позаимствовала псевдоним, а Билли оказался владельцем фитнес-чулана, и у него отыскались брошюрки Беллы Ви. Нарочно такого точно не придумаешь. Интересно, что бы мне сказала редактор Олеся Константиновна, опиши я подобную ситуацию в своей книге?

Перед глазами моментально возникло красивое лицо Олеси с фарфорово-белой кожей и большими глазами, в ушах зазвучал ее строгий голос:

— Совершенно немыслимая ситуация, это из жанра фантастического детектива. Я помню, как в прошлой книге ты самозабвенно рассказывала о приключениях сеттера Винса, который тридцать первого декабря, испугавшись фейерверка, удрал от хозяев, проживающих на севере Москвы, и был обнаружен через неделю на противоположном конце города сытым, здоровым и довольным. Так не бывает.

Я потрясла головой, видение исчезло. Ну да, с Винсом я маленько перегнула палку, но история с Беллой Ви — чистая правда! И сейчас сюда заявится толстуха, которая заранее считает меня своим гуру. Решено: я честно признаюсь Мусеньке в обмане. Надеюсь, Билли не очень рассердится на меня, потеряв первого клиента.

— Добрый вечер, — раздалось от порога, — я опоздала, да?

Я набрала полную грудь воздуха, повернулась к Мусеньке и громко икнула. Сто сорок кило живого веса были втиснуты в розовую маечку на бретельках, лайковые шортики цвета малосоленой лососины и полосатые гольфы.

— Я так надеюсь на вашу помощь! — затараторила Мусенька. — Мне здорово повезло! Почитала про вас в Интернете, и там сплошная ругань, значит, Белла Ви — классный специалист.

— Понимаете, я никакого отношения...

— Ой! — испугалась Мусенька. — Только не отказывайтесь! Я послушная! Упорная! Мне необходимо войти в лифт! Если вы меня бросите, я повешусь!

— Ну это навряд ли, — бестактно выпалила я и втянула голову в плечи.

Фу, Вилка, как тебе не стыдно! Нельзя подшучивать над человеком, у которого проблема с весом!

Мусенька засмеялась.

— Верно. Потому что трудно найти веревку, которая меня выдержит и не оборвется. И в воде меня никак не утопишь, непременно наверх вытолкнет.

Я невольно улыбнулась: а Мусенька, кажется, не вредная.

— Вот! — потрясла толстушка листом бумаги. — Я составила список того, что съела сегодня. Вы в Интернете пишете: «Сначала изучим ваш рацион и его скорректируем».

— Отличная идея, — обрадовалась я, — читайте.

— Яичница, два куска хлеба с ветчиной, творог со сметаной, чай с вареньем, немного конфет, пончик и тарелка гречки с сосисками, — перечислила Мусенька и воззрилась на меня.

— В принципе не так уж много, — оценила я меню дня, — только, я думаю, обедать лучше не бутербродами, а салатом или куриной грудкой. И придется исключить выпечку с шоколадом.

— При чем здесь обед? — заморгала клиентка. — Речь идет о завтраке.

Пару секунд я переваривала информацию, затем уточнила:

— Перечисленные продукты вы съели утром в один присест?

Мусенька кивнула, и на мгновение шесть ее подбородков превратились в десять.

— Обедаю я в два часа. Холодец с хреном, украинский борщ с пампушками, свиные отбивные с жареной картошкой и сливочным соусом, на десерт молочное желе и кофе латте. Да, еще виноградный сок, но ведь он не еда? Теперь полдник.

— Полдник? — переспросила я.

— В пять часов, — уточнила Мусенька, — чай, две ватрушки с творогом, пирожок с вареньем и сухофрукты. За два часа до тренировки я съела бананы. Помните, вчера молодой человек велел?

— Угу, — пробормотала я, — и сколько фруктов вы употребили?

Мусенька закатила глаза.

— Два. Нет, три. Ужинаю я в десять и больше к холодильнику не приближаюсь, только в полночь выпиваю пару пакетов кефира. Но если на голодный желудок не спится, иногда пачку орешков съем или сухарики. Ну, как вам?

— Я бы умерла, — откровенно призналась я, — надо сокращать количество калорий.

Мусенька достала из сумки блокнот, ручку и с видом первоклашки-отличницы попросила:

— Говорите.

Я откашлялась.

— Завтракаете обезжиренным йогуртом и чаем без сахара. На обед порция овощей, желательно отварных или приготовленных на пару, плюс небольшой кусок белого куриного мяса без кожи. Ужинаете салатом из овощей, заправленным парой капель оливкового масла. Пить можно минеральную воду без газа, примерно литра два. Если курица надоест, замените ее лососем.

— Я скончаюсь, — жалобно простонала Мусенька, — это же концлагерь! А полдник?

— Либо лифт — либо плюшки, — отрезала я, — нельзя превращать свое тело в комбинат по истреблению пищи.

— Я не выдержу!

— Ты еще не попробовала, а уже думаешь о неудаче, — фамильярно укорила я клиентку.

— Нет ли другой диеты? — захныкала Мусенька. — Одна моя подруга сидела на конфетах. Две недели ела один шоколад! Может, мне попробовать?

— Ей помогло? — заинтересовалась я.

— Очень, — с восхищением отозвалась начинающая спортсменка, — она потеряла три кило! Стала стройная, даже, на мой взгляд, излишне худая.

Я поинтересовалась:

— Сколько же она весила?

— Мы одинаковые были, — последовал ответ.

Глава 10

Пока я пыталась прийти в себя, Мусенька указала на «Орис-два» и заговорщицки мне подмигнула.

— Вы в Интернете сообщили: час занятий на чудо-аппарате мигом решает проблему с весом. Может, приступим?

— Попытаемся, — бормотнула я, — вон там седло, на него надо залезть, ноги поставить на педали и крутить их. Ничего особенного! Не забудь застегнуть ремень, он не даст тебе упасть.

— Зачем здесь ручки? — проявила любопытство клиентка.

— Не знаю, — честно ответила я, — то есть пока они тебе не нужны.

— Просто интересно, — не успокаивалась Мусенька.

— Лучше не забивай мозг ненужной информацией, — строго перебила я ее, — осваивай материал по мере необходимости. Ну, вперед!

Мусенька попыталась забросить ногу через седло, но ничего не получилось.

— Вот до чего ты себя довела, — не сдержалась я, — нужно сбросить восемьдесят килограммов.

— Убить меня хочешь? — испугалась толстуха. — Я ходить не смогу, меня ветром унесет!

Я подбоченилась.

— Ты скоро не сможешь самостоятельно передвигаться, и не от недостатка, а от избытка веса. Можешь сесть в седло?

— Нет, — признала свое поражение Мусенька.

— Смотри, — хвастливо сказала я, легко вскочила «на коня» и застегнула ремень, который удерживал седока от падения, — тебе сколько лет?

— Тридцать, — проблеяла Мусенька.

— Ой, как стыдно! — укорила я толстуху. — В таком возрасте положено спокойно на шпагат садиться.

— Скажешь тоже... — скуксилась клиентка. — У меня никогда ноги так не растопыривались. Ну, предположим, я сумею туда забраться, а дальше чего?

Я поставила ноги на педали, руками ухватилась за полудугу перед грудью и начала крутить педали, приговаривая:

— Очень даже просто.

Но уже через пару секунд ноги замедлили движение, голени заломило, а в животе стало колоть. К тому же седло оказалось очень жестким. Не легче пришлось и рукам, «руль» постоянно уводило в сторону, чтобы удержать его, мне приходилось применять немалые усилия. Решив, что мне не надо терять вес, я остановилась, перевела дух и услышала вопль Муси:

— Крути педали!

Я подчинилась, но потом возмутилась:

— С какой стати мне тренироваться? Я должна лишь показать тебе основные движения.

Мусенька ткнула пальцем в потолок.

— Едва ты перестаешь шевелиться, вон та железяка начинает падать.

Я притормозила, задрала голову, увидела нечто, сильно смахивающее на плиту из свинца, и прекратила движение. Гигантский груз стремительно понесся вниз.

— Мама! — взвизгнула Мусенька. — Шевели лапами!

Я принялась энергично сучить ногами.

— Поднимается, — обрадовалась клиентка.

Из моей груди вырвался вздох облегчения.

— Опускается! — завопила толстушка. — Не сбавляй скорость!

— И долго мне тут корячиться? — не выдержала я. — Как эта идиотская машина останавливается?

— Ты не знаешь? — изумилась Мусенька.

— Забыла, — огрызнулась я, — где-то должен быть пульт управления, ищи его скорей.

Мусенька засопела.

— Поторопись, — потребовала я, — а то мышцы уже болят.

— Вот он! — обрадовалась клиентка. — На стене висит, кнопки торчат, и слова написаны.

— Отлично! — обрадовалась я. — Вырубай его.

— Тут текст по-иностранному, — объявила Мусенька, — я не понимаю.

— Читай вслух, — отдуваясь, велела я.

— Юбул дубул ю шестьдесят, — возвестила «полиглотка».

— Еще раз! — приказала я.

— Юбул дубул ю шестьдесят, — повторила Мусенька, — число цифрами указано.

— Давай дальше.

— Зити прит бумс, — объявила толстушка, — и еще «стоп мрак».

— «Стоп мрак» подходит, — возликовала я, — тычь в эту пупочку.

— Уверена? — на всякий случай уточнила Мусенька. — Там еще какая-то приписка.

— Не надо, жми «стоп мрак»! — завопила я.

Раздалось тихое шипение, затем лязг, руль потянуло вниз, я попыталась удержать его в руках.

— Крути сильней, — запищала Мусенька, — падает!

— Не могу, — прохрипела я, — руль из рук выскакивает.

— Верти шибче, — не успокаивалась клиентка, — плита сейчас на голову свалится!

Смертельная опасность придала мне сил.

— Теперь груз замер, — утешила меня Мусенька.

— Но эта чертова штука не отключилась, — пропыхтела я.

— Там выскочила здоровенная гиря и повисла внизу, где руль крепится, — сказала клиентка, — и цифра поменялась. Где «юбул дубул ю» теперь написано не шестьдесят, а девяносто.

— Нажимай «стоп мрак» назад, — потребовала я.

— Как это, нажимай назад? — не поняла толстуха.

— «Стоп мрак» не останавливает машину, а, похоже, увеличивает нагрузку, — задыхаясь, объяснила я.

— А вдруг еще большая гирища вылезет? — резонно предположила Мусенька. — Дальше читать?

— Ммм... — простонала я.

— Фигли крупс! — донеслось через короткий промежуток.

— Господи, на каком это языке? — удивилась я.

— Может, английский? — предположила Мусенька. — Ты понимаешь смысл?

— Ни единого словечка! Вообще ничего! — еле слышно ответила я. — Впрочем, я не владею наречием Шекспира, в школе изучала немецкий.

— О! Я нашла таймер! — возвестила Мусенька. — Он с другой стороны приделан, на нем написано «сто двадцать чеканок» и есть кнопка с черточками и символами «плюс-минус».

— Супер! — взбодрилась я. — Чеканки, вероятно, минуты, аппарат заряжен на два часа.

— Ой, здорово! — обрадовалась Муся. — Он сам остановится!

— Я умру раньше, чем истечет время. Немедленно верни ручку назад, на самое маленькое время, — приказала я.

— Точно? — напряглась толстушка. — Со «стоп мрак» у меня ведь не получилось.

— Сейчас проблем не будет, — оптимистично заявила я, — ну, айн, цвай...

До «трех» дело не дошло, на меня полилась вода. От неожиданности я отпустила педали, руль неумолимо потянул меня вниз, наверху раздался скрежет.

— Крути! — завизжала Мусенька. — На голову летит!

— Откуда вода? — отплевываясь, заорала я.

— Сверху брызжет, — тяжело дыша, объяснила клиентка.

— Понятно, что не снизу, — пошла я вразнос.

— Там лейка, как у душа, — разглядела, наконец, Мусенька.

— Верни ручку на место!

— Уверена?

— Да!!! — взвизгнула я. — Мне холодно, мокро, липко! Ноги отваливаются, руки онемели.

— Крути, падает!

Я нажала на педали, водопад иссяк.

— Получилось, — отрапортовала Мусенька.

— Вытащи из моей сумки телефон, найди номер Билли и спроси, как отключить агрегат, — с огромным трудом попросила я.

С грацией беременного бегемота Мусенька потопала к стулу, на спинке которого болталась моя сумка из замши.

— Вилли? — переспросила она.

— Билли!

— Милли?

— Билли! Билли! Билли!!! — заорала я. — Что у тебя с ушами?

— Крути педали! Падает! — завопила в ответ слоноподобная Барби.

Я вцепилась в руль, молясь про себя: «Господи, сломай эту машину, клянусь никогда не переступать порога ни одного фитнес-клуба...»

— Алло, — тоненько запищала Мусенька, — это Билли? Ой, простите!

— Что на этот раз? — пропыхтела я.

— Билетная касса. У тебя написано «Бил», я думала, это сокращение от Билли. Слушай, а кто такой «В»? Имя или фамилия?

— Под этой буквой записан телефон моего бывшего мужа, — еле выдавила я из себя.

— Он Володя? — проявила любопытство толстушка.

— Олег Куприн.

— А почему тогда «В»? — удивилась Мусенька.

— Ищи Билли! — на последнем издыхании прошептала я.

— Его нет.

— Погляди на «е».

— Билли на «е»? С какой стати?

— Машина называется «ежик», я получила ее от Билли, все абсолютно логично. Если ты не поторопишься... — прохрипела я.

Конец фразы застрял в горле — мои силы закончились.

— Крути педали! Падает! — отчаянно взвизгнула клиентка.

Я попыталась пошевелить ногами, но они больше не повиновались хозяйке.

— Валится вниз! — сиреной вопила Мусенька.

Я попыталась сползти с сиденья, но крепление цепко держало за талию.

— А-а-а! — перешла на ультразвук толстуха.

Я зажмурилась и втянула голову в плечи. Вот он, конец. Интересно, насколько подпрыгнут вверх продажи книг Арины Виоловой после того, как пресса сообщит, что писательницу размазало по тренажеру?

— Мама-а-а! — взвыла Мусенька.

И воцарилась тишина.

Я осторожно приоткрыла один глаз, потом второй. Муся стояла лицом к стене, закрыв голову руками. Кожаный пояс, удерживавший меня на седле, сам собой расстегнулся. Трясясь мелкой дрожью, я слезла с тренажера и посмотрела вверх. Железная плита висела довольно низко, но до моей головы ей было далеко. Очевидно, в тот момент, когда у клиента заканчиваются силы, груз стопорится, и тренажер автоматически отключается. В общем-то, это логично: если насмерть давить каждого человека, не способного к интенсивной физической нагрузке, то очень скоро фитнес-индустрия умрет.

— Жива... — заплакала Мусенька, оборачиваясь.

— А ты сомневалась? — попыталась я усмехнуться, сделала шаг и чуть не упала.

— Вау, — прошептала толстушка, — с тебя джинсы сваливаются... За десять минут так похудела! Крутой тренажер! Хочу туда!

— Может, завтра? — предложила я.

— Ну уж нет! — загорелась Мусенька.

— Боюсь, у меня сейчас не хватит сил тебя подсадить, — призналась я.

— Сама залезу! — фыркнула толстушка. — Уцеплюсь вон за ту бандуру.

Прежде чем я успела сообразить, какую «бандуру» она собирается использовать, Мусенька ухватилась за ярко-красный рычаг, торчавший из стены и... ба-бах! В комнате на секунду очень ярко вспыхнул свет, потом все погрузилось во тьму.

Натыкаясь на железные конструкции и пару раз весьма больно ударившись о какие-то приспособления, мы с клиенткой выползли в коридор, а затем вышли на улицу. Мусенька открыла свою сумку, достала оттуда длинный сверток, нервно развернула его, и я увидела сандвич из целого багета. Между двумя половинками хлеба виднелся толстый слой масла, ломти колбасы и сыра.

— Что ты делаешь? — возмутилась я, глядя, как Муся жадно кусает бутерброд.

— Проголодалась на нервной почве, — с набитым ртом объявила дама, желающая без проблем входить в свой маленький лифт, — как представила, что тебя могло прихлопнуть, бешеный аппетит обуял. Хочешь кусочек?

Я поддернула падающие джинсы.

— Нет, спасибо. Меня, наоборот, от еды отвернуло.

— Бедняжечка, так ты никогда не поправишься, — пожалела меня Мусенька. — Вот бы мои лишние килограммчики отрезать и тебе пришить, а?

— Лучше не надо, — поспешила я отказаться от ее предложения, — в общем, извини, но я не тренер и не диетолог.

— Да уж догадалась, — засмеялась Мусенька.

— Я не хотела никого обманывать, случайно получилось.

— Ничего, — бормотнула Мусенька, — завтра я непременно в фитнес приду и сама попробую.

— Одна моя подруга живо избавилась от лишнего веса при помощи простого фокуса, — сказала я.

Мусенька быстро проглотила последний кусок багета и достала блокнот и ручку.

— Говори.

— Дели все пополам!

— Не поняла, — изумилась толстуха.

— Сколько яиц ты разбиваешь утром на сковородку?

— Шесть. А что?

— Бери три штуки. Не два куска хлеба, а один. Ела триста граммов творога, лопай сто пятьдесят. Ясно?

— Думаешь, это поможет? — усомнилась Мусенька. — Значит, и пончик можно?

— Половинку, — предостерегла я.

— Попробую, — без особого энтузиазма кивнула Мусенька.

Когда я добрела до своей съемной квартиры, сил на то, чтобы принять душ, у меня не нашлось. Я упала на диван и решила заснуть прямо так, в одежде, не расстилая постель. Но спустя пять минут все-таки взяла себя в руки и поплелась в ванную, джинсы и кофта были противно мокрыми, волосы на голове успели высохнуть и стали похожи на зубочистки, которые шарахнуло электротоком. Хотя вроде на дерево электричество не действует...

Не успела я сесть в воду, как затрезвонил телефон. Чертыхаясь сквозь зубы, я вылезла из ванны, нашла трубку и гаркнула:

— Да!

— Договор и деньги готовы, — отрапортовал Ребров, — ты едешь?

— Нет, — решительно ответила я.

— Почему? — занервничал Гарик.

— Я устала, — коротко пояснила я, — промокла, замерзла.

— Сегодня дождя не было! И на улице тепло! Май месяц, а жарко!

Я попыталась отделаться от издателя:

— Не важно. Хочу спать.

— Ну ладно, — расстроился Ребров.

Я положила трубку на стиральную машину, бросила в воду «бомбочку», закрыла глаза...

— Дрр, — завизжал телефон.

— Да, — нелюбезно отозвалась я.

— Что тебе напел Аврелий? Он обманщик! — заухал Ребров. — Ни слова правды авторам не говорит! Как ты могла меня бросить?

— Завтра приеду, — пообещала я.

— Точно?

— Непременно.

— Прямо с утра?

— Ровно в девять, — дала я совершенно несбыточное обещание.

Гарик встает в пять, в семь он уже сидит на рабочем месте, пугая сотрудников своим трудолюбием. Ну согласитесь, как-то некомфортно являться на службу в десять и видеть согнутую над письменным столом спину хозяина. Зато в семнадцать часов Реброва в издательстве уже нет. Он жаворонок в чистом, классическом виде, только вот сегодня подзадержался. Неужели из-за меня? Черт возьми, я звезда!

Я согрелась, «бомбочка» медленно таяла, жизнь стала казаться мне прекрасной. И тут снова ожила трубка.

— Что еще? — закричала я, хватая телефон. — Сказала же: завтра! В девять!

— Можно Виолу? — попросил дрожащий голосок.

Глава 11

— Минутку... — прохрипела я. Потом, посчитав до пяти, весело пропела: — Слушаю!

— Говорит Маша, мы с вами сегодня познакомились. Я дочь Элеоноры, ну той женщины, у которой квартира сгорела.

— Добрый вечер, Машенька. Дать вам координаты врача? Можно я перезвоню через десять минут? Извините, сижу в ванне. Ваш номер у меня определился, — зачастила я, понимая, что спокойно отдохнуть не удастся, зря только истратила последнюю «бомбочку».

— Да, конечно, — быстро согласилась собеседница и отсоединилась.

Я включила душ.

Очевидно, Маша очень ждала моего звонка, потому что не успела я услышать гудок из трубки, как она ответила:

— Это Виола?

— Да. Я нашла номер, доктора зовут Вениамин Львович, он...

— Вы Арина Виолова? — внезапно перебила меня Маша.

Я изумилась:

— Откуда вы знаете?

— Вас моя подруга узнала. Ну, та блондинка, что коляску помогла мне поднять, она фанатка детективных романов, — объяснила Маша. — То-то и нам с мамой ваше лицо показалось знакомым! Почему вы не сказали, что писательница? Наташка прямо обалдела, когда вас у подъезда увидела!

— Немного странно начинать разговор с людьми с фразы: «Разрешите представиться: перед вами автор гениальных книг», — усмехнулась я.

— Мама очень плохо себя чувствует, — всхлипнула вдруг Маша, — можете ей помочь?

— Собственно, чем? Лучше обратитесь в «Скорую».

— Ей душевно нехорошо!

— Тогда ищите психотерапевта!

— Мама им не доверяет, она хочет вам исповедаться.

— Для этого нужен священник, — не согласилась я.

— Нет, приезжайте, пожалуйста, — зашептала Маша, — поговорите с мамой. Она с ума сошла!

Я отчаянно засопротивлялась:

— Тем более нужно вызвать специалиста.

Маша заплакала.

— Мамочка решила говорить только с вами! Ей очень плохо!

Я с тоской посмотрела на часы. Если у Элеоноры от пережитого стресса случилась истерика, то при чем здесь я?

— Она задумала покончить с собой, — еле слышно добавила Маша, — я боюсь ужасно, вдруг не выдержу и засну, а мамуля из окна сиганет?

— Ладно, — сдалась я, — иду одеваться. Но раньше чем через час я до вас не доберусь. Может, лучше отложить визит на утро? У вас маленький ребенок, он может проснуться...

— Мамуля! Тебе плохо? — закричала вдруг Маша и бросила трубку.

Я опрометью кинулась к шкафу.

В квартире у Маши оказалась неожиданно большая прихожая с зеркальными шкафами-купе.

— Что у вас происходит? — спросила я, сбрасывая туфли.

— Мама на кухне сидит, — шепнула молодая женщина, — истуканом замерла. Не пьет, не ест, только повторяет: «Пусть она приедет».

— Маловероятно, что я сумею помочь, — предостерегла я, — поймите, последствия стресса...

— Вы просто к ней зайдите, — перебила меня Маша.

Элеонора забилась в угол узенького диванчика, ее руки лежали на столе. Увидав меня, она, не меняя позы, сказала:

— Сначала я решила, что вы с Сашей заодно. Ящик-то с конфетами «Фестиваль» пропал! А потом Наташа пришла и давай охать: «Тетя Нора, знаете, кто вас привез? Известная писательница Арина

Виолова! Я сразу ее узнала. Могу все-все про нее рассказать, она в милиции служит, дела расследует, а потом о них пишет!» Это правда?

Я решила прояснить ситуацию:

— К уголовному розыску имеет отношение мой бывший муж. Действительно, в основе моих детективов лежат реальные истории, но сейчас я переживаю творческий кризис, за целый год не выдавила из себя ни строчки. А с Олегом развелась, хотя кое с кем из его коллег осталась в дружеских отношениях. Если вы расскажете, что вас беспокоит, вероятно, я смогу отправить вас к специалисту на консультацию. Вы что-то о пожаре знаете?

Нора убрала руки со столешницы.

— Римма предполагала, что случится несчастье. Когда Тема умер, она пришла ко мне и сказала: «Саша здесь, скоро грянет беда!»

— Саша? — на всякий случай поинтересовалась я. — Кто это такой?

Элеонора выпрямилась.

— Вроде одноклассник Темы, из-за него сын Риммы из школы ушел. Думаю, Саша криминальный тип.

— А как его фамилия? — спросила я.

— Она не сказала, только имя назвала, — прошептала Элеонора, — вроде этот Саша уже давно преследует их семью.

— Почему? — спросила я.

Элеонора схватила с диванчика небольшую подушечку, прижала ее к груди и начала вводить меня в курс дела...

Римма Марковна стала ее соседкой лет пять-шесть назад. С прежними жильцами из двадцать второй квартиры Элеонора не общалась, а с Васюковой подружилась сразу. Инициативу проявила Римма Марковна, спустя короткое время после переезда она позвонила в дверь к Мальковой и бесхитростно сказала:

— Я перебралась в новый район и ничего тут не знаю. Подскажите, где здесь недорогой продуктовый магазин.

Вот так и началась их дружба. Очень скоро Элеонора узнала многое о жизни Риммы Марковны, казалось, Васюкова ничего не скрывает. На самом видном месте в гостиной, на серванте, стояла фотография ее покойного мужа, портрет его висел и на стене. Вдова жила скромно, экономила каждую копейку, воспитывала сына, тихого, вежливого мальчика с явными художественными наклонностями. Тема казался идеальным ребенком. В отличие от дочери Мальковой Маши, хамившей маме в подростковом возрасте, а потом со словами: «Прости, больше всего на свете я люблю тебя», кидавшейся ей на шею, Артем вел себя безукоризненно. Никаких всплесков агрессии он не демонстрировал, слушался мать, отлично учился, а по вечерам сидел дома. Иногда, правда, Тема выглядел сонным. Потом Элеоноре показалось, что у мальчика проблемы со слухом, и она осторожно предложила соседке:

— В первом подъезде живет Аркадий Яковлевич, отоларинголог, никому в приеме не отказывает, можно в поликлинику не тащиться, он дома Тему посмотрит.

Римма заморгала.

— Зачем?

— Извини, что вмешиваюсь, — сказала Нора, — но мальчик явно стал хуже слышать. Я зову его — а он даже головы не поворачивает!

— Ерунда, — с облегчением выдохнула соседка, —

Артем решил писать книгу, выстраивает сюжет, он просто погружен в размышления. Он очень творческий человек.

— Надо же! — восхитилась Нора. — А моя Машка исключительно о парнях думает!

Римма обняла Элеонору.

— У тебя замечательная дочка, и возраст у нее самый подходящий для замужества. Поверь мне, лучше иметь дома обычное дитя с простыми желаниями, чем нестандартного ребенка. Любой талант имеет оборотную сторону.

В голосе Васюковой послышались такие ноты, что Элеонора подумала: «Похоже, Тема совсем не зефир в шоколаде, под каждой крышей свои мыши». Но большинство родителей ставили мальчика своим отпрыскам в пример.

За несколько дней до Нового года Римма Марковна заболела гриппом. Элеонора хотела зайти проведать соседку, но та, не открыв двери, крикнула:

— Норочка, не приближайся к нашей квартире. Ужасная зараза! Невероятная температура! Чудовищная инфекция!

Малькова невольно улыбнулась, Римма Марковна была экзальтированной дамой и любила употреблять в речи превосходную степень. Если она рассказывала приятельнице про погоду, то, по ее словам, на улицу «обрушился водопадом ливень, похожий на цунами», когда описывала свои впечатления от книги, то роман был «необычайно интересен, захватывающ, пугающе правдив», даже сообщение о покупке банки варенья звучало так: «Я купила настоящую амброзию, пищу богов, десерт с неземным вкусом». Кстати, о сладостях. Ни Тема, ни Римма Марковна конфет не любили, в их доме водились только джем и сдобные булочки, которые с удовольствием ела Васюкова, Артем не прикасался ни к тому, ни к другому, ему больше нравились бутерброды с колбасой, соленые помидоры и маринованный чеснок.

За день до того, как соседка заболела гриппом, Элеонора увидела ее во дворе с тяжелой сумкой.

— Давай, помогу, — предложила она Васюковой и выхватила одну ручку, — вместе легче тащить.

Торба приоткрылась, Нора с удивлением увидела в ней большое количество конфет.

— Карамель «Фестиваль»? — поразилась Малькова. — Сто лет ее на прилавке не видела! Где ты отхватила такой раритет?

— На фабрике, — после небольшого замешательства ответила Римма Марковна, — там есть магазин.

— Здесь, похоже, килограммов пять, — оценила вес поклажи Элеонора, — зачем тебе столько?

Римма промолчала. Но, очутившись около своей двери, внезапно сказала:

— Тема необычный мальчик, невероятно талантливый, поэтому ему трудно наладить отношения с однокурсниками. В школе сына не принимали в компании, считали его учительским любимчиком, в художественном училище у него тоже с ребятами дружбы не получилось, а теперь и в институте один ходит. Вероятно, в этом я виновата, не разрешала ему шумные дни рождения устраивать, не давала карманные деньги, одевала скромно. Вон у твоей Маши чего только не было, девчонки к ней толпой носились, все продукты из холодильника съедали, поэтому у нее полно друзей.

— Не ругай себя, — утешала соседку Нора, — ты одна мальчика поднимаешь, откуда взять средства на баловство? Закончит он институт, начнет работать, попадет в хороший коллектив, не переживай.

— Ты тоже жила без мужа, — покачала головой Римма, — но на дочери не экономила. Я была не права. Не люблю шум и гам, вот и противилась веселью в квартире. Да и нет необходимости стол с шампанским накрывать, молодежи хватит чая с карамелью.

— Понятно, — догадалась Элеонора, — ты разрешила Теме позвать однокурсников, потому и купила конфет.

— Я правильно придумала? — вздернула брови Римма.

— Ты молодец, — одобрила соседку Малькова.

Но запланированная вечеринка не состоялась, сначала грипп подцепила Римма Марковна, а потом заболел Артем. О том, что парень умер, Малькова узнала от Люси Синдеевой, столкнулась со сплетницей во дворе, та сразу налетела на Нору коршуном:

— Не знаешь, она в квартире останется?

— Кто? — не поняла Элеонора.

— Васюкова, — уточнила Люся, — ты вроде с ней дружишь?

— Общаемся иногда, — нехотя ответила недолюбливавшая Синдееву Нора.

— Я перешла работать в риелторское агентство, — затараторила Люся, — бросила НИИ на фиг, пусть подавятся своими копейками. Скажи Римме Марковне, чтобы агента не искала, я ей лучшую цену дам.

— Ошибаешься, — остановила трещотку соседка, — Васюкова никогда о переезде не заговаривала.

— Многие после смерти близких жилплощадь меняют, — заявила риелтор, — хотят от воспоминаний избавиться.

— А кто умер? — подпрыгнула Малькова.

— Ты не знаешь? — поразилась Люся. — У Васюковой сын на тот свет отъехал, осложнение после гриппа.

Нора отпихнула сплетницу и бросилась в двадцать вторую квартиру. Дверь открыла хозяйка.

— Риммочка, — залепетала Малькова, — чем я могу помочь? Может, денег дать? Блинов на поминки испечь?

— Огромное спасибо, но мы пока сами справляемся, — каким-то странным голосом ответила соседка.

Элеонора опешила, а Васюкова продолжала:

— Я Мира, тетя Артема. Сестра спит, ей сделали успокаивающий укол.

Нора попыталась переварить услышанное, Мира пригласила ее на кухню и спокойно заговорила:

— Наши родители разошлись, когда мы с Риммой учились в школе. Отец был большой оригинал, неудавшийся художник, мечтал писать эпические полотна, а приходилось сидеть на ткацкой фабрике, придумывать рисунки для тканей. Марк Артемович считал себя неудачником, винил в загубленном таланте жену, Светлану Николаевну, дескать, двух девочек подряд родила, повесила мужу на горб спиногрызов, и теперь он вынужден зарабатывать на пропитание голодных ртов, а не заниматься реализацией своих идей. В конце концов мама от него ушла, с собой забрала одну дочь, меня, а вторую оставила отцу. Мы с Риммой много лет не пересекались. Отец, кстати, специально нас так назвал: Мира и Римма. Имена состоят из одних букв, но любви они нам не прибавили. Родители все никак не хотели простить друг друга. Мама считала, что Васюков загубил ее молодость, отец предъявлял ей свою претензию: «Растратил весь творческий потенциал зря, перегорел, а все из-за алчной спутницы жизни!» Он, конечно, не написал свое «гениальное полотно», спился и умер. На момент его кончины Римме исполнилось восемнадцать лет, я на год ее старше. Мама предложила младшей дочери переехать к нам, но сестра ответила: «Ты бросила отца в трудную минуту, предала его, фактически убила». Услыхав это чудовищно несправедливое обвинение, я выгнала Римму вон. Примирила нас лишь смерть Артема, сестра позвонила сегодня, сообщила о кончине сына, я к ней примчалась. Мы так долго разговаривали, вспоминали раннее детство, пору, когда считали себя одним человеком, поняли, что родители, возненавидев друг друга, взрастили злобу и в сердцах детей. Но теперь наша жизнь потечет иначе.

Элеонора отложила подушку и откинулась на спинку диванчика.

— Печальная история, но, увы, не редкая, — подвела я итог услышанному, — дети часто становятся оружием в руках разведенных супругов. Очень жаль, но взрослые люди, как правило, думают о своем моральном и материальном благополучии и забывают об отпрысках.

— История Миры и Риммы — наглядное пособие, как сделать детей несчастными, — сказала Элеонора, — внешне они очень похожи, а внутренне абсолютно разные. Младшая сестра нежная, ранимая, увлекающаяся, вся на пике эмоций, а Мира бесстрастная, спокойная, вывести ее из себя совершенно невозможно, не женщина, а терминатор. Или лучше сравнить старшую сестру с танком — снаряды рвутся, самолеты сбрасывают бомбы, а танк знай себе прет через болото, не обращая внимания на дождь, ветер, грязь, ломится к цели.

— Безжалостная характеристика, — не выдержала я.

— Зато справедливая, — парировала Элеонора, — сначала мне казалось, что Мира решила исправить ошибку родителей, наверстать упущенное, поэтому постоянно держится около Риммы, но потом вдруг я сообразила: старшая сестра следит за младшей.

Если Нора по старой привычке заглядывала к Римме поболтать, Мира никогда не уходила в свою комнату, сидела в гостиной, бесцеремонно подавала реплики, мешала чужой беседе. Римма в присутствии сестры тушевалась и скоро говорила приятельнице:

— Извини, дорогая, у меня мигрень началась.

После того как ее вот так несколько раз выпроводили вон, Малькова сообразила: дело тут нечисто, раньше у Риммы никогда не болела голова, надо изыскать способ пообщаться с ней наедине. Но улучить момент оказалось непросто, сестры все время проводили вместе.

В конце концов Мальковой повезло, она увидела Миру выходящей из подъезда и кинулась к подруге.

— Кто там? — тревожно спросила Римма, не открыв дверь.

— Не бойся, — зашептала Элеонора, — это я, впусти меня.

— Мира замок снаружи заперла, — ответила Васюкова.

— Вот дрянь! — не сдержалась Малькова. — Хорошо, что ты мне на всякий случай запасной ключ дала, сейчас я тебя вызволю.

Когда дверь наконец открылась, Элеонора категорично сказала:

— Немедленно идем в милицию!

— Зачем? — испугалась Римма.

— С какой радости внезапно появившаяся сестра третирует тебя, хозяйку квартиры? — возмутилась Малькова. — Лишила тебя возможности общаться с людьми, запирает уходя. Пусть с Мирой участковый разберется!

— Нет, нет, — умоляюще залепетала Римма Марковна, — ты не понимаешь! Я сама попросила Миру ни на секунду не выпускать меня из вида. Я в опасности!

— Что случилось? — поразилась Нора.

— Саша... — загадочно ответила Римма Марковна, — никто не ждал его возвращения, незадолго до Нового года случился «сюрприз».

Глава 12

Элеонора испытала прилив жгучего любопытства.

— Кто такой Саша?

Римма Марковна сжалась в комок.

— Убийца! Божье наказание! Умоляю, не спрашивай, ничего рассказать не смогу. Квартиру поменяла, кучу денег спустила, пряталась, за Артема боялась, вдруг... ох, извини, лучше мне молчать. Я сразу все поняла, когда конфеты понадобились, «Фестиваль» проклятый. Как на грех их теперь почти не выпускают. Да только Саше безразлично, он требует, и все!

Элеонора, пытаясь свести концы с концами, спросила:

— Артем и ты ведь не едите сладкого?

— Да, — дергаясь, как неисправная марионетка, подтвердила Римма, — мы лучше колбасой полакомимся.

— Но ты купила большое количество карамели... — протянула Малькова. — Сейчас я понимаю: никаких гостей-студентов ты в гости не ждала.

Римма Марковна обняла соседку.

— Милая, солнышко, ты мне ничем помочь не можешь!

— Ты боишься человека по имени Саша, — сказала Нора, — и только что заявила, что этот субъект обожает «Фестиваль», за которым тебе пришлось ехать на край света. Отлично помню, как мы с тобой встретились во дворе, а уже вечером ты не открыла мне дверь, сослалась на грипп. Затем умер Тема и появилась Мира, которая ни на шаг от тебя не отходит. Римма, ты должна немедленно пойти в милицию!

Васюкова оттолкнула Нору.

— Нет! Все не так!

— А как? Расскажи! — потребовала Элеонора.

— Не могу, — прошептала Римма, — я устала, тащу не первый год свинцовые гири, не думала, что так тяжело будет, они меня согнули, но надо рот на замке держать. Ты шума не поднимай, Теме уже не помочь, а нам с Мирой только хуже сделаешь. Ступай домой, если захочешь пообщаться, эсэмэску мне на телефон сбрось, а то Мира от твоих посещений дергается.

— Эсэмэску? — вытаращила глаза Элеонора. —

У тебя есть мобильный? Ты умеешь сообщения отправлять?

— Что тут удивительного? — слабо улыбнулась Римма Марковна. — Тема мне на день рождения трубку подарил, показал, как ею пользоваться. Бедный мой мальчик!

Ошарашенная Нора ушла домой и решила не беспокоить сестер. Чужие тайны не очень-то волнуют Малькову, она не получает удовольствия, вытаскивая скелеты из шкафов знакомых и самозабвенно обсуждая их с посторонними.

Спустя короткое время после беседы с Васюковой Элеонора поехала в больницу, чтобы проведать коллегу по работе. Сначала она запуталась в лабиринте коридоров, а потом попала не в ту палату. Вошла в просторную комнату, увидела кровать, на ней мужчину и стала извиняться:

— Простите, я ошиблась.

— Мгм, — буркнул тот.

— Еще раз приношу свои извинения, — не успокаивалась Элеонора, — надеюсь, я не побеспокоила вас.

— Нет, — коротко ответил больной.

Что-то в его голосе насторожило Малькову, она присмотрелась и схватилась за грудь.

— Тема!

— Какой еще, твою мать, Тема! — возмутился парень. — Проваливай отсюда! Я заплатил бешеные бабки и не хочу, чтобы меня беспокоили!

— Ты не Тема Васюков? — переспросила Малькова.

— Нет, Дема Пасюков, — схамил молодой человек, — тетка, ковыляй отсюда, пока я добрый!

— Значит, я обозналась, — прошептала Элеонора. — Тема себе таких выражений никогда не позволял, он интеллигентный человек. Но лицо... Даже родинка на щеке!

Парень стал подниматься, и тут в палату вошла медсестра со шприцем.

— Что случилось? — с тревогой спросила она.

Больной ткнул в Нору пальцем.

— Мне за немалые бабки обещали тишину и покой. Уберите эту чокнутую! Ворвалась, шумит... В чем дело?

Девушка нахмурилась.

— Женщина, здесь коммерческая вип-палата. Ищете кого?

— Да, — ответила Нора, — Виктора Пазюка.

— Ну это точно не я, — заржал больной, — а ты, тетка, приколистка!

— Пазюк в сто десятой, а вы вломились в сто первую, — сказала медсестра.

— Молодой человек очень похож на покойного сына моей соседки, — попыталась оправдаться Элеонора.

— Еще круче... — хам выругался, — теперь я, оказывается, жмурик!

— Идите в коридор, — процедила девушка в белом халате.

Элеонора ушла. Но странное совпадение не давало ей покоя, и Малькова позвонила Васюковой...

— Зачем? — прервала я рассказчицу, удивленная ее действиями.

Нора навалилась на столик, приблизив ко мне свое лицо.

— Это был Тема!

— Артем же умер, — напомнила я ей.

Но она поманила меня пальцем и зашептала в самое ухо:

— Нет! Римма мне правду рассказала.

— Какую? — тоже машинально понизив голос, спросила я.

Хозяйка вылезла из-за столика, закрыла дверь на кухню, потом притворила окно и опять села.

— Я тогда очень забеспокоилась. Знала, что Тема никогда не ругался, тем более не матерился. Но тот парень был просто копия Васюкова! Глаза, нос, губы, родинка, тембр голоса, волосы... Не бывает так, даже у близнецов есть различия. Вот я и звякнула Норе, сказала: «Понимаю, что всколыхну в твоей душе тяжелые воспоминания, но лучше тебе знать». И поведала о странном пациенте.

— И как отреагировала Римма?

— Сначала спокойно. Ответила: «Милая, ты ошибаешься, Артем на кладбище, тот молодой человек просто похож на моего несчастного сына». А какое-то время спустя прибежала ко мне — вся трясется от возбуждения, глаза, словно блюдца, требует: «Скажи скорей, в какой больнице твой сослуживец лежит!»

— Странно, — кивнула я.

— Дальше — больше, — оживилась Малькова, — Римма давай вопросами сыпать: парень был сильно похож на Артема? Как его звали? Что он сказал? Где живет? Я ей отвечаю: «Мы общались всего пару минут, ни о чем таком разговора не было». Тут Римма на диван упала и зарыдала: «Тему украли. Саша его стопроцентно подчинит себе. Борьба в этом случае бесполезна». Мне в конце концов надоело слушать ее путаную речь, и я потребовала немедленно объяснить происходящее...

И тогда Римма Марковна выдала такой текст, что Малькова даже усомнилась в ее вменяемости.

Короче говоря, есть на свете некий человек по имени Саша. Кто он такой и почему ненавидит Васюковых, Римма не объяснила. Фамилии тоже не назвала, но весьма определенно дала понять: история эта давняя, началась в то время, когда Тема ходил в школу. Поняв, что над ее мальчиком нависла опасность, Васюкова решила активно действовать. Римма Марковна распустила слух, что уезжает с ребенком жить на море, Тема болен астмой, мегаполис его убьет. Мать быстро продала свою квартиру, приобрела новую в другом районе, перевела Артема в другую школу и затаилась.

Москва по размерам превосходит некоторые европейские государства, и если перебраться с одного конца города в противоположный и не поддерживать связей со старыми знакомыми, в ней можно затеряться. И жизнь Васюковых наладилась, Саша, способный навредить Теме, исчез с их горизонта. Так продолжалось несколько лет, и вдруг нынешней зимой Саша неожиданно объявился. Тогда Римма связалась с Мирой. Чтобы защитить Тему, сестры решили распустить слух о его смерти. Римма Марковна рассказала соседке-сплетнице, что ее сын скончался от гриппа. Артема спрятали в укромном месте, а мать и тетка затаились дома. С Темой они не созванивались, думали, с ним полный порядок. Но после рассказа Норы Мира рискнула проведать племянника, не обнаружила его в тайном убежище и поняла, что Тема похищен. Вероятно, Саша до него добрался...

— Почему они не обратились в милицию? — сурово спросила я.

Элеонора вскинула брови.

— Римма чего-то недоговаривала, не рассказала мне всю правду.

— Если дело зашло так далеко, его лучше передать в руки профессионалов, — подала из коридора голос Маша.

— Ты подслушиваешь! — возмутилась мать.

— Просто слышу, — поправила ее беременная, входя на кухню.

— Маша совершенно права, — согласилась я.

— И эта история очень странно звучит! — приободрилась молодая женщина. — Васюковых преследует некий Саша. Так?

— Да, — подтвердила Элеонора.

Дочь посмотрела на мать.

— Римма Марковна с Темой переехали, чтобы спрятаться?

— Я так поняла, — кивнула Нора, — им это удалось, но спустя какое-то время Саша нашел Артема, и над ним нависла опасность. Римма с сыном опять переехали, на этот раз в наш дом, но и здесь Саша разыскал Васюкова.

— С одной стороны, найти в Москве человека трудно, с другой — просто, — пожала плечами Маша, — на Горбушке можно купить диск с адресами всех зарегистрированных жителей столицы. Почему Саша так долго ждал? Сколько времени Римма Марковна жила с тобой рядом и никто ее семье не угрожал?

— Откуда мне знать, — начала сердиться Элеонора, — может, Саши в городе не было!

— И при чем тут карамель? — не успокаивалась Маша.

Ее мать снова забилась в угол дивана и пояснила:

— Этот Саша обожает конфеты «Фестиваль», постоянно их ест. Раньше они в каждой булочной продавались, а потом пропали. Римме пришлось на фабрику за ними кататься, она мне сказала: «Когда я увидела в палате фантик, сразу поняла: Саша захватил Тему и утащил с собой весь запас конфет».

Теперь и я оценила странность этой истории.

— Минуточку! Мама и тетя решили спрятать Артема от Саши?

— Да, — кивнула Малькова.

— Поэтому они инсценировали его смерть? — не успокаивалась я.

— Верно, — снова согласилась Малькова.

— Но получается, что Римма Марковна заранее знала о появлении Саши, она предусмотрительно запасла конфеты. Решила накормить преследователя карамелью и таким образом избавиться от него? — на одном дыхании выпалила я.

— Действительно, глупо выходит, — подхватила Маша, — и если Саша похитил Тему, то зачем он его в больницу отвез? К тому же положил в вип-палату. Бредовее ничего не слышала!

— Нет, нет, — остановила Элеонора дочь, — сестры поместили парня в клинику, это и было тайное место, где Тему никто не мог найти. А потом пришел Саша и уволок его. Римма Марковна сразу поняла, что случилась беда, когда фантик заметила, она все повторяла: «Надо найти Тему, пока беды не случилось, Саша — сплошной ужас!»

Я искоса посмотрела на Малькову.

— Только что вы рассказывали, как была поражена Римма Марковна, узнав о том, что вы видели Тему в больнице.

— Она чуть в обморок не грохнулась, — закивала

Нора, — посерела, губы побелели, на кресло упала и сказала: «Где? В платной палате?»

— Концы с концами вновь не сходятся! — объявила Маша. — Она же сама его в клинику устроила.

— Вечно ты со мной споришь! — вспылила мать.

— Так нестыковка получается, — упорствовала дочь, — если сестры пристроили Артема в клинику, то с чего им удивляться при известии о его пребывании в медцентре? Знаешь, мамуся, ты вообще слишком доверчивая. Я тебе в детстве иногда такие фантастические истории выдавала, и все прокатывало!

— Налей нам чаю, — оборвала Элеонора Машу, — наверное, я действительно склонна излишне доверять людям. Я рассказала, что знаю: Римма боялась Саши до одури, хотела задобрить его конфетами. Еще они с Мирой умоляли меня никому никогда не рассказывать, что я видела в палате Тему. Никому! Никогда! Сказали: «От твоего молчания зависит наша жизнь».

— Чушь! — фыркнула Маша.

— Постой, — воскликнула я, — не надо оценивать действия других людей, давайте просто констатировать факты. Нам с тобой приобретение ящика конфет кажется идиотизмом. А вот Римма Марковна считала иначе. Она отправилась на фабрику, потратила время и деньги, ей карамельки показались нужными, и она их приобрела, причем в большом количестве. Это факт, и с ним надо считаться. Значит, события развивались так. Вы, Нора, помогаете соседке дотащить до квартиры сладости, Римма Марковна сообщает о том, что разрешила сыну пригласить сокурсников.

— Ну не глупо ли угощать студентов карамельками? — снова влезла со своим замечанием Маша. —

Соседка просто ляпнула первое, что взбрело ей в голову.

— Может, и так, — согласилась я, — однако нам важнее выяснить другое. Двигаемся дальше. После приобретения «Фестиваля» Римма Марковна вдруг заболевает гриппом, потом зараза перекидывается на Тему, и он умирает. Но на самом деле парень жив, здоров и невредим, мама с тетей поставили спектакль, желая спасти Артема от некоего Саши, который уже пару раз покушался на жизнь Темы. Так?

— Абсолютно правильно, — подтвердила Элеонора, — Римма вскользь обмолвилась: «Артем был вынужден из-за Саши поменять школу два раза, мы переехали в третий раз, и сын пошел в художественное училище».

— Но убийца нашел жертву в больнице и похитил, — завершила я историю.

— Вы верно восстановили нить событий, — зашептала Нора, — а затем негодяй поджег квартиру сестер. Он лишил жизни Римму с Мирой и покушался на меня. Я уцелела чудом, спасибо помойке и Лене Перовой, затащившей меня к себе на кухню.

— Мама, на тебя никто не нападал, — попыталась успокоить ее Маша, — ну попробуй мыслить трезво: зачем ты Саше нужна?

— Он сжег и мое жилище! — воскликнула Малькова.

— Ваша квартира расположена под квартирой Васюковых, — напомнила я, — огонь всегда быстро распространяется по перекрытиям. Вот если бы Римма Марковна жила в одном подъезде, а вы в другом и пожар случился бы и там и там, можно было бы удивиться одновременному возгоранию.

— Нет! — истерично взвизгнула Элеонора. — Он за мной охотится!

— А смысл? — пожала плечами Маша.

— Хочет меня убить, — пролепетала погорелица.

— Зачем? Ни малейшего мотива нет! — решила я ее успокоить.

— Преступник слышал о моей дружбе с Васюковой, — простонала собеседница, — боится, что я его выдам.

— Вы не можете назвать ни его фамилию, ни отчество, ни год рождения, ни адрес, — продолжала я увещевать Элеонору, — нет, ваша персона не представляет ни малейшего интереса для убийцы.

— Но он-то не знает, что мне про него ничего не известно, — весьма логично заявила Малькова, — поэтому и сжег мое гнездышко. У меня в окнах свет горел, я его не выключила, когда с ведром вышла, и Саша полагал, что я дома.

— И чего вы хотите от меня? — устало спросила я.

— Найдите Сашу и скажите ему: «Норе о тебе ничего не известно!» — заплакала Малькова. — Иначе он сюда придет и всех жизни лишит: меня, дочь, ребенка!

Мы с Машей переглянулись.

— Мамочка, — приторно ласково заговорила дочь, — если Виола выполнит твою просьбу, Саша не послушается, а наоборот, тогда точно с тобой расправится.

— Почему? — одними губами спросила Элеонора.

Я подхватила мысли Маши:

— Сейчас преступник не подозревает, что вы владеете о нем крупинкой информации, но в случае моего визита Саша забеспокоится и примет ответные меры.

— Вы отказываетесь мне помогать? — крикнула Нора.

— Думаю... — начала я, но Малькова не позволила мне закончить фразу.

Она быстро влезла на диванчик, распахнула окно, встала на подоконник и заорала:

— Лучше спрыгнуть вниз, чем заживо сгореть!

Мы с Машей вцепились в ноги спятившей Норы.

— Мамусенька, — срывающимся голосом взмолилась дочь, — у нас не первый этаж! Слезь, пожалуйста!

Я мертвой хваткой вцепилась в лодыжку Норы, понимая, что нам с Марией ни за что не удержать крупную даму. Если Малькова сиганет вниз, мне придется разжать пальцы, иначе она утянет за собой и меня. Наверное, я ужасная эгоистка, но погибать мне совершенно не хочется.

— Пообещай ей встретиться с Сашей! — крикнула мне Маша.

— Да, да! — возопила я. — Непременно! Прямо сейчас начну его искать!

Нора повернула голову.

— Правда? Поклянись!

— Клянусь, клянусь, клянусь, — зачастила я, готовая сказать что угодно, лишь бы сбрендившая Малькова слезла с подоконника.

— Нет, не так! — взвизгнула Элеонора. — Повторяй: пусть меня паралич разобьет и глаза ослепнут, если я обманываю...

Я не суеверный человек, но одно дело хихикать при виде черной кошки и совсем другое давать торжественные клятвы. Как назло, мне вспомнилась та самая пресловутая черная киса, перебежавшая дорогу да еще показавшая мне язык. И как потом прошел мой день? Я не получила денег и попала в аварию!

Элеонора покачнулась, а Маша заорала:

— Не тормози, говори! Мама может упасть!

Мне пришлось дать клятву, Нора вернулась на диван.

— Отчего ты решила, что я лучший помощник в этой непростой ситуации? — трясясь от пережитого волнения, спросила я у Норы, после стресса тоже переходя на «ты».

— Потому что ты звезда! — торжественно объявила Нора. — Всем позвонить можешь, наверное, с президентом чай пьешь. Какой журнал ни купишь, везде фотки знаменитостей, все друг друга знают, в гости ходят, вместе водку пьют. У тебя полно связей, ты в два счета управишься, а у нас с Машей нет ничего, кроме долгов. Нам обратится не к кому, помощи ждать неоткуда, денег тоже нет, одни беды вокруг.

Я с тоской посмотрела на Нору и пробормотала:

— К сожалению, я не имею приятелей среди влиятельных людей.

— Ты поклялась! — возмутилась Нора.

Маша, которую мать не видела, умоляюще сложила руки.

— Я не отказываюсь, — мрачно ответила я, — просто могу быстро не управиться.

Глава 13

В девять утра я позвонила Неле Самойловой и услышала бойкий ответ:

— Архив.

— Нелечка, это Вилка, — Лисой Патрикеевной запела я, — мы давно не общались.

— Так некогда, — безо всякой обиды ответила Неля, — я день-деньской на работе. Говори сразу, что надо?

— Артем Петрович Васюков, примерно двадцать лет, студент Полиграфического института.

— Так, дальше.

— Можешь узнать, где он учился?

— Я ослышалась или ты говорила про Полиграф? — съехидничала Неля.

— Меня интересует, какую и когда он посещал школу. И если получится, попытайся отыскать сведения побыстрее, — попросила я.

— Ну уж это как пойдет, — откликнулась Самойлова.

— Ты лучшая! — льстиво завершила я разговор.

— Вне всяких сомнений, — не смутилась Нелька, — намбер уан — это я.

Дальше утро потекло своим чередом. Я умылась, выпила кофе, поругалась с прорабом, который пытался меня убедить, что дорогие итальянские двери, сделанные из многослойного картона, лучше дешевых российских из цельного массива дуба, позвонила Реброву, клятвенно пообещав через полтора часа быть в издательстве, и спустилась во двор. И сразу же мне на глаза попалась Мусенька, облаченная в спортивный костюм из велюра, естественно, розового цвета. Сначала я удивилась: вот уж не предполагала, что фирмы, создающие одежду для занятий физкультурой, выпускают размеры больше семидесятого. Потом вспомнила о вежливости и быстро сказала:

— Привет.

— Доброе утро, — заулыбалась несостоявшаяся клиентка, — как дела?

— Отлично, — бойко отрапортовала я, — а у тебя? Собралась в фитнес?

— Нет, — отмахнулась Мусенька, — на стройку нашего нового дома. Муж сказал: «Не стоит мучиться! Решим проблему иначе: пристроим большой лифт к зданию снаружи, не порти свою фигуру». Вот едем на встречу с производителем подъемников. Ну, мне пора!

Помахав рукой, Мусенька бойко потопала к огромной палатке черного цвета с затемненными стеклами, стоявшей чуть поодаль. Она открыла дверь, вошла в магазин... и тот внезапно поехал. Я разинула рот. Это был не тонар, а автомобиль доселе никогда не виданных мною чудовищно огромных размеров! Хотя почему я так удивилась? Не на «Оке» же Мусеньке кататься. Я ничего не имею против отечественной малолитражки, но эта Барби туда ни за какие пряники не влезет. Значит, она решила завязать со спортом, так и не начав тренировки, проблема похудеть под лифт отпала. Надеюсь, и мои трудности разрешатся столь же просто.

Я села в «ежика» и услышала писк мобильного.

— Никаких особых трудностей не было, — отрапортовала Неля, — записывай. Васюков с седьмого по девятый класс посещал школу номер две тысячи девять, она находится в Лучном проезде. В середине года парень поступил в художественное училище, окончил его и подался в институт.

— Немного странно срывать ребенка с места, не дав ему завершить год, — отметила я.

Самойлова чихнула прямо в трубку.

— Будь здорова, — пожелала я.

— Мерси, — шмыгнула носом подруга, — а вот я ничего настораживающего в этом не вижу. Васюков поменял адрес. Раньше он жил в Лучном проезде, через два дома от школы. Очень удобно, можно ходить пешком. Потом Васюковы переехали на другой конец столицы. Так что ж, школьнику больше часа на метро на занятия плюхать? Думаю, парень поэтому и пошел в художественное училище, оно находится рядом с новой квартирой. Кстати, это была не первая смена места учебы. Когда Артему исполнилось девять, семья переехала в Лучный.

Я решила уточнить:

— А какую школу мальчик посещал с первого класса?

— Написано: «В связи с состоянием здоровья находился на домашнем обучении», — ответила Неля.

— До седьмого класса? — поразилась я.

— Ничего странного, — вновь не удивилась Самойлова, — он мог болеть или в детский коллектив не вписывался. А еще встречаются родители, которые не довольны школьной программой, учителями.

— Дай мне имя директора школы в Лучном, — попросила я.

— Маргарита Семеновна Яценко, она там двадцать пятый год рулит, — сообщила Неля. — Ты опять в какую-то историю влезла?

— Нет, — попыталась соврать я, — знакомые попросили помочь с документами разобраться...

— Да ладно, — перебила меня Неля, — можешь мне не лгать. Хочешь, подскажу, как к Яценко подобраться? Она с посторонними резкая.

Я обрадовалась:

— Буду благодарна за совет.

— Для начала передай ей от меня привет, — засмеялась Самойлова, — я у нее учительницей младших классов начинала. Могу даже позвонить Маргарите, составить тебе протекцию. С ней лучше говорить честно! Например, писательница Арина Виолова работает над новым документальным детективом, у нее есть пара вопросов.

— Что же ты до сих пор молчала? — укорила я подругу.

— Меня кто-нибудь про дружбу с Яценко спрашивал? — парировала Неля. — Записывай мобильный номер Маргариты, минут через пятнадцать можешь с ней связаться.

Я притормозила на перекрестке. Если ехать в издательство, то нужно перебираться в левый ряд, если я хочу попасть в Лучный, следует поворачивать направо, решение надо принимать быстро.

Ребров никуда не денется, деньги для Арины Виоловой лежат в сейфе, и рано или поздно мне придется отдать Гарику рукопись, поэтому сейчас лучше поспешить в противоположную от издательства сторону. Самойлова права, я пишу документальные детективы и, вероятно, сумею не только помочь Норе успокоиться, но и найду новый сюжет.

Маргарита Семеновна за версту выглядела директором школы. Вид у дамы был элегантный, но суровый до крайности. Не успела я войти в кабинет, как она глянула на меня поверх очков и холодно спросила:

— Вы мать Бориса Фомина?

— Нет, — пискнула я, чувствуя неземную радость от того, что не имею ни малейшего отношения к проштрафившемуся хулигану, — меня зовут Виола Тараканова, под псевдонимом Арина Виолова я пишу книги. Вам привет от Нели Самойловой. Вот.

Ноги сами собой попытались изобразить реверанс. Будь я собакой, сейчас бы изо всех сил махала хвостом. Удивительно, как быстро в кабинете директора школы во взрослой женщине проснулась первоклашка.

Маргарита Семеновна сняла очки и стала доброй.

— Очень рада встрече, — сказала она, — к нам редко заглядывают звездные гости. Я решу вашу проблему, если она относится к сфере моего влияния. О чем пойдет речь?

Стало понятно, что, несмотря на выказанное радушие, директриса не собирается впустую тратить драгоценное время.

— Когда-то здесь учился Артем Васюков, — сразу приступила я к делу, — не осталось ли в школе человека, хорошо знавшего мальчика? Вроде его классную руководительницу звали Нинель Львовна.

Маргарита Семеновна взяла трубку.

— Нинель умерла. Амалия Карловна, у вас урок? Зайдите ко мне после звонка.

Потом директор посмотрела на меня.

— Я помню Артема. Сначала не хотела брать его к нам.

— Почему? — тут же заинтересовалась я.

Яценко усмехнулась.

— Проблемы никому не нужны. Моя школа одна из лучших в городе, к нам рвутся из соседних районов. Имеем подготовительное отделение, ребята занимаются год, потом плавно переходят в первый класс. Не боюсь признаться: я отбираю родителей. С одной стороны, я заинтересована в спонсорах, с другой — не желаю, чтобы паршивая овца испортила все стадо. Посмотрите, что творится в детских коллективах: наркотики, ранняя беременность, венерические заболевания, алкоголизм, курение. У нас ничего подобного нет, и во многом из-за правильной селекции учащихся. А тут появляется одинокая мать и говорит: «Мы переехали в ваш район. Мой мальчик находится на домашнем обучении, вот направление на сдачу у вас ежегодных экзаменов...»

Яценко оставалось лишь кивнуть. Никакой ответственности за Артема она не несла, при ее школе действительно существовала комиссия, которая оценивала знания детей, осваивавших программу экстерном, то есть заочно. Раньше таких ребят было не так уж мало, но с тех пор, как в России появились частные гимназии, количество их резко снизилось.

Подмахнув необходимые документы, Маргарита Семеновна благополучно забыла о Васюкове. Хоть мальчик и приходил в школу сдавать экзамены, но своим не считался, статистику успеваемости не портил, в общественной жизни коллектива не участвовал.

Спустя несколько лет Васюкова снова пришла в кабинет Яценко и попросила:

— Запишите моего сына в седьмой класс.

Маргарита Семеновна неохотно принимает детей из других школ, ей больше нравится самой растить цветок из семечка. Но директриса сразу не отказала мамаше, попросила документы ребенка и увидела, что Артем находился на домашнем обучении. У Яценко мигом отпали все сомнения.

— Извините, у нас классы переполнены, — категорично заявила она, — могу посоветовать школу на улице Герова, там не откажут.

— Мы хотим к вам, — не смутилась Римма Марковна. — Тема отличник, не имеет замечаний.

— Немудрено получать пятерки, сидя дома, —

фыркнула директриса, — не хочу вас разочаровывать, но очень часто у таких учеников слабые знания.

— Только не у Артема, — стояла на своем мать. — Разве вы не заметили, что мальчик все экзамены сдавал у вас? И он прекрасно рисует. Вот, посмотрите...

Директриса оселась, еще раз изучила документы, глянула на работы, впечатлилась увиденным и поинтересовалась:

— Почему мальчик до седьмого класса не посещал общеобразовательное учреждение очно? Чем он болен?

— Он абсолютно здоров, — заверила Римма Марковна, — просто очень серьезен, застенчив, слишком умен.

— Ладно, — усмехнулась Маргарита Семеновна, — приводите своего вундеркинда, протестируем вашего Леонардо да Винчи.

Артем произвел на директрису наилучшее впечатление: он великолепно знал программу, был интеллигентен, обладал хорошей речью и категорически не походил на хулигана. Мальчика зачислили в класс. Никаких проблем он не доставлял, учителя не могли нахвалиться на Васюкова. Правда, ребята его не особо любили, но открытой агрессии не выражали, дразнили чистюлей, и все. Когда Римма Марковна внезапно решила забрать Тему из школы, Маргарита Семеновна долго уговаривала мать не спешить, приводила разумные доводы:

— Артем необычный мальчик, он едва сумел влиться в коллектив, к нему уже привыкли. А что будет на новом месте?

— Мы переезжаем, — пояснила Васюкова, — новая квартира находится на противоположном конце

Москвы. Тема очень рассеян, его придется сопровождать на занятия, а то еще потеряется в метро. А у меня ведь работа. Нет, надо его переводить...

В плавный рассказ директрисы ворвался слегка визгливый дискант:

— Можно?

— Конечно, — царственно кивнула Яценко, — Амалия Карловна, знакомьтесь, это Арина Виолова, известная писательница.

— Очень приятно, — настороженно сказала учительница.

— Пожалуйста, побеседуйте с ней в библиотеке, — приказала директор.

— Что-то случилось? — спросила Амалия Карловна, впуская меня в небольшой зал, где пахло пылью и старыми книгами.

— Вы знали Артема Васюкова? — я решила сразу перейти к основной теме.

— Конечно, — заметно расслабившись, ответила преподавательница, — я веду историю искусств, Тема был мой лучший ученик. Он интересовался художниками, великолепно рисовал, хотя его работы были... э... странными.

— Что вас удивляло? — поинтересовалась я.

— Не могу объяснить, — нахмурилась Амалия Карловна. — Творчество Босха знаете?

— Артем обладал болезненной фантазией? — догадалась я.

— Все настоящие художники видят мир криво, — вздохнула Амалия, — у Темы были не детские работы. Помню, он показал мне акварель, написанную нежными красками, все в голубых и розовых тонах. Представьте спальню маленькой девочки, такой типичный домик Барби. Кровать в виде сердца, занавески в рюшечках, повсюду плюшевые игрушки. А на полу, на ковре, сидит мужчина, одетый в белую рубашку и пиджак и... в короткую юбку, из-под которой весьма реалистично торчат две волосатые ноги в носках и грубых ботинках. Вместо головы у него дрель, при помощи которой монстр высверливает сердце у куклы с романтично-голубыми волосами. На лице Барби страх, на ковре кровь. Ужасный симбиоз детской комнаты и преступления! Я просто окаменела. Это было произведение искусства, оно ошеломляло. Зрелая работа. И название! «Счастье чужой души». Мне более никогда не встречался семиклассник, способный на подобное.

— Похоже, у ребенка были проблемы с психикой, — покачала я головой. — Вы сообщили его матери о рисунке?

— Конечно, — кивнула Амалия Карловна, — я посоветовала ей обратиться к специалисту. Но Римма Марковна не обеспокоилась, ответила: «Артем очень талантлив. Во все времена художников, если они не малевали пейзажи и сцены охоты, а открывали новое направление в искусстве, обвиняли в сумасшествии. Вспомните «Завтрак на траве» или Ван Гога. И я не нашлась, что ответить! Вы понимаете о чем речь?

— Полотно Эдуарда Мане «Завтрак на траве», — продемонстрировала я эрудицию, — на нем изображены одетые мужчины и обнаженная женщина на пикнике. Работа произвела эффект разорвавшейся бомбы. Мане не пинал только ленивый, его называли развратником, дураком, человеком, не способным держать кисть, упрекали в порнографии. Сейчас картина считается шедевром. Что же касаемо Ван Гога, то у него были проблемы с психикой. Только мне кажется, что преждевременно сравнивать творчество подростка с работами великих мастеров.

— Талант или есть, или его нет, — вздохнула Амалия Карловна, — думаю, даже учеба в художественном вузе не испортит дар Васюкова.

— А как относились одноклассники к его творчеству?

— Артем был умен, он никому не демонстрировал рисунки, — пояснила преподавательница и тихо уточнила: — Ему здесь приходилось нелегко. Еще эта трагедия с сестрой.

— С кем? — не поняла я. — У Васюкова нет никаких сестер.

Учительница выровняла стопку книг.

— Вы не совсем в курсе дела.

Глава 14

Амалия Карловна сблизилась с Темой на почве рисования. Мальчик приносил учительнице свои работы, а та показывала ему художественные альбомы, у нее дома солидная библиотека.

Как-то раз Артем не явился на занятия, по школе гулял грипп, и отсутствие ученика не удивило Амалию Карловну. После работы она решила заглянуть к мальчику, оставить ему несколько интересных книг о жизни великих деятелей культуры. Амалия Карловна знала, где жил вундеркинд, Артем часто сопровождал любимого педагога после занятий, нес ее портфель и показал дом, где находится его квартира.

Учительница, нагруженная пакетом, поднялась на нужный этаж, хотела позвонить, но тут заметила, что дверь в квартиру Васюковых не заперта, а просто прикрыта. На дворе был уже не девяносто первый год, времена криминального разгула заканчивались, но москвичи давным-давно забыли о патриархальной привычке не запираться на все замки. Учительница насторожилась, потом тихо вошла в квартиру и крикнула:

— Есть кто дома?

В ту же секунду послышался громкий стук, и серая тень метнулась по коридору в одну из комнат. Амалия Карловна в секунду сообразила: в помещение влез вор. Учительница не раздумывая кинулась за грабителем. Поступила она, конечно, опрометчиво, решив самостоятельно обезвредить преступника, нужно было без шума выйти на лестничную клетку, позвонить соседям, вызвать милицию. Но Амалия Карловна работала в школе с советских времен, верила в действенность слова и наивно полагала, что воришка испугается взрослой женщины, вернет на место свою добычу и попросит прощения. Почему она решила, что к Васюковым залез подросток, а не парочка здоровенных мужиков с оружием? Совершенно пустой вопрос, у нее не было на него ответа.

Горя негодованием, Амалия Карловна вбежала в гостиную и увидела... симпатичную стройную девушку лет пятнадцати-шестнадцати. Незнакомка совершенно не походила на преступницу. На ней были домашний халат и тапочки с помпонами, длинные светлые волосы свисали неуложенными прядями. Не очень большие голубые глаза прятались за густо накрашенными ресницами, на губах лежал слой перламутрово-розовой помады, лак такого же цвета покрывал ногти.

Первое мгновение Амалия Карловна и девочка пристально смотрели друг на друга, потом последняя спросила:

— Как вы сюда попали?

— Дверь была открыта, — ответила учительница.

— Ой, вот черт! Не заперла, когда пришла! — подскочила девочка.

— **Меня зовут Амалия Карловна**, — представилась педагог, — я преподаю у Темы в школе. Он сегодня не пришел на занятия, я захотела его проведать, принесла книги. Где Артем?

— Он... э... в ванной, моется, — сообщила девушка, — сейчас... подождите, я его позову. Вы присядьте!

Амалия Карловна опустилась в кресло. Минут через десять в комнату влетел Тема, мало похожий на тяжелобольного. Он выглядел излишне возбужденным, его короткие волосы стояли дыбом, лицо покрывали красные пятна, губы были пунцовыми. Через секунду в воздухе повеяло чем-то «химическим», очень знакомым.

— Здрасте. А я сегодня уроки прогулял, — с порога честно признался Артем, — один раз не страшно, у меня ведь одни пятерки, даже четверок нет!

— Да? — вздернула брови Амалия Карловна и чихнула. — Чем пахнет, не пойму.

— Это ацетон, — пояснил Артем, — мама ремонт в кухне закончила, а убрать ей некогда, она очень занята. Ну я и решил ей сюрприз сделать, на занятия не пошел, остался пол мыть. Плитка здорово краской заляпана, сначала я ее лезвием отскребал, а потом догадался растворитель взять.

— Даже из-за помощи маме не следует прогуливать школу, — назидательно сказала учительница. — А что за девочка тебе помогает?

— Соседка, — быстро ответил Артем, — мы дружим.

Преподавательница кивнула и невольно посмотрела на ноги паренька. Артем был в кроссовках, но, очевидно, торопился и перепутал обувь. Правый башмак сидел на левой ноге, а левый на правой.

И тут только до Амалии Карловны дошла двусмысленность ситуации. Риммы Марковны нет дома. По словам Темы, он остался отмывать кухню, а дружескую помощь ему оказывает девочка, одетая в кокетливый пеньюар практически без застежек, и ее домашние бархатные туфельки с помпонами абсолютно не уместны в такой ситуации. Артем взволнован, он явно одевался впопыхах...

От следующей мысли Амалия Карловна покраснела и растерялась. Она положила принесенные книги на стол, попросила Тему более никогда не пропускать школу и быстро ушла. Артем не стал ее задерживать, не предложил ей чаю, девочка не вышла в коридор, чтобы попрощаться.

До вечера учительница решала трудную задачу: следует ли ставить в известность о произошедшем Римму Марковну — и в конце концов позвонила Васюковой.

— У меня для вас неприятная новость, — начала она издалека, — Артем сегодня пропустил занятия.

— Вы ничего не путаете? — поразилась мать. — Мой мальчик такого себе не позволяет!

— Как идет ремонт? — сменила тему Амалия Карловна.

— Что? — еще сильнее удивилась Римма Марковна.

— Разве вы не приводите в порядок кухню? — спросила учительница.

— У меня нет на это ни времени, ни сил, ни денег, — призналась Васюкова, — даже не мечтаю об обновлении интерьера.

Амалия Карловна набрала полную грудь воздуха и решилась:

— Боюсь, что окончательно испорчу вам настроение. Я случайно застала у Артема полуголую девушку-блондинку. Понимаю, что у теперешних подростков сексуальность просыпается раньше, чем у их сверстников десять лет назад, но думается, раннее начало половой жизни до добра не доведет.

— Блондинка? — пролепетала Римма Марковна. — Я непременно разберусь! Спасибо! Тема растет без отца, вот и отбился от рук. Я его накажу, обязательно. К врачу отведу. Боже! Какой ужас! Надо таблетки подобрать!

— Не стоит действовать агрессивно, — решила дать совет учительница, — карательные меры не помогут. И врач здесь не поможет, лучше деликатно побеседовать с сыном, объяснить пагубность его поведения, намекнуть на проблемы со здоровьем.

— Да, да, да, — торопливо согласилась Римма Марковна и бросила трубку.

На следующий день Артем вновь не появился в школе, а вот его мать прибежала к Амалии Карловне.

— Сын заболел! — воскликнула она. — Что за ужас вы вчера напридумывали? Тема еще ребенок, ни о каком сексе он и не помышляет!

Педагог отвела глаза в сторону. Похоже, Васюкова чрезвычайно наивна. В четырнадцать лет мальчики постоянно фантазируют на эротические темы, которые быстро трансформируются в их голове в порнографические сцены.

— И в гостях у него была сестра, — завершила рассказ Римма, — вы же не подозреваете моего сына в инцесте!

— Сестра? — растерялась Амалия Карловна. —

У вас есть еще дети? А почему Артем наврал, представил ее соседкой?

Васюкова притихла, потом неохотно продолжила:

— Вам трудно понять нашу ситуацию. После развода мы с мужем разделили детей, ему досталась дочь, мне сын. Разрыв произошел много лет назад, супруг не разрешал девочке встречаться с братом, а я никогда не рассказывала Теме о ее существовании, но дети каким-то образом нашли друг друга и начали общаться тайком. Дочь боится отца и мачеху, а Тема решил, что обидит меня, если расскажет о ее визитах. Когда вы вчера появились, сын испугался и сочинил про соседку, он не мог сказать про сестру.

...Амалия Карловна перевела дух.

— Ну и как вам эта история?

— Нестандартная ситуация, — согласилась я. И тут же вспомнила беседу с Мальковой.

Мира рассказала Элеоноре про своих родителей, которые, разрушив брак, разъединили ее с сестрой и настроили девочек друг против друга. А теперь оказывается, что муж Риммы поступил точно так же. Интересно, в семье Васюковых такая традиция или кто-то слишком много врет? К тому же Мира и Нора говорили мне, что супруг Риммы умер, она вдова.

— Вы еще до конца не дослушали, — прищурилась Амалия Карловна, — Тема стал посещать занятия недели через три после моей беседы с его матерью...

Мальчик выглядел подавленным, на уроке сидел безучастным, руки не тянул. После занятий Амалия Карловна зазвала любимого ученика в свой кабинет и укорила его:

— Я думала, мы друзья.

— Да, — вяло отозвался Артем.

— Почему ты не рассказал мне про сестру? Я не стала бы вас выдавать!

— Да, — безучастно кивнул Тема.

— Если захотите поговорить, можете прийти ко мне, — решила исправить свою ошибку Амалия Карловна.

— Да, спасибо, — монотонно ответил Артем, — да.

— Придете?

— Да. То есть нет.

— Да или нет? — уточнила учительница.

— Нет, — вдруг встрепенулся паренек, — нет. Поздно.

— Поздно? — переспросила Амалия Карловна. — Почему?

Артем встал.

— Она умерла!

— Кто? — испугалась училка.

— Моя сестра, — с невозмутимым выражением лица отрапортовал мальчик.

— Господи... — перекрестилась Амалия Карловна. — Что с ней случилось? Ты, наверное, переживаешь?

Внезапно Тема стал смеяться, затем по его лицу покатились слезы. Перепуганная учительница бросилась к двери, чтобы принести воды и позвать медсестру.

— Стойте! — окликнул ее Артем. — Переживаю ли я? Вам этого не понять. Хотите знать, что произошло? Она себя убила.

— Твоя сестра сама свела счеты с жизнью? — попятилась Амалия Карловна.

— Да, — свистящим шепотом произнес подросток, — после того как вы наболтали моей маме всякую жесть, нас с сестрой разлучили! Мне велели ее прогнать! И теперь она мертва! Это ваша вина!

Амалия Карловна прижалась к стене, ноги отказывались ей служить.

— Зачем вы полезли в нашу семью? — горько спросил Тема. — Нам было так хорошо! Я привык, успокоился, и мама тоже. Кто вас просил? Приперлись без спроса, вошли без звонка!

— Деточка, я совершенно не представляла последствий, — пролепетала Амалия Карловна.

— Я ее убил: выгнал, и она умерла, — глядя прямо в лицо учительнице, повторил Тема, — теперь я остался один! Понимаете, что вы натворили? Я вас ненавижу!

...Амалия Карловна приложила руки к щекам и застыла.

— И что случилось дальше? — я не дала собеседнице погрузиться в мрачные мысли.

Она вздрогнула.

— Артема Васюкова вскоре забрали из школы. Повод был мелкий, кажется, драка в раздевалке. Ерунда, но Римма Марковна перевела мальчика в другое учебное заведение и сменила квартиру. Я около месяца промучилась бессонницей, а потом пошла к Маргарите Семеновне и все ей рассказала.

Директриса оценила серьезность произошедшего и велела подчиненной:

— Никому ни гугу. Пока все тихо, никто из милиции не приходил, но в кодексе есть статья о доведении до самоубийства. Если Васюковы отнесут заявление, мы беды не оберемся.

— Но я ни в чем не виновата! — заломила руки учительница.

— Не стоит рыдать, я попытаюсь поговорить с одним человеком, он поможет, — утешила Яценко.

В понедельник Маргарита Семеновна вызвала Амалию Карловну.

— Прямо не знаю, как отнестись к случившемуся, — развела она руками.

Учительница сжалась в комок.

— Все так плохо?

— У Васюковой никогда не было дочери, — начала перечислять директриса, — отец Артема давно умер, и он не уходил из семьи, девочка в халате никак не могла быть сестрой подростка.

— Но Римма Марковна говорила о разводе, — заморгала Амалия Карловна.

— Соврала, — дернула шеей Яценко, — и еще. За последнее время в нашем районе не было случаев самоубийств девушек в возрасте от четырнадцати до двадцати лет.

— Зачем? Зачем она врала? — борясь с налетевшей головной болью, твердила преподавательница. — И Тема солгал? Суицида не было?

Маргарита Семеновна поморщилась.

— Вы поймали парня с девкой и абсолютно правильно сообщили о порочном поведении сына его матери. Но сами знаете, как некоторые родители реагируют, когда им указывают на недостойные поступки их деточек. Римма Марковна не захотела сплетен, вот и придумала про сестру, чтобы учительница прикусила язык. Но, очевидно, мать наказала безобразника, а тот решил сделать вам гадость. Знал, подлец, как вы будете переживать, потеряете сон и покой. Мы теперь знаем правду и можем, вздохнув с облегчением, забыть о казусе. Более не ходите к детям на дом. Советские времена, когда нам вменялось в обязанность проверять жилищные условия школьников, давно миновали. Не превышайте своих полномочий. Васюков покинул школу, а вы извлеките урок из произошедшего.

Завершив рассказ, Амалия Карловна побарабанила пальцами по столу. И вдруг спросила меня:

— Знаете, чего мне жаль?

— Что не выяснили новый адрес Артема и не могли приехать, чтобы надавать наглому мальчишке оплеух? — предположила я.

Амалия Карловна зачем-то открыла ящик стола.

— В день, когда пришла навестить прогульщика, я принесла ему две книги, оставила на столе, а Васюков их не вернул. Одно издание ерундовое, а вот другое раритет, выпущено в тридцатых годах прошлого века, называется «История картин», на первом листе есть экслибрис[1] — человек едет на велосипеде, положив на руль толстый том. Там были замечательные репродукции и прекрасные комментарии к ним. Артем оказался не только злым вруном, но и вором.

— Скажите, в классе, где учился Васюков, был мальчик по имени Саша? — переменила я тему беседы.

Амалия Карловна задвинула ящик.

— Уж и не помню. Имя очень распространенное.

— А можно уточнить?

Учительница кивнула, пояснив:

— Классные журналы положено сдавать в архив, там же лежат и дела учеников.

---

[1] Экслибрис — печать или рисунок на книге, подтверждающий ее принадлежность хозяину. (*Прим. автора.*)

Я приуныла, представив, что придется искать подход к хранилищу.

— Где находится архив?

Амалия Карловна показала пальцем на ноутбук.

— Хотите, облегчу вам задачу?

— Очень, — горячо призналась я.

— В начале сентября наша школа празднует пятидесятилетие, намечается грандиозное торжество. Маргарита Семеновна ищет среди выпускников спонсоров, я обзваниваю бывших учеников, приглашаю на мероприятие. Все классные списки и прочие сведения есть в компьютере.

— Сегодня мой день! — воскликнула я. — Давайте поищем некоего Сашу. И еще: мне рассказали, что перед уходом из школы Тема впал в истерику, порезал себе руку, капал кровью на дневник своего одноклассника и клялся ему отомстить. Это правда?

— Нет, — слишком быстро ответила Амалия и отвела глаза, — в нашей школе такого быть не могло. Никогда-никогда!

Я натянуто улыбнулась. Да уж... Учительница может сто раз повторить «никогда», но мне понятно — она врет, оберегая честь мундира.

Глава 15

Чтобы действовать наверняка, я выписала номер телефона Кати Фирсовой и всех Александров не только из класса Васюкова, но и из параллельных, а заодно собрала сведения о парнях по имени Саша более старшего возраста. Всего получилось восемь человек. Поблагодарив Амалию Карловну, разрешившую мне не только взглянуть на личное дело Артема, но еще и отксерить документы, я села за руль и направила «ежика» в сторону издательства «Элефант». Естественно, на Садовом кольце тянулась многокилометровая пробка, но я была даже рада затору, потому что получила возможность спокойно звонить по телефону.

Результат «опроса» не принес положительных результатов. Один Саша умер, трое давно покинули Москву и проживали за границей, пятый несколько месяцев назад угодил в аварию и сейчас учился ходить, шестой стал звездой шоу-бизнеса. На данном этапе он находился где-то в Европе, а секретарь певца говорила с легким презрением:

— Школа? Александр Петрович свой личный мобильный номер никому не дает, все переговоры идут через меня. Александр Петрович постоянно занят на гастролях, побеседовать с ним можно в сентябре, встав в очередь на интервью. Александр Петрович не общается с фанатами, даже если они учились с ним в одном классе.

Седьмой Саша оказался милым и вежливо ответил на мои вопросы. Да, он готов побеседовать с газетой, которая собралась опубликовать материал о пятидесятилетии взрастившей его школы, там работали замечательные педагоги, но их имен парень не помнит. На вопрос об одноклассниках молодой человек промычал нечто невразумительное.

Набрав номер восьмого Александра, я услышала в трубке приятный женский голос:

— Девушка, напишите общие слова, которые обычно говорят люди в таких случаях. Ну, что-нибудь вроде «радостное детство», «счастливая пора». Мой сын математик, он сейчас готовится к защите диссертации, его голова занята более важными вещами, чем воспоминания о событиях школьных лет.

Пробка рассосалась, я нажала на педаль газа. Отчего я решила, что Саша — это имя? Дети ведь могли фамилию переделать в прозвище? Надо еще раз внимательно изучить список одноклассников. Не сдержав любопытства, я припарковалась у тротуара и вытащила из сумочки листочки, которые мне любезно дала Амалия Карловна, посчитав, что сведения об учениках не являются государственной тайной.

Не прошло и десяти минут, как меня охватило новое разочарование. В списках не нашлось ни Сашина, ни Сашкина, ни Александрова, ни Алексашина. Зато были Фролов, Радькин, Пустовойтов, Хитрук и прочие, вот только их фамилии у меня не получалось трансформировать в прозвище Саша. Я решила, что поиски зашли в тупик. Дети большие фантазеры, способны придумать совершенно неожиданные клички. В моем классе, помнится, училась девочка Васина, к ней обращались Васька, еще у нас были Никита (на самом деле Владимир Никитин) и Олег Конев, который отзывался на Коня. Пока все понятно? А вот на второй парте у окна сидел Вор. Не подумайте, что мальчик таскал вещи у одноклассников! Просто он имел привычку собирать в столовой со стола крошки, и сначала его прозвали Воробей, затем кличка показалась детям длинной и сама собой сократилась до Вора. Или Оля Дубова, ту вообще все кликали Киркой, и я не помню, по какой причине. Может, Саша — это Федор Богатырев? Или Павел Хитрук?

Последняя фамилия показалась мне знакомой. Прочитав ее несколько раз, я наконец вспомнила, где ее слышала. Так звали мальчика, с которым Артем подрался в школе, это ему на дневник он капал кровью, в его адрес выкрикивал угрозы. Павел Хитрук — внимание! — жил на улице Александровская слобода. Может, это его и звали Сашей, так сказать, по месту прописки.

— Сержант Валуев. Ваши права! — гаркнули над ухом.

Я вздрогнула, увидела красное лицо гаишника, незаметно подошедшего к моей машине, и полезла в бардачок со словами:

— Надеюсь, вы не собираетесь брать с меня штраф за превышение скорости? Я тихо стою, никому не мешаю.

— Именно, что стоите, — сердито заговорил сержант, — причем в непосредственной близости от знака, запрещающего остановку на данном отрезке дороги. Откройте багажник.

— Зачем? — решила я посопротивляться.

— Отставить разговорчики! — попытался испугать меня дэпээсник.

— После такого хамства я даже не пошевелюсь, — пообещала я.

Из стоявшей неподалеку бело-синей машины с «люстрой» на крыше медленно выбрался второй страж дороги, тоже молодой, но очень толстый. Одышливо отдуваясь, он подошел к нам и мирно поинтересовался:

— Проблемы?

— Ваш напарник грубиян, — пожаловалась я на сержанта Валуева.

Толстяк легко отпихнул коллегу от двери «ежика», хам на удивление покорно сдал позиции, отошел в сторону, снял фуражку и стал вытирать лоб мятой тряпкой, извлеченной из кармана брюк.

— Права, пожалуйста, — почти ласково попросил парень.

— Представьтесь, — велела я.

— Виноградов, — слегка не по уставу ответил гаишник. И пояснил: — Здесь остановка запрещена.

— Извините, я не заметила знак, — заюлила я, — голова заболела, притормозила таблетку принять.

— Угу, — кивнул Виноградов, изучая документы, — откройте багажник.

— Зачем? — уперлась я.

— Вообще-то вы обязаны выйти и дать нам возможность осмотреть машину, — спокойно ответил парень, — но, так и быть, объясню. Тут неподалеку украли «Мерседес», хозяин пропал.

Мне стало смешно.

— Предполагаете, что это я его похитила?

Гаишник глянул в мои документы.

— Вы, Виола Леонидовна, предпочитаете ехать по своим делам или с нами до вечера препираться?

— Ленинидовна, — поправила я сержанта и вышла из машины, — вы отчество перепутали. Смотрите, мне не жаль.

Виноградов поднял крышку багажного отделения и вдруг крикнул:

— Володь! Сюда!

Сержант Валуев поспешил на зов, я сообразила, что произошло нечто неординарное, и решила тоже посмотреть на содержимое багажника.

Сначала взгляд наткнулся на кучу барахла: железки, тряпки, ветошь, потом я увидела длинный сверток, из которого торчали две ноги в черных ботинках. Не успела я понять, что происходит, как Виноградов прижал меня толстым животом к «ежику» и заорал:

— Это что?

— Нижние конечности, — пропищала я, стараясь не дышать, от милиционера сильно пахло потом и чесноком, у меня даже защипало в носу, а на глаза навернулись слезы.

Валуев принялся потрошить сверток.

— Лучше не трогайте, — прошептала я, — вызывайте специальную группу.

— Она еще советы раздает! — восхитился парень.

— Молчать! — приказал Виноградов. — Говорить только по делу! Как труп попал к вам в багажник?

Я попыталась отпихнуть толстяка, потерпела неудачу и решила умерить пыл гаишников.

— Машина не моя, я ее взяла на время у приятеля.

— Суперотмаза! — заржал Виноградов. — Ни разу такой не слышал! Хочешь совет? Придумай новую фишку, эта всем давно надоела.

— Я тоже могу дать вам совет, — ожила я. — Никогда не хватайте улики руками. На брезенте, вероятно, остались отпечатки пальцев, волокна или волосы преступника.

— Умная слишком? — обозлился Виноградов. — Ну сейчас...

— Леха, глянь! — странным голосом окликнул напарника Валуев.

Толстяк, продолжая меня удерживать, повернул голову. Я присела, поднырнула под его живот и протиснулась к багажнику. Глупый Валуев размотал-таки сверток и обнаружил, что внутри лежат... две голые ноги в носках и ботинках.

— А где остальное? — чуть хрипло осведомился сержант.

Мне стало смешно.

— Полагаю, в магазине или на рынке!

Виноградов шумно вздохнул и схватился за рацию.

— Лучше никому ничего не говори, — предостерегла я.

Очевидно, с таким случаем патрульные столкнулись впервые. Они заметно растерялись, и Валуев, по-детски наморщив нос, поинтересовался:

— Хочешь уладить дело?

— Мы в такие забавы не играем, — промямлил Виноградов, у которого пот с лица катился градом, — разворот через две сплошные, езда в пьяном виде, остановка в неположенном месте — тут еще мы договоримся. Но труп! Толька, надевай на нее наручники.

— Над вами будут смеяться до конца жизни, — пообещала я, — вы совсем идиоты? Посмотрите на ноги!

— Меня тошнит, — неожиданно признался Валуев, а Виноградов решил изобразить из себя опытного борца с преступностью, видавшего и не такие виды.

— За фигом ими любоваться? Стоять смирно!

— Ноги без тела бывают? — попыталась я воззвать к логике.

— Расчлененка! — воскликнул Виноградов.

Валуев прикрыл ладонью рот и отбежал в сторону.

— И где кровь? — не успокаивалась я. — Брезент абсолютно чистый. Кстати, как ты думаешь, ноги у человека на штырях?

— Чего? — разинул рот Виноградов.

Я ткнула пальцем в багажник.

— Прояви ум и сообразительность. То, что вы с сержантом приняли за части тела, имеет слишком розовый цвет, к тому же из них торчат железки с нарезкой. Вот туфли и носки настоящие.

Лицо Виноградова вытянулось.

— Где?

— Посмотри внимательно, — кусая губы, велела я, — это элементы манекена. Видел когда-нибудь в витрине ненастоящих дяденек и тетенек, которые одежду демонстрируют? Их нынче пугающе натуральными делают.

Целую минуту Виноградов приходил в себя. Мне надоело наблюдать за гаишником, и я спросила:

— Можно ехать?

И тут с парнем произошли разительные изменения.

— Никто никуда не едет! — заорал он. — Володя, выгребай все из машины! Издевалась над нами? Сейчас переберем барахло, найдем, за что тебя прищучить. Права отберем — замучаешься их назад получать. Пластиковые лапы назло нам возишь?

Продолжая кричать, Виноградов наклонился над багажником и стал рыться в вещах.

— Где аптечка? — выл он. — А запаска? О! Тут бутылка с растворителем! Транспортировка горючих веществ?

— Террористка! — обрадованно подхватил Валуев. — Леха, рой дальше!

— Давайте спокойно все обсудим, — я решила вылить ведро воды в пожар гнева.

— Хрен тебе, а не редька! — пошел вразнос Виноградов. — Изгаляешься? Запихала деревянные ноги в багажник и ржешь, глядя на нас?

— Мне вовсе не смешно, я сама удивилась, увидев их, — попыталась оправдаться я. — Честное слово! Я уже говорила, что «ежика» взяла у приятеля, ни разу в багажник не заглянула.

Валуев кашлянул.

— Ежика?

— Так зовут машину, — потупилась я.

— А-а-а, — завизжал вдруг Виноградов, — о-о-о! Она меня цапнула!

— Кто? — хором спросили мы с Валуевым.

Алексей выпрямился, на пальцах его правой руки стали видны темно-красные капли.

— Она кусается, — неожиданно жалобно заговорил гаишник и посмотрел на меня, — больно ведь! Зубы, как шило, до кости проткнула! Живо сделайте что-нибудь, а то я умру...

Валуев бросился к патрульной машине, я схватила Виноградова за кисть и начала изучать несколько мелких, но, похоже, глубоких дырочек.

— Хочешь сказать, что это я тебя укусила?

— А кто? — огрызнулся Виноградов.

— Но я стояла за твоей спиной!

— И что?

Пришлось уточнить:

— Около Валуева я находилась, он меня видел. Эй, Володя, подтверди!

Сержант, успевший прибежать назад с аптечкой под мышкой, растерялся.

— Ваще-то она не врет, — сказал он, — типа не могла. Я с нее глаз не спускал!

— И кто меня поранил? — возмутился Алексей. — Может, тигр саблезубый? Не знаю, как она все это проделала! Быстренько в багажник зашмыгнула, цап за палец и ускакала.

Я повернулась к Валуеву.

— Твой приятель рехнулся? Даже если на секунду представить, что я таинственным образом умудрилась нанести ему травму, то какой в этом смысл?

И я очень брезглива, не стану кусать человека, пока не смогу убедиться в чистоте его рук.

— Мы третий день в усилении... — заныл Владимир. — Постой-ка тут на дороге, через полчаса одуреешь от шума и вони!

— Дурака из меня делаете? — обиделся Виноградов. — Это она меня цапнула!

— Ты уколол руку, — сказала я.

— Обо что? Покажи! — проявил редкостное занудство Алексей.

— Я уже говорила, машина не моя, — вздохнула я, — что лежит в куче барахла, не знаю.

— Успокойся, Леха. Сейчас найду, — дружелюбно пообещал Валуев, заныривая под крышку багажника. — А-а-а!

— Здорово! — обрадовался толстяк. — Теперь и тебе досталось!

Валуев выпрямился и со стоном продемонстрировал окровавленный палец.

— Больно? — ехидничал Виноградов.

Напарник кивнул.

— Убедился, что я не причастна к происшедшему? — наскочила я на Алексея.

— Кто там людей жрет? — забушевал Валуев. — Надо весь хабар вынуть и найти гада!

— Парни, вам делать нечего? — не выдержала я. — Давайте разъедемся с миром. Ноги не настоящие, и в багажнике жить никто не может. Вас точно за идиотов посчитают, если вы меня задержите. Ну что напишете в протоколе? «Нашли части манекена, а потом нас укусил некто, поселившийся около запаски». Оцените текст по достоинству! Сами бы как отреагировали на такой? И покажите в правилах дорожного движения пункт, запрещающий кусать патрульного.

— Нападение при исполнении, — завел Валуев.

— Пять штук, и до свидания, — перебил его Виноградов.

— Несуразная цена, — начала я торг, — двести рублей.

Жарко поспорив, мы пришли к консенсусу. Сержанты получили мзду, сели в машину и уехали, а я позвонила Билли и, забыв поздороваться, спросила:

— Кто оставил ноги в багажнике?

— Вау! Ну, ваще! — непонятно откликнулся парень.

Кое-как я рассказала ему о встрече с гаишниками.

— Я в непонятках, — изумленно сообщил Билли, — в тачке всякие нужные вещи, но ног там не было. И кусаться некому. Стой! В понедельник колеса брал Андрюха. Сейчас перезвоню...

Я завела мотор и направилась в сторону «Элефанта», очень надеясь, что сегодня больше никто из гаишников не захочет обыскать «ежика».

Глава 16

Секретарша Реброва, наверное, пошла обедать, в приемной Гарика никого не оказалось, а два телефона на рецепшен заливались от негодования. Недолго колеблясь, я вошла в кабинет издателя, увидела, что он не один, и сказала:

— Простите...

Затем решила выйти.

— Погоди, — остановил меня Гарик, — мы с Риной уже договорились.

Симпатичная белокурая девушка, сидевшая в кресле, кивнула:

— Да, мы закончили разговор.

Ребров встал.

— Был рад знакомству.

Посетительница тоже поднялась со словами:

— Взаимно. Надеюсь на плодотворное сотрудничество.

— Звоните, если возникнут проблемы, — раскланялся Гарик.

— Думаю, большинство вопросов можно решить на уровне главного художника, — расплылась в улыбке очаровательная Рина.

Когда красавица удалилась, я села на ее место и, чтобы сразу не приступать к деловому разговору, спросила:

— Новый перспективный автор? Внешне очень приятная девушка.

— Художник, — поправил Ребров, — вечно с ними ерунда приключается!

— С творческими личностями нелегко, — согласилась я.

Гарик, начав рыться в стопке бумаг, пустился в пояснения:

— Мы нашли очень талантливого парня, с невероятной фантазией и гениальными идеями для комиксов. Поверь, нелегко отыскать такого человека. Вроде ерунда, кажется, особого ума тут не надо, ан нет! Не каждый способен в короткие фразы вложить емкое содержание, и очень трудно найти креативные идеи. У Ивана же получается великолепно. Но тут новая проблема — нужен человек, который смог бы воплотить задумку в рисунке. Искали-искали художника, нашли потрясающего студента. Ванин текст точка в точку совпадал с его картинками! Выпустили несколько чумовых комиксов, и вдруг — бац! Художник умер. Очень глупо, от гриппа. Оставил незавершенную работу. Наш зав художественным отделом одному рисовальщику ее подсунул, другому, третьему. Но толку — ноль. И вот Ваня притащил эту Рину. Я глазам своим не поверил, когда с ее творчеством познакомился. У девушки даже еще более жесткая манера, чем у предшественника, она часто использует черный цвет. Вновь гениальный симбиоз с Ваней! А еще Рина предложила свой комикс про мужеженщину Эллу-Эла. Выпустили пробный тираж, он улетел на «ура». Надеюсь, Рина ничем не заболеет. Правда, характер у блондинки — железо! Сразу заявила: «Я стою недешево». Наверное, Иван ей рассказал, что издатель в восторге от иллюстраций и конкурентов у художницы нет. Все вокруг готовы бедного Гарика обобрать!

Я не упустила момент, чтобы обидеться:

— Надеюсь, твой намек не нацелен в Арину Виолову?

— Конечно, нет! — спохватился Ребров. — Ты наша радость! Ну, подписывай, деньги прямо сегодня в банк переведут.

Тщательно скрывая рвущуюся наружу радость, я выполнила все формальности, пошла в местную столовую, купила стакан чая, пирожок с капустой, села за угловой столик. Но сначала позвонила Хитруку, чей номер мне любезно дала Амалия Карловна.

— Сейчас я не могу ответить, — раздалось в трубке чуть хриплое меццо, — оставьте ваше сообщение после звукового сигнала.

Я откашлялась и надиктовала на автоответчик текст: «Меня зовут Виола, наша фирма намерена пригласить господина Хитрука в интересный денежный проект».

Если хотите, чтобы незнакомый человек с вами связался, лучше всего надавить на его алчность. Дважды повторив свой номер телефона, я съела пирожок, и внезапно меня осенило: Васюкова поменяла квартиру, семья очутилась в Лучном переулке, до седьмого класса Артем находился на домашнем обучении, а затем пошел очно в школу, где директорствовала Маргарита Семеновна. Непонятно. Он что же, до того вообще никогда в школу не ходил? Только дома занимался? Но ведь он должен же и раньше быть прикрепленным к какому-то учебному заведению.

Я вынула из сумки отксеренные документы. Так, Васюков Артем Петрович... По состоянию здоровья получал знания дома... А что у него за проблемы были? Ага, есть справка из НИИ психической коррекции детей и подростков. «Артем Петрович Васюков страдает гастритом, нуждается в регулярном дробном питании, которое не может организовать школьная столовая...»

Я изумилась. Потом еще раз перечитала текст, под которым стояла подпись: «Врач Рогачева Людмила Павловна» — и синели аж три печати. Очевидно, Амалия Карловна, рассказывая о родителях, которые не желают отправлять ребенка в школу, была абсолютно права. Римма Марковна произвела Артема на свет отнюдь не в юном возрасте, и ее тревога за сына превышала все разумные пределы.

Я встречала таких людей. В одном классе со мной учился Костя Дробышев. Его родителей посторонние люди принимали за его бабушку и дедушку, отец справил пятидесятилетие, когда родился сын, мать была немного моложе. Не поверите, но предки сопровождали Костика на уроки до выпускного. В младших классах мы дразнили Дробышева и тыкали в него пальцем, когда мать, тщательно застегнув на дитятке пальто, брала у него ранец, хватала сына за руку и выводила на улицу.

— Костян, к ноге! — хихикали дети. — Слушайся мамочку!

Но потом мы стали жалеть несчастного, чьи родители постоянно бегали по педагогам с жалобами на ребят, которые, по их мнению, обижали сыночка.

Римма Марковна не решилась отдать кровиночку в жестокий детский коллектив. Она нашла знакомого врача и купила у него справку. Почему я считаю, что солидная бумажка с печатями была получена не совсем законным образом? Судя по названию, НИИ психической коррекции занимается душевным здоровьем ребенка и проблемами его воспитания, а гастрит — болезнь желудочно-кишечного тракта, с ней надо идти в другое научное заведение или просто к терапевту. Васюкова не нашла необходимого специалиста, чтобы тот выдал справку, доктор Рогачева оказалась не по профилю. А может, Римма Марковна не желала, чтобы Людмила Павловна написала про психологические проблемы сына, вот та и придумала гастрит.

Итак, Артем корпел над учебниками дома, раз в год приходил в школу в Лучном и сдавал там экзамены.

Смотрим дальше. Ага, вот. Первые три класса Артем освоил в заведении № 3112 в Сокольниках.

Я допила чай, пытаясь разложить по полочкам эти сведения. Васюкова несколько раз переезжала, причем никакой логики в смене жилья не было. Римма Марковна просто металась из одного конца города в другой. Интересно, где она брала деньги? Перебираться с квартиры на квартиру не дешевое удовольствие: надо сделать в новом жилище хотя бы косметический ремонт, нанять грузчиков. Да и обживаться не так уж просто, не один месяц пройдет, пока чужая квартира станет своей. Конечно, встречаются люди, которым не сидится на месте, но чаще всего охотой к перемене мест страдают те, кто кого-то боится. Васюкова пряталась? Ей и правда грозила опасность? Может, Артема действительно похитил человек, от которого скрывалась его мать?

Вроде Саша, тот самый любитель карамели, учился с Артемом в одной школе. О какой школе идет речь? Их в жизни Темы было две. Или... или вообще все не так? Похоже, Римма Марковна соврала соседке Элеоноре и у Васюковой в биографии явно имелась какая-то тайна.

Окончательно запутавшись, я купила еще один пирожок и решила, что надо начинать бег со стартовой линии.

Первый адрес, указанный в деле Васюкова, — Сокольники. Поеду туда, поищу бывших соседей. Прошло не так уж много лет, кто-то определенно жив и может вспомнить подробности из жизни Риммы Марковны и ее сына. Мне сгодится любая ниточка! Зайду и в школу № 3112. Вдруг столь необходимый мне Саша был ее учеником.

Мобильный, лежащий около недоеденного пирожка, заморгал экраном, номер, появившийся на дисплее, был мне незнаком.

— Вы просили с вами соединиться по поводу денежного дела, — бойко произнес женский голос.

— Я хочу поговорить с Павлом Хитруком, — обрадовалась я, моментально поняв, что сообщение, оставленное недавно на автоответчике, дошло до нужного человека.

— Это невозможно, — категорично ответила тетка, — Хитрук умер.

— Ему же едва исполнилось двадцать! Вы ни с кем молодого человека не путаете? — воскликнула я.

— Павла убили, — после небольшой заминки уточнила собеседница, — лет шесть назад в квартиру влезли грабители и...

— Ужасно, — выдохнула я, — надеюсь, преступников арестовали и наказали.

— Без понятия, — равнодушно ответила собеседница, — мы с Хитруками не общались. Документы на приобретение жилья готовил агент, нам только про убийство рассказали, когда мы спросили, почему хата такая дешевая. Вот тут риелтор и ответила: «Врать не стану, у квартиры плохая история, в ней сына хозяев зарезали. Люди о преступлении услышат и сразу убегают. Но вы, перед тем как отказаться, все же подумайте: цена на нее упала ниже некуда!» Мы и приобрели квадратные метры.

— Ясно, — протянула я. — А где сейчас родители Павла? У меня к ним дело.

— Понятия не имею, — сказала женщина.

— Хитруки нового адреса не оставили? — допытывалась я.

— Нет. Но могу дать вам телефон нашего риелтора. Она, наверное, знает, — предложила незнакомка.

— Отлично! — воспряла я духом.

Через минуту набрала номер, состоящий из повторяющихся двух цифр. Галина Юдаева, зарабатывающая свой кусок сыра на хлеб с маслом торговлей недвижимостью, постаралась обзавестись легко запоминающимся номером. А еще она, очевидно, держала телефон в руке, потому что ответила мгновенно:

— Галина Юдаева, слушаю.

— Ваши координаты мне дали знакомые, удачно сменившие жилищные условия, — начала я, — очень хочется...

— Понятно, — не дала мне договорить риелтор. — Сейчас я не имею возможности разговаривать. Что, если нам сегодня попозже встретиться? Я готова приехать в любое удобное для вас место, хоть в Питер.

— В Северную столицу катить далековато, — засмеялась я, — и у меня пока только вопросы, а не...

— Могу прибыть к вам домой, — снова перебила меня Юдаева. — По телефону вопросы решать трудно, разговаривать лучше, глядя друг другу в глаза.

— Верно, — согласилась я. — Вы «Рай» знаете?

— Торговый центр на МКАД? Конечно.

— Там на первом этаже есть кофейня. Она вас устроит?

— Без проблем, — обрадовалась Галина.

Договорившись о времени и описав свой внешний вид, я доела пирожок и допила чай, а затем поспешила к «ежику» и отправилась в Сокольники.

На дорогу ушло немало времени, наконец я свернула на нужную улицу и стала искать двенадцатый дом. Одиннадцать зданий стояло на месте, затем узкая магистраль сделала резкий поворот, и вместо очередного блочного монстра я увидела здоровенный магазин с просторной стоянкой, на которой наводил порядок юноша, одетый в ярко-желтый жилет.

— Скажите, а где двенадцатый дом? — спросила я у регулировщика, высунувшись из окна «ежика».

— Не знаю, — мрачно, но вежливо ответил парень. — Если хотите припарковаться, то в секторе «Д» свободно.

— На месте торговой точки было жилое здание, — попыталась я получить необходимую мне информацию.

— А теперь его нет. Жизнь течет, обстоятельства меняются, — раздалось в ответ философское.

— И давно тут магазин поставили?

Парковщик пожал плечами и начал орать на шофера джипа, решившего слишком вольготно устроить свой внедорожник:

— Для кого разметку сделали? Специально ведь линии намалевали! А то хитреньких много, раскорячатся тут, как коровы... Если занял два места, то плати за оба!

Разобравшись с владельцем крутого автомобиля, служащий налетел на меня. Очевидно, его достали водители, желавшие оставить тачки поближе ко входу в магазин, или парень утомился стоять целый день на ногах.

— Или паркуйтесь, или сматывайтесь! — перешел он на крик. — Во, народ тупорылый!

Отвесив мне этот «комплимент», парковщик на секунду умолк. Потом, очевидно, устыдился собственной грубости и почти мирно спросил:

— Че надо?

— Я хотела навестить родственников, — сладко улыбаясь, объяснила я, — они жили в двенадцатом доме. Приехала и что вижу?

— Долго же вы о родных не вспоминали, — хмыкнул парень, — я состариться успел. Торговый центр построили, когда меня в детсад водили. Я сам пожар видел! Вот взрыв не слышал, а горело красиво. Нас в тот день в садике ночевать оставили — родители испугались. А кое-кого и вести назад было некуда, дом-то тю-тю!

— Тю-тю? — повторила я. — Что ты имеешь в виду?

Юноша посмотрел на часы и, не сказав мне больше ни слова, направился в сторону небольшой площади, где шла бойкая продажа пирожков, мороженого и шаурмы.

— Эй! — заорала я. — Постой!

Парковщик обернулся:

— У меня перерыв, не буду его зря тратить, есть хочется.

— Пообедаешь за мой счет? — предложила я. — А заодно ответишь на пару вопросов.

Парень кивнул.

— Согласен, вон в том кафе. Годится?

— Ладно, — не стала я спорить, надеясь отделаться «Крошкой-картошкой» или хот-догом. — Сейчас припаркуюсь и вперед. Говоришь, в секторе «Д» полно мест?

Юноша вернулся к моей машине, быстро отодвинул железное заграждение с надписью «служебный въезд» и распорядился:

— Сюда заруливайте.

Очутившись в забегаловке, юноша не стал скромничать — за чужой счет можно гулять, не опасаясь сердечного приступа у своей жабы. Очень скоро глупо хихикающая официантка заставила крохотный столик яствами: салат «Оливье», суп-лапша куриная, бефстроганов с гречкой, три пирожка с мясом, булочка с вареньем, кофе с молоком и корзиночка с хлебом. Мне досталась кружка чая (мало найдется заведений, в которых умудрятся испортить напиток из пакетика).

Я оглядела «пейзаж» и возмутилась.

— Девушка, с какой стати вы приволокли все сразу? Положено подавать блюда по очереди.

Официантка, никак не отреагировав на справедливое замечание, шмыгнула в служебное помещение.

— Ничего, — успокоил меня юноша, снимая форменный жилет и ветровку, — так даже лучше — пока салат съем, суп остынет, я не люблю горячее.

Глава 17

Под верхней одеждой у парковщика оказалась майка с надписью «Георгий».

Я поспешила наладить контакт:

— Можно звать тебя Жорой?

— Не-а, — помотал головой юноша, жадно глотая «Оливье», — я Коля.

— Жуй, а то подавишься, — не сдержалась я. — Значит, Николай? Но на майке другое имя!

— На заборе тоже кой-чего понаписано, — заржал парень. — Майку в сэконде брал, там с Николашей не нашлось. Так че рассказывать?

— Про двенадцатый дом, — напомнила я.

Коля придвинул к себе тарелку с супом.

— Я в садике был, мы во дворе гуляли, несколько групп, а воспитательницы на скамейке сидели. Наша Елена Сергеевна домой побежала, ей дочка позвонила, вроде она заболела, вот тетка и попросила, чтоб за детьми другие пригляделись, пока туда-сюда сносится. Непорядок, конечно, но я теперь понимаю, что в садике ваще жесть творилась, в группах детей, как тараканов на кухне, было, ели и спали в две смены.

— Ты не отвлекайся, — остановила я Колю.

— Угу, — согласился тот, — помнится, я в песочнице возился, и тут меня в спину толкнуло. Я лицом на ведро упал, нос расшиб, заплакал. Лежу, реву, никто не подходит. Сел сам, смотрю, пыль выше неба стоит, дети бегут, взрослые орут. Ну я и помчался в садик. Как донесся, не помню, перепугался здорово. Потом милиция приехала, «Скорых помощей» налетело, как на войну, народу всякого туча, пожарные. Нас в актовом зале собрали, пересчитали, к подоконникам не подпустили, по группам рассовали и на ночь оставили. Только на следующий день меня мама забрала. Идем мы с ней, а вместо двенадцатого дома гора камней, туман стелется, военные с собаками по развалинам лазают. Я, конечно, с вопросами пристал, и мама сказала, что случилось несчастье, газ взорвался, поэтому здание развалилось. Елена Сергеевна наша погибла, она как раз в двенадцатом жила. Вот ведь судьба, поспешила к дочке и прямиком под взрыв попала! Завал быстро растащили, меньше чем за неделю, потом торговый центр построили. Шумное дело было, в газетах о нем писали! Мама тогда «Вечернюю Москву» выписывала и мне фото показывала: наша улица, мой садик и то, что от двенадцатого дома осталось. Можно еще кофе закажу?

— Валяй, — милостиво разрешила я.

Теперь понятно, почему Васюковы сменили место жительства, им повезло, они в момент трагедии оказались вне дома.

— Не знаешь случайно, где находится школа № 3112? — продолжила я допрос.

— За углом, — бодро ответил Коля. — Я в ней учился и до сих пор иногда захожу. У нас классная была хорошая, не злая. И вообще все педагоги суперские, ни одной суки.

Оплатив обед Николая, я, оставив нетронутым чай, вышла из кафе и сразу нашла школу, которая в самом деле находилась буквально за углом. Николай не только правильно указал дорогу, но и верно охарактеризовал преподавателей. Первая же учительница, очень молодая шатенка, попавшаяся мне в коридоре, обезоруживающе искренне спросила:

— Могу вам чем-то помочь?

Я улыбнулась.

— Навряд ли, я ищу кого-нибудь постарше. Не подумайте, что ставлю под сомнение ваши профессиональные качества, просто мне нужен человек, который работает здесь лет пятнадцать.

Женщина кивнула:

— Понятно. Обратитесь к Таисии Максимовне, она сейчас в кабинете химии, второй этаж, последняя дверь слева.

Таисия Максимовна тоже продемонстрировала замечательное дружелюбие. Она усадила меня за парту и спросила:

— В чем проблема?

— Я журналистка, — бойко стала врать я, — хочу написать документальную книгу о людях, которые в своей жизни пережили катастрофу. Вы помните взрыв двенадцатого дома?

— Еще бы... — поежилась химичка. — У нас два ученика погибло, а трое лишились родителей. Страшная трагедия! Школа почти две недели не работала, она находилась в непосредственной близости от места происшествия, стекла повылетали. Дети в шоковом состоянии были, милиция всех допрашивала.

— Много людей пострадало? — спросила я.

Таисия Максимовна кивнула:

— Да. И физически, и морально. Но хуже всего пришлось Ольге Леонидовне Меркуловой, нашей учительнице труда. Это ее мама Вероника Львовна конфорки на плите открыла, поэтому взрыв и случился.

— Зачем? — поразилась я.

Химичка развела руками.

— Старость не радость, у старухи были проблемы с головой. Вообще-то Ольга Леонидовна не разрешала матери по хозяйству хлопотать, но та не слушалась. За пару недель до трагедии иду я на работу к третьему уроку, вижу Оля по двору школы бежит, красная, растрепанная. Оказалось, соседка позвонила — у нее из-под мойки вода потекла, кухни у них через стенку находились...

Меркулова поспешила домой, благо бежать недалеко, нужно лишь завернуть за угол. Вместе с разгневанной соседкой Ольга Леонидовна вошла в свою квартиру и сразу поняла, что произошло. Вероника Львовна решила почистить картошку на обед, сложила клубни в раковину, открыла воду, но отвлеклась — пошла за чем-то в гостиную, села в кресло и... заснула. Когда дочь разбудила мать, та так и не сумела вспомнить, по какой причине покинула кухню. Одна из картофелин заткнула отверстие слива, и случился потоп. Пострадала соседка, чья кухня находилась за стеной, и нижний этаж. Но самое страшное выяснилось в тот момент, когда учительница и соседка открыли входную дверь: в воздухе попахивало газом. Вероника Львовна не только отвернула кран с водой, но еще и включила конфорку, забыв зажечь огонь. Поняв, от какой беды спасло дом «наводнение», соседка ужаснулась и помчалась в ДЭЗ.

— Старуху надо поместить в психиатрическую клинику! — кричала женщина. — Она всех убить может! Или пусть дочь уходит с работы и следит за матерью!

Кое-как Ольге Леонидовне удалось замять это дело. Она дала скандальной особе денег на ремонт и взяла с матери честное слово не заходить на кухню. Но не прошло и месяца, как рванул взрыв и от двенадцатого дома остались одни воспоминания.

— Да уж... — покачала я головой. — Неужели блочная башня может полностью разрушиться от газа, который течет из одной конфорки?

Таисия Максимовна пожала плечами.

— Я не взрывотехник. Но, похоже, Вероника Львовна открутила на полную мощь все вентили. Старуха просто выжила из ума. Ольга Леонидовна хороший человек, знающий педагог, но она обожала мать и не хотела замечать очевидный факт, что та, увы, стала недееспособной. И кто вам сказал, что двенадцатый дом был башней?

— Ну, вокруг высятся именно такие постройки, — растерянно ответила я.

— Верно, — подтвердила учительница. — Но взорвавшийся дом не походил на остальные, это был трехэтажный барак, в котором жили работники химического завода. Москвичи на предприятие не рвались, вот и заманивали иногородних столичной пропиской и служебной площадью. Домишко небольшой был, да народу в нем густо понатыкали, коридорная система, в каждой комнате по семье. Хорошо хоть днем рвануло, жильцы в основном на службе были, но все равно погибших оказалось много. Кое-кого опознать не смогли, от одной моей ученицы даже косточек не осталось. Между нами говоря, ужасная была девочка, но никто такой жуткой смерти не заслуживает. Я в те годы преподавала в младших классах, химией позднее увлеклась, и Саша моей ученицей была. Поверьте, я такого ребенка никогда более не встречала! Некрасиво, конечно, так говорить о покойной, но другого слова, как оторва, не подобрать. Хуже мальчишек! Ходила с рогаткой, била окна, в семь лет я ее с сигаретой поймала, а через полгода обнаружила в компании пятиклассников с бутылкой водки.

Таисия Максимовна примолкла, потом продолжила:

— Раньше наш район был не очень благополучный. Здесь, кроме завода, еще были склады, промзона, и всюду приезжие трудились, общежития густо стояли. Школа в три смены работала, утром и днем детей обучали, вечером взрослых, кто хотел десятилетку окончить. Мы, учителя, очень много сил тратили на воспитание ребятишек, за счет школы водили их в музеи, театры. Ученики нам всякие попадались, некоторые матом разговаривали, просто не знали другой речи. Таких не следовало ругать. Ну как себя должен вести семилетка, если он живет на пятнадцати метрах с мамой веселого поведения, больной бабушкой и только что вышедшей замуж за алкоголика тетей? Поверьте, никаких жизненных тайн для такого малыша нет. Днем он видит кавалеров матери и гулянку, а ночью подсматривает за новобрачными. В моем классе из двадцати восьми человек подавляющее большинство было таких. Но Саша! Ее-то воспитывала интеллигентная женщина!

У них была собственная «двушка», набитая книгами, девочка имела все: дорогие игрушки, красивую одежду, вкусную еду. Семье Васюковых можно было позавидовать.

— Васюковых? — подпрыгнула я. — Семья Васюковых?

— Ну да, — кивнула Таисия Максимовна, — Саша Васюкова, так звали отвратительное создание.

— Девочка? — глупо переспросила я.

— Именно так, — согласилась учительница. — Она мой педагогический провал!

Я постаралась побороть свое удивление и продолжила расспрашивать милую химичку:

— Что-то я запуталась, извините. Если барак был общежитием, то откуда у Васюковых свои хоромы?

Таисия Максимовна оперлась локтями о стол.

— Мать Саши имела какие-то льготы, вот заводоуправление и выделило семье квартиру. Барак из нескольких подъездов состоял. В первом жили так называемые «комнатники», а во втором половина «квартирников», по местным понятиям, элита: личная ванная, своя кухня. Знаете, иногда подростки драки устраивают, один квартал с другим махается. А в бараке «комнатники» бились с «квартирниками». Такие истории разыгрывались! Если не дай бог девочка из первого подъезда хотела выйти замуж за парня из второго, родители последнего ее никогда не принимали. Монтекки и Капулетти дети по сравнению с теми жильцами!

— Думаю, квартиры в бараке не могли считаться элитными, — сказала я.

Таисия Максимовна подняла брови.

— Конечно, но у жителей было на то свое мнение. «Квартирники» звали «комнатников» оборванцами, а те отвечали им завистью и ненавистью. Сколько раз было: иду в школу, вижу, на пустыре веревки обрезаны, чье-то чистое белье в грязи валяется. Еще мусорный бак они поделить не могли, вечно его с места на место таскали. Санки, коляски, детские велосипеды ломали, кошек травили.

— Ужасно, — вздохнула я.

Таисия Максимовна встала и подошла к окну.

— Вы правы. Я понимала, что взрослых людей не исправить, но детям надеялась внушить хоть какие-то благородные мысли. Да только часто мои усилия были напрасными. Очевидно, некоторые привычки всасываются с молоком матери. В бараке даже трехлетние малыши испытывали друг к другу неприязнь, а в школе шла натуральная война. И самым активным ее солдатом была Саша, девочка из элитной квартиры дружила с «комнатниками» и активно делала гадости членам своей «стаи».

— Она погибла при взрыве? — спросила я.

— Да, — мрачно ответила учительница. — Их с матерью нашли в самом конце пожара. Безумная старушка Вероника Львовна жила через стену от Васюковых. Это мать Саши устроила скандал Ольге Леонидовне. Очень странно!

— Что странного в той ссоре? — не поняла я.

Таисия Максимовна начала смахивать с подоконника пыль.

— Васюкова... Забыла я ее имя, какое-то необычное. И у нее, и у сестры.

— Римма и Мира, — подсказала я.

— Ну... вроде, да, — протянула Таисия, — хотя... может, и по-другому их звали. Так вот, Васюкова была очень спокойной, никогда не спорила с учителями, без пререканий сдавала деньги на классные расходы, а когда я обращала ее внимание на не совсем невинные шалости Саши, отвечала: «Таисия Максимовна, милая, девочка слишком активная, я не знаю, что с ней делать». Я посоветовала отдать хулиганку в спорт, здесь неподалеку есть стадион. Но Сашу из секции выгнали. Честно говоря, мне было жаль ее мать. Грех, конечно, но иногда я думаю, что смерть к девочке пришла вовремя, Васюковы бы не смогли справиться с Сашей. Если она младшей школьницей столь разнузданно себя вела, то что с ней в восьмом классе стало бы? Правда, Васюкова в последний год жизни за дочь взялась. Саша при своей хулиганистости обладала слабым здоровьем: три дня посещает занятия, полмесяца болеет. С умом у нее было нормально, а трудолюбия и усидчивости ноль. Отметки в дневнике, словно график температуры больного малярией: два, два, пять, пять, кол. Мать очень переживала, и тетка тоже. Ну надо же, совсем забыла их имена!

— Мира и Римма, — снова подсказала я.

Учительница нахмурила лоб.

— Похоже... но вроде не так. Инна! Вот, мать звали Инной! Или нет? Что ж с моей головой творится? Внутренним зрением отлично женщин вижу, очень были похожие, как близнецы, с небольшой разницей в возрасте. Саша у них одна на двоих была, то мама, то тетя ко мне приходили. Знаете, иногда в нормальной семье вырастает отвратительный ребенок. Мда... тяжелый у нас тогда год выдался... За несколько дней до взрыва мальчик пропал из четвертого класса, ушел из школы, а домой не вернулся. Учителя, естественно, на нервах, хоть и не отвечают за ребенка, когда он наш двор покинул, но ведь мы сами матери! Не успели одно горе пережить, как дом взлетел на воздух.

— Саша была у Васюковых единственным ребенком? — потрясла я головой. — Вы, наверное, забыли про Артема. Он сын Риммы Марковны.

— Артем Васюков? — переспросила химичка. — Не припоминаю такого. Ни о каком брате Саша никогда не упоминала.

— Мальчик находился на домашнем обучении, — уточнила я.

— У нас таких детей не водилось, — отрезала Таисия Максимовна, — все ходили в школу. Даже Леня Капустин в инвалидном кресле приезжал. А что за болезнь была у ребенка?

— Гастрит, — озвучила я название недуга. — Артему прописали строгий режим, еду по часам, диету.

Химичка с недоумением посмотрела на меня.

— Гастрит? Он у каждого второго! В таком случае ребенок не ест в столовой, а приносит с собой судок из дома. Мы купили СВЧ-печь, установили около нее дежурство, сотрудник пищеблока греет еду малышам.

— Артем был приписан к вашей школе более десяти лет назад, — заметила я.

— Ну и что? — не сдалась Таисия Максимовна. — Гастрит никогда не считался тяжелой напастью, если только...

— Говорите, — поторопила я ее.

Таисия Максимовна смутилась.

— Не хочется ни о ком из детей распускать слухи.

— Верю, — согласилась я, — но все же скажите что хотели.

Химичка сложила руки на груди.

— Иногда семилетка отстает в развитии. По

идее, такого ребенка следует отправлять во вспомогательную школу, но тогда у человека останется клеймо на всю жизнь. У нас было два случая, когда дети с легкой формой олигофрении получили нормальные аттестаты, учителя пошли навстречу родителям, те оформили домашнее обучение по болезни. Не помню сейчас, какой диагноз стоял в бумагах, но он никак не был связан с плохими умственными способностями.

— Артем Васюков один из тех детей! — обрадовалась я.

— Нет, — возразила Таисия Максимовна, — это были девочки, Галина Андреева и Татьяна Стефаненко.

Глава 18

— Артем Васюков тоже сидел дома, — упорно повторила я, — дело было давно, вы забыли.

— Нет! Можно зайти в канцелярию и посмотреть документы, — твердила Таисия Максимовна. — Поймите, Саша была притчей во языцех, я бы запомнила ее брата. Но никакие другие Васюковы в школе не учились.

Разговор зашел в тупик. Я попрощалась с милой учительницей и хотела заглянуть в кабинет директрисы, но ее не оказалось на месте.

— Вы по какому вопросу? — вежливо спросила секретарь.

Я повесила на лицо просительную улыбку.

— Мой племянник ходил в эту школу. Дело давнее, но... можно получить справку о том, что мальчик посещал занятия?

— В принципе да, — кивнула девушка. — Помните год поступления?

— Конечно, — обрадовалась я и назвала цифру. Секретарь взяла мышку.

— Катя, — крикнул полный мужчина, всовывая голову в приемную, — где ключ от ворот?

— Как всегда, висит на гвоздике, — ответила Катя. — Посмотрите!

— Там нет.

— Гляньте внимательно, — спокойно произнесла Катерина.

— Зачем? В шкафчике пусто! — не согласился дядька.

Секретарь встала, открыла маленькую дверку и сняла с крючка связку.

— Держите, Юрий Петрович.

— Вечно спрячут, а мне искать, — фыркнул толстяк и ушел.

— Мог и «спасибо» вам сказать! — возмутилась я.

— Только не Юрий Петрович, — скорчила гримасу Катя, — он таких слов не знает. Как зовут вашего племянника?

— Артем Васюков, — ответила я. — Неужели вот так, сразу, ответить можете?

— Вас еще удивляет компьютер? — пробормотала секретарша, водя мышкой по коврику. — Артем Васюков?

— Да, да, — в нетерпении повторила я.

— Уверены, что мальчик посещал нашу школу?

— Да, — уже не так бодро подтвердила я.

— Такого ученика в списках нет, — сообщила Екатерина, — есть Александра Васюкова, она покинула школу. Против ее фамилии стоит знак — убыла.

— Ребенок находился на домашнем обучении, — настаивала я, решив не уточнять, что Саша умерла.

— Все равно он был бы внесен в списки, — пояснила Катя.

— Может, произошла путаница? — предположила я. — Тема обучался заочно, вероятно, в бумагах о нем не осталось сведений.

— Ну, не знаю, в принципе случиться может всякое, — протянула Екатерина, — но вообще-то здесь порядок. На каждого ребенка сохранена копия дела. Допустим, Валерьянова Настя... Открываем и видим: когда девочка поступила в школу, кто родители, оценки за любой год. Даже календарь прививок есть. Или Павел Хитрук. Мальчик здесь только три года обучался, но отчетность сохранена.

Я вскочила со стула.

— Хитрук? Павел?

— Что вас так удивило? — не поняла секретарь.

— А как звали родителей мальчика? — не сдержав возбуждения, чуть не закричала я.

— Роман Андреевич и Инна Сергеевна, — через пару секунд ответила Катя, — семья перебралась на другое место жительства, ничего странного. Мальчики пошли в школу в другом районе.

— Почему вы говорите о Павле во множественном числе? — налетела я на секретаршу.

— Павел и Александр Хитрук обучались в разных классах, — пояснила Катя, — первый ходил сюда три года, второй четыре. Родители всегда стараются братьев и сестер в одну школу пристроить.

— Александр Хитрук, — в полном восторге повторила я, — и где он теперь?

— Не знаю, — на автомате сказала Екатерина и только тогда опомнилась. — Послушайте, вы хотели получить документ об Артеме Васюкове, при чем здесь Хитрук? Что происходит? Кстати, я не имею права сообщать сведения о детях, пусть даже давно покинувших наше учебное заведение. Только по распоряжению директора! Анна Михайловна будет завтра в восемь утра. Разговаривайте с ней.

— Спасибо, — кивнула я и ушла, пытаясь осознать полученную информацию.

Артем Васюков никогда не ходил в эту школу. Но у мальчика была справка о домашнем обучении. Паренек поменял школу, никто особо не удивился этому факту, смена квартиры — обычное явление. Почему Римма Марковна не захотела отпустить Тему в детский коллектив? Из-за гастрита? Очень смешно. Наверняка была более веская причина. Но потом она вдруг потеряла важность, потому что Артем в конце концов очутился в классе за партой. За мальчиком охотился некий человек? Мать понимала: ребенку грозит опасность, его могут похитить — и накрепко привязала малыша к своей юбке? Но спустя несколько лет Римма Марковна узнает: преследователь умер — и, успокоившись, отводит Тему в класс. А потом туда приходит Павел Хитрук, мальчик, который и ранее ходил с Артемом в одну школу. Но почему никаких сведений в архиве о Теме нет? В школе обучалась девочка Саша Васюкова, хулиганка никогда не упоминала о брате. Ей запретили говорить о мальчике? И получается, что одна из сестер Васюковых погибла при взрыве. Но я видела двух очень похожих теток!

Я открыла машину, села за руль и уже собралась повернуть ключ в замке зажигания, как услышала писк мобильного.

— Искала меня? — заорал Билли.

Из моей головы выдуло все мысли об Артеме, Павле, Саше и погибшей Васюковой.

— Ты выяснил, чьи ноги в багажнике? Мог бы и предупредить, какая дрянь там валяется! Меня чуть гаишники не арестовали.

— Ноги? — поразился Билли. — Живые?

— Отличное предположение, — начала злиться я. — Как ты себе это представляешь? Две нижние конечности, без остального тела, притопали в гараж и залезли в багажник?

В трубке повисла тишина. Потом Билли осторожно спросил:

— Белла, ты чего пила?

— Минералку, — на автомате ответила я. И тут же пришла в негодование: — Я не употребляю днем спиртное!

— Ну, если вечером хряпнуть спиртику, — хмыкнул парень, — а с утреца водички выпить, со старых дрожжей так поведет! Ты, Белка, осторожней, все с ерунды начинали. Многие сперва ноги в багажнике видели, а потом зеленых человечков ловили и в дурке поселялись.

— Я не употребляю алкоголь, — каменным голосом перебила я развеселившегося собеседника. — И почему ты называешь меня Беллой? Кто из нас не в себе?

Вновь стало тихо. Билли отмер лишь через несколько секунд.

— Тебя так зовут! Белла Ви. Забыла?

— Действительно, — опомнилась я, — правильно. Так откуда ноги? И кто кусается в багажнике?

— Кусается в багажнике? — оторопело повторил Билли. — Ноги? Они на тебя бросились и защелкали зубами? Круто!

— Прекрати! — зашипела я. — В машине и правда лежат части от манекена! И кто из нас выпивоха?

Мы уже один раз беседовали на эту тему, ты сказал, что «ежика» брал некий Андрей, ты обещал позвонить ему, расспросить. Забыл? Может, сам не очень трезвым был?

Билли внезапно заорал:

— Андрюха!

— Че? — отозвался далекий голос.

— Ты мою машину брал?

— Ну! — донеслось в ответ.

— Зачем?

— Вальке помог для витрины кукол перевезти.

— Дебил! Ноги в багажнике забыл!

— Ну ваще, — обрадовался незнакомый Андрюха. — А Валька решила, что ее обули, неделю на склад звонит, требует нижнюю часть манекена отдать. И как я их не заметил?

— Больше ты там ничего не оставил? — надрывался Билли.

— А че?

— Моя баба говорит, в багажнике кто-то кусается.

Я чуть не подавилась воздухом от возмущения. Так, теперь, оказывается, я «баба Билли»!

— Жив подлец! — еще пуще обрадовался Андрей. — Слышь, попроси его поймать, это Николай Николаевич.

— Белл, ты здесь? — обратился ко мне Билли. — Не дергайся. Тачкой действительно пользовался Андрей. Его Валька дизайнер в магазине, она перевозила оборудование для витрины и ноги забыла. Простая случайность! А кусается Николай Николаевич.

Я взяла из сумки бутылочку минералки, сделала пару глотков и обреченно произнесла:

— Ноги нашли хозяина, что радует. Но зачем Николай Николаевич залез в багажник?

— Эй, — завопил Билли, — какого черта Ник-Ник в машине делает?

— Его Машка в школу тайком взяла, — проорал в ответ Андрей. — Он у ней этот, как его... блин, слово забыл, типа брелок. Удачу приносит! Хотела по контрольной пятерку получить и прихватила без спроса. Запихнула в багажник. А Николай Николаевич хоть и старый, да ловкий, удрал и спрятался!

— Слышала? — деловито обратился ко мне Билли.

— Мгм, — пытаясь прийти в себя, подтвердила я.

— Сделай одолжение, поймай Ник-Ника, — попросил Билли. — Машка небось отцу череп прогрызла. И Николай Николаевич жрать хочет.

— Мгм, — снова выдавила я из себя. — Похоже, ваш Ник-Ник очень агрессивный. Обоих гаишников здорово тяпнул.

— Он такой! — заржал Билли. — За решеткой долго сидел, пока выпускать не стали, вот и ненавидит ментов. Ха! Шутка!

— И как его поймать? — поежилась я.

— Ой, Белка, ты хуже Машки, — нежно укорил меня Билли, — маленькая и глупенькая. Позови просто: «Николай Николаевич, иди сюда», он и вылезет. В конце концов, жрачки ему предложи! Купи чипсы, с сыром, Ник-Ник их обожает. Сделай доброе дело, а то он может в машине чего испортить.

— Вдруг ваш Николай Николаевич и меня укусит? — заосторожничала я.

— Не, если по имени к нему обратиться, никаких безобразий не будет, а уж если чипсы почует, вообще за родную сойдешь, — пообещал Билли, и связь прервалась.

В полном недоумении я вылезла из «ежика» и приблизилась к багажнику. Суммируем полученную от Билли информацию. Живут на свете некие Андрюша и Валя, они забыли в машине часть манекена. Пока все понятно. Вероятно, парочка находилась в веселом состоянии, раз потом никак не могла сообразить, куда подевались ноги из пластика. Но вот дальше начинается бред. Девочка Маша считает своим талисманом некоего Николая Николаевича. Скорее всего он дедушка школьницы. Желая получить пятерку на контрольной, она просит пенсионера поехать вместе с ней в школу. В принципе ничего особенного. Милый старичок согласился и... спрятался в багажник, из которого по непонятной причине отказался вылезать. Николай Николаевич закопался в груду барахла, остался там жить, ездил со мной и... укусил гаишников.

Билли, кстати, не усмотрел в идиотском случае ничего странного, более того — преспокойно объяснил мне поведение дедульки. Тот, оказывается, долгие годы сидел за решеткой и ненавидит милиционеров. Меня же агрессивный старикашка не тронет, а наоборот, будет любезен, если я предложу ему чипсы. А теперь скажите, кто из нас сумасшедший — Билли, Андрей, Валя, девочка Маша или Николай Николаевич? Может, они все разом сбежали из палаты, обитой поролоном? Нет ответа на этот вопрос, но ясно, что дедулю необходимо выпустить наружу.

Багажник «ежика» открывался не из салона, следовало надавить на круглую пупочку, торчавшую посередине крышки, а затем уж поднимать последнюю.

— Николай Николаевич, — сладко пропела я, — вы тут?

Тишина послужила мне ответом. Похоже, старичок с норовом. Все пожилые люди обожают почет и уважение, надо соблюсти пиетет.

— Добрый день, — обратилась я к багажнику, почти доверху забитому всевозможным барахлом. — Меня зовут Виола, то есть, извините, Белла Ви, но это одно и то же. Ваша внучка Маша очень волнуется, не надо ее нервировать. Николай Николаевич, вылезайте, поедете в салоне, как белый человек.

Ни одна тряпка не пошевелилась.

— Ей-богу, в багажнике душно, — продолжала я увещевать деда, — у вас может случиться гипертонический криз. Николай Николаевич, душенька, не хотите зубы почистить? Вы укусили патрульного, набрали полный рот микробов, гаишник небось руки с утра не мыл, а ведь деньги хватал. Ау! Ник-Ник!

Но вредный дедок не собирался реагировать.

— Чипсы! — вспомнила я, оглянулась по сторонам, увидела небольшую палатку и бросилась к ней.

— С сыром нет, — зевнула продавщица, — бери с беконом и овощами.

— Поищите, может, завалялась упаковка, — попросила я.

— И где ей тут валяться? — начала раздражаться женщина. — Это не склад на тысячу километров.

— Очень нужны именно с сыром, — приуныла я, — иначе дедушка Николай Николаевич из багажника машины не вылезет, его только на чипсы выманить можно.

Торговка чихнула.

— Наркоша? Бросай колоться, пока совсем в чмо не превратилась!

— Дайте орешки, — проигнорировала я замечание глупой тетки, — авось он арахис любит и согласится за пакетик в салон пересесть.

— Сначала деньги покажи! — предусмотрительно потребовала торговка.

Купив целлофановую упаковку орехов, я прибежала к «ежику» и начала шуршать бумагой, приговаривая:

— Николай Николаевич! Солнышко! Вы, наверное, кушать хотите!

Мои сладкие речи прервал звонок мобильного.

— Андрюха велел тебе передать, что клетка там же лежит, покопайся в инструментах, — деловито сказал Билли.

— Клетка? — переспросила я.

— Ну! А куда ты Ник-Ника сажать собралась?

Мои пальцы непроизвольно разжались, пакетик упал в багажник, трубку я каким-то чудом сумела удержать.

— Дедушку надо поместить в клетку? С ума сойти!

— Какого дедушку? — изумился Билли. — Эй, Белка, ты себя хорошо чувствуешь?

— Замечательно, — заверила я, — просто никак не пойму, что происходит. Старичка держат под замком? И какого размера пенсионер? Он карлик?

Билли издал звук, весьма похожий на хрюканье.

— Он хомяк.

— Кто? — в изнеможении спросила я.

— Николай Николаевич, — пояснил парень. — Он хомяк. Не поняла? Повторяю. Николай Николаевич хомяк.

— Прикольная фамилия, — хихикнула я. — Николай Николаевич Хомяк, никогда с такой не сталкивалась. Хотя у меня был один знакомый по фамилии Лисица.

— Он живой хомяк, — сдавленным голосом уточнил Билли. — В смысле натуральный, шерстяной, с когтями.

— Конечно, живой, — согласилась я, — раз кусается, то вполне здоров. Мертвый хомяк... Эй, погоди! Он хомяк?!

— Наконец-то, — захохотал Билли, — доползло до жирафа.

— Животное? — протянула я.

— Ага, — подтвердил парень.

— Почему его зовут Николай Николаевич? — только и смогла спросить я.

— Потому что так назвали, — дал достойный ответ Билли. — Заканчивай придуриваться!

— Хомяк... — бормотала я, — орешки, чипсы и талисман... Следовало сразу догадаться. И укус на пальце был глубоким, у человека не получится так цапнуть... И дедушка, даже самый маленький, в багажнике сразу был бы заметен...

— Ты че, правда думала деда там найти? — завизжал от восторга Билли. — Чума! Ну и протупила!

— Шутка, — опомнилась я. — Где клетка? Все, вижу, она в левом углу валяется.

— Удачи, — посмеиваясь, пожелал Билли. Собрался еще что-то сказать, но связь прервалась.

Экран моргнул и погас, я забыла зарядить батарейку.

Запихнув бесполезный мобильный в карман, я наклонилась над багажником.

— Ник-Ник, орешки! Ням-ням!

В самом дальнем углу зашевелилась тряпка, и показалась крохотная мордочка с блестящими глазками.

— Иди сюда, — приказала я, но хомяк и не подумал пошевелиться.

Я попыталась дотянуться до наглого грызуна, поняла, что не хватает длины руки, и залезла внутрь багажника. Попробовала схватить животное, не удержалась на коленях, шлепнулась на живот. Послышался скрип, щелчок, и свет погас.

Глава 19

Мне понадобилось время, чтобы осознать свое положение. Захлопнулась крышка багажника, я лежу в куче барахла, где-то рядом бродит голодный и злой хомяк, мобильный не работает. Сначала я запаниковала, хватит ли нам с грызуном кислорода? Затем я пришла в ужас: сколько времени человек может прожить без еды и питья? Я никому не сообщала, куда поеду, Гарик Ребров полагает, что писательница Арина Виолова трудится над новой книгой, издателя не смутит мой отключенный мобильный. Нет, хозяин издательства забеспокоится через неделю, и только тогда начнет поиски пропавшей литераторши. Но к тому времени от меня останутся обгрызенные Николаем Николаевичем косточки! Ужас снова перешел в панику.

Огромным усилием воли я остановила выброс адреналина. Во всем плохом есть что-то хорошее, не надо устраивать истерику, лучше спокойно подумать. Итак, что произошло? Меня случайно заперло в багажнике, при себе я имею пакетик с орехами, значит, до субботы от голода не умру. Что еще хорошего? Ну, если пойдет дождь, я не промокну. Просто здорово! Теперь поразмыслим о плохом. Старая развалюха не привлечет ничьего внимания, Билли не в курсе, где я, сотовый умер, и в машине хомяк.

Не подумайте, что я испугалась Николая Николаевича. Но как поведет себя грызун, сообразив, что в его распоряжении находится сорок кило свежего мяса? Вернее, костей, на жирную сочную грудинку в моем случае Ник-Нику не стоит рассчитывать. Хомяки питаются исключительно растениями и семечками? Или они не брезгуют полакомиться червячками и кузнечиками? Если второе предположение верно, то я в опасности, от таракана отличаюсь лишь размерами.

Спокойно, Вилка, приказала я себе, сейчас в голову придет верное решение. Надо удавить Николая Николаевича! Агрессивность этой мысли заставила меня содрогнуться. Ну откуда она взялась? Я же не способна убить живое существо. С другой стороны, я никогда не лежала в багажнике без шансов на освобождение.

На глаза навернулись слезы. Когда мумию Арины Виоловой обнаружат, у начальника пиар-отдела «Элефанта» будет праздник. Он разошлет по газетам пресс-релиз с названием «Загадочная смерть великой писательницы», и тиражи моих книг взлетят до небес. Жаль, что мне не придется порадоваться большим гонорарам, интересно, кому достанутся деньги?

В носу защипало, в горле заворочался тяжелый ком, спина покрылась потом, голову будто стянуло ремнем. Правда, меня вечером в кафе будет ждать риелтор Галина Юдаева, но она не занервничает, если клиент не явится, выругается сквозь зубы и отправится восвояси.

Сверху застучали.

— Эй, — раздался чей-то голос, — все нормально?

— Нет! — заорала я. — Нажмите на кнопку!

Послышался тихий щелчок, в багажник ворвался свет и хлынул свежий воздух.

— Эй, ты чего тут делаешь? — спросила торговка, у которой я десять минут назад покупала орешки. — Я увидела, как ты сюда залезла и крышкой прикрылась.

— Потянулась за тряпкой, — закряхтела я, вылезая наружу, — хотела стекло протереть, а машина здоровенная, длины рук не хватило, пришлось внутрь лезть, и тут крышка возьми да упади.

Ни за какие коврижки не признаюсь доброй тетеньке про хомяка, она примет меня за сумасшедшую.

— Поосторожней надо, — укорила меня продавщица.

— Больше такой глупости не совершу, — заверила я. — Огромное, просто невероятное вам спасибо! У меня на вечер назначена важная встреча, и если бы не вы — не попасть бы мне на нее.

— Пустяки, — смутилась продавщица. — Я решила, что тебе плохо.

Побеседовав в таком ключе пару минут, мы распрощались. Я пошла к водительской двери, вспомнила про Николая Николаевича и окликнула торговку:

— Не подскажете, где тут поблизости магазин для животных?

— У метро в супермаркете точно есть, — ответила та.

Я добралась до торгового центра, огромного, как космодром, приобрела две мисочки, пакет корма для грызуна, бутылку минеральной воды и зарядку для телефона. Подошла к машине, открыла багажник и, сгребая тряпье в одну кучу, забубнила:

— Николай Николаевич, больше я внутрь не полезу. Охота тебе жить в багажнике — твоя воля. В одной плошке вода, в другой еда. Можешь не волноваться, вода при движении не расплещется, сухая смесь не рассыплется. Ты даже не представляешь, как далеко зашел прогресс, умельцы придумали специальные подставки для собак и кошек, которых часто возят в автомобилях. Вставляешь мисочки в отверстия, и никакие ухабы не страшны. Вечером позвоню Билли, он позовет девочку Машу, пусть та своим талисманом сама займется, а мне пора на встречу с риелтором.

Куча тряпья не пошевелилась. То ли хомяк мирно спал, то ли счел ниже своего достоинства разговаривать с незнакомым человеком. Я предприняла последнюю попытку наладить с грызуном хорошие отношения:

— Эй, Ник-Ник, может, все-таки выйдешь? Поверь, ехать в салоне, пусть даже и в клетке, намного удобнее, чем в грязной ветоши.

Грызун не отреагировал на мое любезное предложение.

— Ну и фиг с тобой! — подвела я итог беседы, опуская крышку багажника. — Насильно мил не будешь.

Не успела я устроиться в крохотном кафе, как раздался такой громкий звук, словно кто-то ударил кастрюлей по стене. Немногочисленные посетители повернули головы влево, я подчинилась стадному чувству и увидела стоявшую на улице перед входом в заведение коротко стриженную брюнетку с элегантным портфелем в руке. Судя по ее ошарашенному виду, бизнес-леди секунду назад врезалась лбом в идеально протертую стеклянную дверь. Владельцы кофейни не наклеили на дверь постер или заметное предупреждение о том, что заведение принимает к оплате кредитные карты, вот посетительница и врезалась в стекло. Я сама один раз оказалась в такой ситуации и великолепно понимаю, какие чувства испытывает бедняжка: ей больно и неловко.

Потирая ушибленный лоб, брюнетка вошла в кафе. Я ожидала, что она накинется на девушку за стойкой бара, потребует на расправу администратора или закричит: «Безобразие, кормите меня теперь бесплатно». Но бизнесвумен молча приблизилась к моему столику, а затем представилась:

— Галина Юдаева. Надеюсь, вы не долго ждете?

— Вы не опоздали, — улыбнулась я.

— И появилась с шумом, — засмеялась риелтор. — Хорошо хоть стекло башкой не пробила.

— Хотите кофе? — я решила приободрить пострадавшую. — Не могу сказать, что ничего лучше не пила, но капуччино здесь вполне приличный.

— С удовольствием, — кивнула Галина, усаживаясь. — Но угощенье за мой счет, вы клиент, это я вас должна баловать. Приступим? Что вас интересует?

— А что есть? — я прикинулась дамой, озабоченной квартирным вопросом.

— Все! — без колебаний ответила Юдаева, вытаскивая из портфеля ноутбук. — На любой вкус, от комнаты без удобств до трехэтажного особняка в элитном поселке.

— Последний мне вряд ли по карману, — улыбнулась я.

— Жаль, — вздохнула Галина, — ведь чем дороже сделка, тем выше процент риелтора. Ладно, давайте конкретно: сколько человек у вас в семье и в какую сумму вы рассчитываете уложиться?

— Может, помните квартиру Хитруков? Вы им ее помогли продать, — отбросив экивоки, спросила я. — Мне такая же нужна.

Юдаева снова потерла лоб, она абсолютно не удивилась моей просьбе.

— Год совершения сделки знаете?

— Шесть-семь лет назад.

Галина включила компьютер.

— Это самое начало моей карьеры. Я раньше работала мастером на предприятии, но оно разорилось, а биржа труда ничего путного мне не предложила. Хорошо хоть соседка посоветовала... Нашла! Хитрук Роман Андреевич и Инна Сергеевна.

— Они! — обрадовалась я.

— Четыре комнаты, санузел раздельный, высота потолка три двадцать, — отрапортовала Юдаева, — есть холл, гардеробная. Кухня, правда, маловата, всего восемь метров, но существовала возможность объединить ее с гостиной. Из недостатков — первый этаж и вредная соседка по площадке. Хотя многие как раз любят жить внизу, не нравится им над землей возноситься. Вот бабка из квартиры напротив — проблема! Мало мне было неприятной истории, так еще и эта кляузница!

— Какой истории? — обрадовалась я такому повороту беседы.

Галина отодвинула ноутбук в сторону.

— Мой муж козел.

Я удивилась грубому замечанию, к тому же не имеющему никакой связи с темой разговора, и от неожиданности спросила:

— Почему?

Юдаева схватила чашку с кофе.

— Таким он родился. Нас вместе с производства уволили. Я трудовую на руки получила и без промедления начала действовать, тыкалась в разные места, пока, наконец, не нашла себя в риелторском бизнесе. А Анатолий так и лежит на диване и постоянно ноет про душевную рану. Вот только тяжелые переживания не лишили его аппетита и желания хорошо одеваться! Тащу бездельника на своих плечах.

— Так разведитесь, — посоветовала я.

— А ребенок? — нахмурилась Юдаева. — Папа ему вместо мамы, а мать вместо отца, все с ног на голову перевернулось. Вы квартиру покупать не собираетесь?

— Нет, — я мгновенно попалась в ловушку и тут же разозлилась на себя.

Сколько раз сама использовала такой прием: сначала вела разговор на отвлеченную тему, а потом, когда собеседник расслаблялся, внезапно задавала неожиданный для него вопрос и, как правило, получала честный ответ. И вот теперь меня саму подловили на тот же крючок.

— Ясно, — без всякой агрессии сказала Галина, — вам нужна информация о Хитруках.

Я опомнилась и решила на всякий случай сделать ей комплимент:

— Вы очень догадливы.

Галина поманила официантку.

— Поработай с людьми, которым надо нехилую сумму в агентство отдать, и вообще телепатом станешь. Еще кофе и один коньяк, раз я не на работе, то могу за твой счет расслабиться. Ну, спрашивай!

— Расскажешь про Хитрука? — обрадовалась я, тоже переходя на свойский тон.

Юдаева погладила ладонью ноутбук.

— Мне нравится выражение Карла Маркса: «Деньги — товар». Или это Ленин с Энгельсом сказали?

— Сколько? — приступила я к торгу.

— В зависимости от того, что ты хочешь, — начала свою игру Юдаева.

Быстро поданная порция спиртного не сделала риелторшу мягче, она билась за каждый рубль. В конце концов я устала и почти согласилась на грабительские условия.

— Деньжата вперед, — потребовала Галина.

— А вдруг твой товар подпорчен? — заупрямилась я. — Обещаешь много, а на деле окажется плесневелая корка.

Юдаева опять погладила компьютер.

— Риск благородное дело.

Я заколебалась. Галина залпом выпила очередной кофе, и мы снова приступили к жаркому обсуждению размера ее гонорара. Консенсус установился после третьей порции спиртного, риелтор быстро спрятала в кошелек купюры и с видом хорошо поужинавшей гиены заявила:

— Хитрук, блин, жмот! Я ему такую сделку провернула, надеясь на чаевые, а получила дулю. Только процент поимела, зря старалась, он ни копейки лишней не отвалил. А каково это, метры с историей толкать! Рынок перегрет, предложений полно, люди с суевериями как услышат про пожар, сразу убегают.

— Секундочку! — остановила я болтунью. — Хитрука вроде ограбили. Он менял жилплощадь после визита воров.

Глаза Юдаевой превратились в две щелочки.

— Ой, правда? Кто бы мог подумать! И где ты такую информацию раздобыла?

— Люди рассказали, — ответила я.

Юдаева открыла ноутбук.

— Тебе повторить дезу, которую я от соседки услышала? В квартире рядом с Хитруками жила баба-отрава, во рту у нее шесть языков, на голове двенадцать глаз, причем две пары из них на затылке. Такую рядом иметь — беда. Но, с другой стороны, от этой Юлии Палагиной и польза была. Так что, сплетни пересказать или ты правду хочешь?

— Давай и то и другое, — потребовала я.

Юдаева чихнула.

— Похоже, простуда подступает. Эй, давай еще коньяк.

— Тебе не станет плохо? — я попыталась пресечь питейный процесс.

— Не, мне будет хорошо, — пообещала риелтор и стала отрабатывать вознаграждение.

...Когда Роман Андреевич Хитрук связался с Галей, он описал ей свою квартиру и спросил:

— Как скоро можно избавиться от жилплощади?

— Буду стараться изо всех сил, — заверила его Юдаева, успевшая уже, несмотря на крошечный стаж, сообразить: любой клиент хотел бы завершить сделку вчера. — Но я должна посмотреть квартиру.

Роман Андреевич, естественно, согласился. Галина прибыла утром и осмотрела кухню, санузел и три комнаты. Никаких сверхъестественных достоинств она не заметила, хорошая, но совершенно обычная жилплощадь...

— А что там? — спросила риелтор, останавливаясь у плотно закрытой двери.

Хитрук потупился.

— Спальня, аналогичная той, которую вы только что видели. Там спит моя мама. Она пожилая женщина с непростым характером, лучше туда не заходить.

— Ясно, — усмехнулась Юдаева, у которой дома жила не только свекровь, но и престарелая бабушка мужа.

Роман Андреевич понял Галину по-своему и быстро заверил:

— Ничего особенного там нет, ремонт хороший, пол-потолок в отличном состоянии...

Риелтор прервала хозяина:

— Покупателю ваш ремонт по барабану, он все равно хоть косметику да сделает. Для быстрой продажи важно другое. К сожалению, в вашем случае есть отрицательные моменты: первый этаж, рядом только дорогие магазины.

— Зато неподалеку сквер, — оживился Хитрук, — чистый воздух, рай для пенсионеров.

— Пожилые люди редко меняют место жительства, — перебила его Галина, — а их детям нужны нормальный супермаркет, детский сад, фитнес-центр.

— Наша квартира — это отличный вариант для пары с младенцем, — нашелся Роман Андреевич.

— Думаю, вам надо сбавить цену, — посоветовала Галина. — Непременно придете к решению о скидке, когда увидите, что желающих приобрести квартиру нет. Если вы торопитесь, лучше сделать это сразу.

Обговорив с клиентом все детали, Галина вышла во двор и увидела на лавочке у подъезда женщину с вязанием, та как раз уронила клубок. Юдаева подобрала его и протянула растеряхе.

— Спасибо, спасибо, — зачастила рукодельница. — А вы кто? Наверное, агент? Роман Хитрук пытается от квартирки избавиться? Лучше с ним не связывайтесь, ничего не выйдет.

— Почему? — заинтересовалась Галя.

— Меня зовут Юлия Палагина, — с достоинством представилась вязальщица, — я выбрана коллективом жильцов старшей по подъезду, слежу за порядком, деньги на мероприятия собираю, часто по квартирам хожу. И не хочу никаких подробностей из чужой жизни знать, глаза закрываю, уши затыкаю, но все равно всегда в курсе чужих дел. Иногда даже в милицию сигнализирую. Например, Копылов из девятой квартиры на кухне станок поставил, какую-то дрянь строгает и на рынке продает, а ведь это запрещено законом. Или Маруся Ильченко... Ее муж головой о батарею бил, мордой по полу возил, пришлось участкового звать. Маруся со мной неделю не разговаривала, грязью поливала, орала на каждом углу: «Юлька Толю засадила на семь суток». А через неделю красавчик вышел и жене такую жаркую любовь устроил, что Ильченко ко мне принеслась и зарыдала: «Юля, спаси, он меня убьет!»

Палагина вздернула подбородок и гордо посмотрела на Галину.

— Хитрук запойный? — предположила Юдаева. — Бьет жену и мать?

Юля ахнула и опять уронила клубок.

— Какую мать?

— Свою, хитруковскую, — пояснила риелтор.

— Он так сказал или это в документах написано? — заинтересовалась Палагина.

— Бумаги я пока не изучала, — призналась Галина, — хозяин меня в одну комнату не пустил, сказал, что там его мама спит.

Палагина зацокала языком.

— Вот врун! Нету у него никакой матери. То есть, может, она и есть, но сюда ни разу носа не показала. А про сына он сообщил?

— Нет, — напряглась Галя. — Сказал, что их трое: он, жена и мать. Но потом уточнил, что старуха здесь не прописана, просто с ними живет.

— Лгун, — отчеканила Юлия. — Слушай сюда. Не связывайся с ним, тебе его квартиру не продать. Хитрука недавно ограбили, а сына его, Павла, преступники убили.

— В квартире? — пригорюнилась Галина.

— Ага, — с горящим взором подчеркнула сплет-

ница. — Этаж первый, окно низко, решеток нет.
И ведь я ему советовала: «Поставьте железки». А он
в ответ: «Не хочу жить, как в тюрьме. Здесь безопас-
но, место тихое, не центр, только свои ходят». И что?
Бандиты стекло разбили, парня зарезали.

— Черт! — не сдержалась Юдаева.

Галину успели предупредить в офисе, что «апартаменты с историей» уходят очень трудно. Если в
комнатах побывал вор или кто-то из хозяев умер после тяжелой болезни, люди опасаются переезжать в
«плохую квартиру», полагают, что беда заразна. А уж
связываться с жильем, где человека лишили жизни,
охотников вовсе не найдется.

— Он уж которого агента зовет, — выливала сведения Палагина. — Первым двум правду рассказал,
так они сразу удрали, третьему поднаврал маленеч-
ко, тот во двор вышел и до истины докопался. Теперь тебя объегорить надумал. Чудак-человек, все
равно ведь соседи правду расскажут. Я, например,
умею язык за зубами держать, а у других он, как тряпка на ветру, болтается. Про мать вот придумал... Зачем? И жена у него странная — ее никто не видел.
В магазин не бегает, на работу не ходит, взаперти
сидит!

Глава 20

Галина развернулась и отправилась назад.

— Вы что-то забыли? — удивился Роман Андреевич, открыв дверь.

— Да! — ответила Юдаева. — Хотите квартиру
продать?

— Вне всяких сомнений, — кивнул хозяин.

— Тогда проводите меня к вашей матери, — приказала Юдаева.

Глаза у Хитруха забегали.

— Понимаете, там, ну, в общем...

— Бабули нет, — ехидно уточнила риелтор.

— Юлия наболтала, — вздохнул Роман Андреевич. — А что именно она вам сказала?

— Все, — Галя решила сразу пресечь попытки нового вранья, — про воров и убийство.

На лице Хитрука возникло странное выражение.

— Да, было дело.

— Ну, я пойду, — развернулась Галина.

— Эй, погодите! — забеспокоился Роман Андреевич.

— Вашей квартирой нужно долго заниматься, а у меня и без того армия клиентов, — попыталась отделаться от него Галя.

Роман схватил ее за рукав.

— Мы же договорились.

— Договор не составляли, а без оформления наш разговор пустая болтовня, — возразила Юдаева.

— Послушайте меня, — почти с отчаянием попросил Роман, — я расскажу как на духу о случившемся.

— Не уверена, что хочу слушать, — отрезала Галя.

— Сколько вы от сделки получите? — спросил Хитрук.

— Что мое — то мое, — не назвала свой процент риелтор.

— Значит, от моей доли кусок к тебе прилипнет, — пообещал Роман, — я готов поделиться, только помоги.

Юдаева очень нуждалась в деньгах, предложение показалось ей выгодным, и она смилостивилась.

— Я согласна. Но если опять врать начнете, сразу уйду.

Хитрук молча открыл дверь в запертую комнату, за ней оказалась еще одна, железная, со звуконепроницаемой обивкой.

— Интересный дизайн, — оторопела Галина.

— Моя жена шизофреничка, — сообщил Роман.

— Отличная новость! — вспылила Юдаева. — Представляете, какой геморрой с документами будет? Хуже нет, если в квартире псих прописан.

— Она нигде не зарегистрирована, по бумагам совершенно здорова, обычная домашняя хозяйка, я лечу ее частным образом, — поспешил успокоить Галю Хитрук. — Шизофрения болезнь сезонная, весной и осенью Инне плохо, а летом и зимой она нормальна. Едва обострение начинается, я ее здесь запираю и в ход пускаю таблетки с уколами. Дверь такую поставил, чтобы до соседей шум не долетел. Никаких сложностей с оформлением документов не будет.

— Ваша супруга сможет прийти в агентство и подписать в присутствии юриста необходимые бумаги? — уточнила Галя, наблюдая, как хозяин возится с многочисленными мудреными замками.

— Нет проблем! — повторил Роман и распахнул дверь.

— Ух ты, фрукты! — не сдержала возгласа Галя.

Такой комнаты она никогда в жизни не видела. Стены, местами ободранные, кое-где были покрыты белыми звукоизолирующими панелями, какими отделывают радио- и записывающие студии, конторы, где производят шумные работы, но никак не спальни. Окно прикрывала специальная рулонная штора из клеенки, опустишь ее — и ни один луч света не проникнет снаружи и не вырвется изнутри. Мебель, самая незатейливая, сугубо функциональная, была в беспорядке сдвинута в сторону. Больше всего впечатлял пол, ранее покрытый паркетом: на нем, похоже, разводили костер. Перед Галей чернело пепелище, а в воздухе ощущался легкий запах гари.

— Это что? — риелтор ткнула пальцем в головешки.

Роман почесал подбородок.

— Вот, своими силами ремонт делаю. Через пару-тройку дней очищу площадь и тогда рабочих позову, не хочу, чтобы они узнали про пожар.

Галина опешила.

— Не нервничай, — успокоил ее Хитрук, — про грабеж я выдумал. Надо же было соседям объяснить, почему сюда милиция и «Скорая» приезжали, да и тело Павла выносили в мешке.

— Мне все меньше хочется связываться с вашим жильем, — прошептала Юдаева.

— Пошли, чаю налью, — предложил Хитрук.

— Лучше расскажите подробности, — сказала Галя.

— Инна сходила с ума постепенно, — грустно завел Роман. — Сначала у нее характер испортился, мы часто ругались. Но до рукоприкладства не доходило. Однажды Инна пришла домой, мы еще на старой квартире жили, и кинулась на Павлика с ножом, крича: «Саша умер, а ты жив!» Я еле-еле ее от ребенка оттащил.

— А Саша кто такой? — спросила Галя.

— У нас было два сына, — мрачно ответил Хитрук, — Александр старший, Паша младший. У парней была разница в год, и они постоянно дрались. Придешь домой усталый, но полежать у телевизора никак не получится, пацаны обязательно разборку устроят. Инна на работе до ночи торчала, вся воспитательная часть на меня свалилась: уроки, чистить зубы, ужинать, душ принимать, спать ложиться... К полуночи, когда Инна появлялась, я был готов всех на клочки порвать. Работаю, обеспечиваю семью и еще обязан детьми заниматься? У нас с Инной часто возникали стычки... Я много раз предлагал ей:

— Уйди со службы! Платят тебе копейки, работа тяжелая. Если сядешь дома, я сумею вас обеспечить. Мальчишкам нужно внимание и контроль, материнская любовь. Жене — женское, мужу — мужское. Это ведь не мы придумали!

Но Инна категорически отказывалась.

— Я хочу развиваться! — кричала она. — Не собираюсь превращаться в клушу. Когда мальчикам исполнится шестнадцать, мать им станет не нужна, и что мне тогда делать? В сорок лет карьеру не начинают!

Когда в доме есть повод для скандала, война разгорается мгновенно. Роман и Инна часто орали друг на друга, мальчики успокаивали родителей. Александр всегда был на маминой стороне, а Паша защищал папу. И хоть пацаны еще были крошками, между собой они дрались всерьез, никакой любви у братьев не было, их отношения испортились из-за родительских баталий.

Немалую лепту в отчуждение мальчиков внесла Инна. Она приносила сладости, игрушки и одаривала ими Сашу. А Павлу говорила:

— Ты предатель, папин подпевала. Едва отец злиться начинает, ты сразу ему вторишь! Пусть Роман своему подлизе подарки носит, я трачу деньги на того, кто меня любит.

Когда мать уходила в свою комнату, Саша начинал дразнить Павла, показывал ему машинку и говорил:

— А тебе фиг!

Павел моментально впадал в ярость. Отец, в отличие от матери, не спешил делать любимцу презенты и не приносил ему конфеты. Драки обычно заканчивались победой младшего, Павлик топтал автомобильчик и крошил сладости. Саша несся жаловаться маме, Инна наказывала Павла. Едва Роман показывался на пороге дома, как Пашенька принимался рыдать. Отец набрасывался на мать и ставил Сашу в угол. Инна в отместку придиралась к Павлу и лупила его ремнем. «Тихий семейный» вечер заканчивался около двух часов ночи, когда появлялись разъяренные соседи и требовали сделать потише музыку. (Роман всегда включал магнитофон почти на полную мощность, чтобы жители подъезда не услышали скандал.)

В год, когда случилось несчастье, Саша пошел в четвертый, а Паша в третий класс. У Инны работа начиналась в восемь, поэтому мальчиков в школу водил отец.

Двадцать первого сентября Хитрук, как обычно, доставил детей на занятия. В семь вечера он забрал младшего из группы продленного дня, привел его домой и разозлился, не застав старшего в квартире. В это время Саша должен был уже сидеть за уроками. Старшему сыну вменялось самому возвращаться с занятий и пользоваться ключом, спрятанным под половиком, на продленке оставались лишь дети до четвертого класса. Прождав около часа, разгневанный Роман отправился в школу. Там как раз шла репетиция спектакля, которую вела классная руководительница Александра.

— Саша? — испугалась она. — Мальчик ушел. Я велела ему подмести класс, но он сказал, что его за опоздание дома отругают, и убежал.

Роман растерялся. Никаких репрессий за несвоевременное возвращение старшего сына домой не предусматривалось. Саше просто предписывалось, вернувшись из школы, сесть за уроки, а когда он придет, никто не узнает, родители на работе, никто ему выволочку не устроит.

— Куда он мог опоздать? — хмыкнул Роман, который подумал, что сын не хотел заниматься уборкой класса и выдумал причину, чтобы не брать в руки веник.

Учительница ответила:

— Не имею ни малейшего понятия.

— У сына с кем-то намечалась встреча? — спросил отец.

Все вопросы остались без ответа. Роман бросился в милицию, но Саша словно в воду канул — никто не видел, как он покинул школьное здание, куда потом пошел, с кем встретился. Через десять дней после пропажи ребенка оперативники, занимавшиеся поисками, откровенно сказали Хитруку:

— Надежда найти Сашу живым минимальна. Если его похитили ради выкупа, то требование денег поступило бы в течение суток. В вашем случае о выкупе никто не заикался, вероятно, мальчик стал жертвой педофила, эти несчастные погибают максимум через неделю.

Вот тогда у Инны и проявилась шизофрения. Роман повел себя на удивление благородно, не бросил жену. Он быстро обменял квартиру и стал усиленно лечить Инну. Павла отец больше никогда не ругал, даже по мелочам. Более того, он стал баловать сына и нахваливать, постоянно покупал ему игрушки, сладости. Зато Инна, потерявшая своего любимца, при виде Павлика заходилась в истерике, повторяя:

— Почему пропал Саша? Отчего ты жив, а он нет?

Мало-помалу все утряслось. В новом доме, куда перебрались Хитруки, никто не знал об их трагедии. Внешне семья выглядела счастливой, окружающие не подозревали о прогрессирующей болезни Инны и об ее ненависти к Павлику. Правда, во время ремиссии она владела собой, но даже тогда она с трудом общалась с сыном, старалась лишний раз с ним не заговаривать. А вот весной и осенью начинался кошмар. Тогда муж запирал Инну в специально оборудованной комнате, держал на сильных лекарствах и строго предупреждал Павла:

— Не приближайся к матери, она сейчас способна на что угодно, без меня не входи в ее спальню.

Вам это может показаться странным, но и Паша, и Роман привыкли к сумасшедшей, относительно спокойно воспринимали неизбежные обострения ее болезни. Иногда члены семьи, в которой живет шизофреник, теряют бдительность, забывают о том, что больной может быть опасен. Наверное, Павел перестал обращать внимание на папины предостережения и один раз зачем-то открыл комнату, переделанную в палату.

Роман так никогда и не узнал, что случилось в его отсутствие. Он приехал домой, ощутил запах дыма и пошел искать его источник. Отец сначала решил, что сын, готовя ужин, зазевался и что-то сжег, но потом увидел распахнутую дверь в спальню Инны и лежащего на полу Павла. Инна в окровавленном халате прыгала вокруг костра, разведенного на паркете...

Хитрук замолчал, Галине стало до слез жалко хозяина.

— Где сейчас ваша жена? — осторожно спросила она.

— В частной лечебнице, — после некоторого колебания ответил Роман, — врач обещает привести ее в относительно нормальное состояние. Очень вас прошу, продайте квартиру, я хочу отсюда уехать. Мне удалось распустить среди соседей сплетню о том, что Павлика убили грабители. С одной стороны, хорошо, что никто не болтает про Инну, но с другой... Собственно, какая теперь разница? Я скрывал диагноз жены исключительно ради сына, не хотел, чтобы он в анкете на вопрос о родителях, писал: «Мать находится на излечении в психушке», пусть бы сообщал, что она домашняя хозяйка.

— Вы зря волновались, — пробормотала Галина, — при приеме на работу никто справок о членах семьи не требует, можно писать, что душе угодно.

— Это если устраиваешься дворником, — вскипел Хитрук. — В любом приличном заведении кадровик начнет копать и обнаружит: опаньки, а у претендента-то мать тю-тю, со съехавшей крышей, на всякий случай лучше ему откажем. А получение шенгенской визы? Или любой выезд за границу? Консульские работники народ въедливый, обнаружили бы правду об Инне и опустили шлагбаум.

— Сын за мать не отвечает, — возразила Юдаева.

— Ну и наивны же вы! — вдруг засмеялся Роман. — Никто психов не любит, у большинства людей в голове укоренилась мысль: безумие семейная проблема, если мамочка с тараканами в голове, то и сыночек с левой резьбой, на всякий случай не надо с парнем связываться. «То ли он украл часы, то ли у него украли часы, но была в той семье некрасивая история». Не помню, откуда эта цитата, только она очень точно отражает настроение людей. Но сейчас все кончено. Павел в могиле, Инна в лечебнице, а я мечтаю отсюда убраться как можно быстрее. Я был с вами предельно откровенен. Никому ранее не рассказывал о своей семейной трагедии!

Галина, с одной стороны, испытывала жалость к Хитруку, которому досталось по полной программе: один сын пропал, второго убила сумасшедшая жена. Но, с другой, Юдаева была риелтором, ей предстояло продать квартиру «с историей», поэтому она не удержалась и заметила:

— Вы же неглупый человек, понимаете, что покупатель заставит меня вашу биографию под лупой изучить. Нынче полно мошенников. Чтобы после заключения сделки не появились какие-нибудь дети или мотавшие срок заключенные, которые заявят о незаконности операции, агентство должно изучить клиента до лохматых времен. История с исчезнувшим сыном выплывет наружу и отпугнет покупателя. Вдруг Александр не умер, а пропал? Объявится и потребует расторгнуть сделку... Поэтому вы сейчас и были откровенны, понимали: лучше самому все сообщить, тогда вам будет доверия больше. Сначала вы ведь меня надуть хотели, про бабку наплели. А когда сообразили: от вас не первый агент убегает, — тогда и раскрыли семейную тайну.

Хитрук отвел глаза в сторону, и Галина поняла: она правильно расценила его откровенность, он мечтает поскорее покинуть квартиру и готов на все...

Риелтор примолкла и начала ложечкой ковырять кофейную гущу на дне чашки.

— И все же вы продали его квартиру, — уточнила я.

Галина кивнула.

— Да, причем весьма удачно. Я выбила из покупателей приличные деньги, а Хитрук меня обманул — не отблагодарил, хотя и обещал.

Глава 21

Когда Галина, сунув мне несколько своих визитных карточек, убежала, я осталась сидеть за столиком, пытаясь соединить в единое целое осколки чужих секретов.

Артем Васюков ушел от гиперзаботливой мамы, оставив ей записку. Станет ли в этом случае милиция его искать, если учесть, что ему исполнилось двадцать лет? Тема совершеннолетний и имеет право выбирать, где и с кем ему жить. Да еще Римма Марковна совершенно честно мне сказала: «Нет никаких сомнений, что записка написана почерком сына».

Можно было бы забыть о ее рассказе, но спустя короткое время я узнала, что Тема умер. Мира уверяла, что ее сестра лгунья с болезненной фантазией, соседка Элеонора клялась, что видела юношу в больнице. Римма Марковна считала Артема жертвой похищения. Потом случился пожар, сестры погибли. Я, начав копаться в прошлом Темы, нахожу некого Павла Хитрука, у которого пропал брат Александр. А еще, оказывается, одна из сестер Васюковых давно погибла во время взрыва бытового газа, лишилась жизни и девочка Саша Васюкова, об Артеме, по свидетельству учительницы химии, в школе никто не слышал.

И что мне со всем этим делать? С кем бы еще поговорить? Похоже, у Артема не было близких друзей, кроме Кати Фирсовой, но она уехала в Америку, мне до нее не добраться. Хотя у Кати, наверное, есть мать, сестра, лучшая подруга. Ну кто-нибудь же должен знать ее заграничный телефон или адрес электронной почты? Дело за малым, набрать номер, который мне дала учительница Амалия Карловна.

Я схватилась за трубку и через пару секунд услышала звонкий голос:

— Алло.

— Это квартира Фирсовых? — обрадовалась я.

— Вам нужна Катя? — переспросила девушка.

— Да, — подтвердила я.

— Она сейчас работает в Нью-Йорке, — пояснила собеседница.

— Вы ее родственница? — спросила я.

— Просто я сняла квартиру, — не отшила любопытную незнакомку девушка. И пояснила: — По объявлению в газете. Еще что-нибудь?

— Когда Фирсова вернется?

— Мне ее планы в деталях неизвестны, могу лишь сказать, что контракт на аренду жилплощади мы подписали на три года.

— Будьте добры, дайте мне телефон Катерины.

— Американский? — на всякий случай уточнила съемщица.

— Конечно.

— Я его не знаю.

Из трубки послышался писк, а затем металлический голос забормотал: «Рина, тебе звонят. Рина, тебе звонят. Рина, тебе звонят».

— Простите, это мобильный! — воскликнула девушка. И заговорила чуть тише, явно отвечая на звонок: — Алло, да, хорошо. Рисунки готовы. Игорь, можешь позвонить через минуту? Я по городскому разговариваю... Вы слышите? — вопрос уже адресовался мне. — Фирсова вернется не скоро, никакой связи у нас нет, мы виделись всего один раз, когда составляли договор о найме. Рада бы помочь, но не имею возможности. Катя только просила меня говорить тем, кто будет ее спрашивать, про Америку. Я с Фирсовой не общаюсь, всего-то сняла ее квартиру.

— Спасибо, — вздохнула я.

— Не за что, — нежно пропела девушка и отсоединилась.

Не успела я положить трубку в сумочку, как она стала вибрировать, со мной хотел поговорить Билли.

— Ну, поймала Николая Николаевича? — забыв поздороваться, спросил парень.

— Нет, — призналась я, решив ни одной живой душе не рассказывать о минутах, проведенных в закрытом багажнике. — Я поставила ему еду и воду, голодная смерть хомяку не грозит.

— Нашли дуру! — вдруг торжественно возвестил парень.

— Ты обо мне? — уточнила я.

— Нет, — не смутился Билли, — вычислили тетку, которая в меня на дороге вмазалась, фамилия ее Муравьева. Мне велено в среду переть в отдел для разбора. Вот, блин, крыса! Увижу ее, всю правду в лицо выскажу: сначала научись педали не путать, а уж потом за руль лезь. Купила права и катается! Мне Васька, друган-гаишник, посоветовал из больницы справку взять. Врач напишет, что я там находился, и пусть эта обезьяна мне травму оплачивает. Можно попытаться из нее бабки выбить, главное, на разбор в бинтах прийти. Ты умеешь делать повязки? Замотаешь мне башку?

— Попытаюсь, — согласилась я. — Ой, больница! Платная палата! Точно, где деньги, там и подпись на документах, адрес, паспортные данные. Билли, ты гений! Сейчас же помчусь в клинику!

— Это Васька придумал, — загудел Билли, — шикарная идея. Ты тоже возьми справку и, когда в ГАИ вызовут, ткни в нос ею тому, кто в аварии виноват. Нам с тобой был нанесен урон здоровью, мы временно потеряли трудоспособность.

— В принципе я не ощущаю ни малейшего дискомфорта...

— А вот об этом лучше молчи, — перебил меня Билли, — хочешь получить денежную компенсацию?

— Ну, в принципе не отказалась бы, — протянула я.

— Правильно, — одобрил парень, — и никто от бабла не откажется. Скажи, ты в аварии виновата?

— Нет. Начала движение на зеленый, выехала на перекресток и бабах! — красочно описала я ДТП.

Билли грозно откашлялся.

— У меня те же щи получились! Я качу спокойно и вдруг бумс! Идиотка Муравьева на своей развалюхе в мою тачку вламывается. А раз дура — то плати по полной. Ну, чмоки, я полетел по делам...

Я пожелала Билли удачи во всех начинаниях и испытала прилив энтузиазма — парень неожиданно подсказал мне план действий: надо ехать в больницу.

Если вы запутались и не знаете, как разобраться в ситуации, вернитесь к началу и повторите весь путь, тогда непременно найдете не замеченные ранее следы или боковые тропинки, выводящие из чащи на солнечную поляну. Иногда у меня бывает редкостное скудоумие: до сих пор не могла сообразить, что если человек лежал в вип-палате, надо всего лишь посмотреть финансовые документы. Из них станет ясно, кто он такой. Но как подобраться к этим данным?

На секунду я призадумалась, потом радостно улыбнулась. Знаю, что нужно предпринять, чтобы больничное начальство встретило госпожу Тараканову с барабанным боем. Сначала узнаем в справочной номер больницы, а затем...

«Операция» заняла меньше пяти минут. Я соединилась с клиникой и бойко отрапортовала:

— Здравствуйте! Вас беспокоят из «Медицинской газеты». Мы хотим сделать большой положительный материал о врачах и медсестрах. Можно сейчас подъехать?

Угадайте, что я услышала в ответ? Женщина по имени Лада Сергеевна Ермакова обещала ждать журналистку хоть до посинения.

Воодушевленная собственной находчивостью, я выбежала на улицу, влезла в автомобиль, хотела завести мотор и была остановлена вызовом мобильного. На сей раз меня разыскивала подруга Оля Теленкова.

— Лео чувствует себя прекрасно, — зачастила она, — я сменила ему корм на более дорогой, а еще купила ошейник со стразами, попонку и ботинки! Чудный мальчик! Никаких капризов или агрессии, невероятно послушный пусенька...

Олечка продолжала на разные лады нахваливать Лео, а я время от времени издавала мычание, Теленкова принимала этот звук за проявление живого интереса к ее рассказу и в подробностях описывала сладкую жизнь своего домашнего питомца. Тем, кто не знает ничего о Лео, скажу о нем пару слов. Некоторое время назад судьба занесла меня в Грецию[1]. С иноземщины я вернулась со странным животным, котопсом Лео. Одна половина его тела напоминала собаку, другая типичного Барсика. Характер у гибрида был нордический, Лео спал и ел, прогулка от дивана до кресла была для него подвигом. Животное спокойно коротало дни в моей квартире, потом мне вдруг пришло в голову начать ремонт. Тот, кто пытался снять квартиру и говорил хозяину: «Приеду вместе с котом», — великолепно меня поймет.

Услышав о наличии животного, владельцы однушек сразу восклицают:

— Нет!

Вообще, идеальный квартиросъемщик — это женщина средних лет, без мужа, без детей и кошек-собак-птичек. Желательно, чтобы она не сидела на стульях, не лежала на кровати, не пользовалась кухней и ванной, носила вместо тапочек мягкие войлочные сапожки, не звонила по телефону и пролетала на бреющем полете мимо любимого хозяйского ковра. Еще ей нужно осторожно обращаться с мебелью производства шестидесятых годов прошлого века и смотреть передачи по телевизору «Рубин», больше всего смахивающему на помесь гроба с аквариумом. Съемщице нельзя иметь много вещей, потому что трехстворчатый шкаф в спальне будет тщательно заперт, там хозяева хранят старые пальто, которые им в ближайшие пятьдесят лет не понадобятся. Естественно, вы не должны курить, пить, собирать шумные компании, заводить любовника и оставлять ночевать у себя подруг. Арендная плата будет невели-

---

[1] Читайте книгу Д. Донцовой «Муму с аквалангом», издательство «Эксмо».

ка, всего несколько сотен евро в месяц, а на дорогу от дома до работы придется потратить пару часов. Но есть и хорошая новость: дом, где удалось найти такую квартирку, находится в экологически чистом районе Москвы, съемщица ночью будет дышать свежим воздухом, а не смогом центра.

Просто удивительно, до чего глупы некоторые люди: снимают жилплощадь на Тверской или Садовом кольце, платят за квартиры такие суммы, что их страшно произнести вслух, и задыхаются от выхлопных газов. То ли дело такое вот гнездышко на окраине! Вечером выйдешь на крохотный балкончик, вдохнешь полной грудью, лепота! Правда, справа мусоросжигательный завод, а слева МКАД, но это не страшно, в любой бочке меда, как известно, есть ложка дегтя.

Я как ни старалась, не нашла квартиру, куда бы охотно впустили Лео, вот и пришлось мне временно отдать котопса Теленковой. Ольга с радостью приголубила «подкидыша», балует его деликатесами, покупает пофигисту обновки, регулярно отчитывается о его здоровье и нахваливает неконфликтный нрав гостя. Я не хочу разочаровывать Ольгу, поэтому ни разу не сказала ей:

— Лео спокойно разрешил натянуть на свои лапы ботинки, а на тело комбинезон? Ляля, ему по барабану одежда, котопес может спать в любых шмотках, хоть в скафандре водолаза. Он не интеллигентен, а патологически ленив.

Дорогу до клиники я преодолела под бодрое чириканье Теленковой, та успела рассказать о приобретении искусственных мышей, метелочках с колокольчиками, мячиках с пищалками, кисточках с люрексом и прочей дребедени, от которой обычные кошки приходят в восторг. Но Лео слишком умен, чтобы развлекаться подобным образом. Он даже не открыл глаза, когда Ляля пыталась с ним поиграть. А еще он сегодня отказался от паштета из кролика и...

— Извини, — прервала я Теленкову, пытаясь пристроить «ежика» между двумя помятыми «десятками», — мне пора.

— Ладно, — не обиделась Ольга, — вечером дорасскажу.

Лада Сергеевна Ермакова сидела в крохотном кабинете на первом этаже. Увидав «журналистку», она изобразила бурную радость и стала предлагать мне чай, кофе, воду, сок.

— До конца рабочего дня времени осталось не так уж и много, — погасила я пыл Ермаковой, — вам, наверное, не с руки задерживаться в офисе.

— Не хотелось бы, — откровенно призналась Лада Сергеевна.

— Мне тоже, — улыбнулась я. — Поэтому сразу приступим к делу. Я готовлю материал о коммерческих палатах. У вас такие есть?

— Конечно, — не удивилась Лада Сергеевна. — Это одноместные боксы с удобствами. Хотя мне было бы скучно лежать без соседки.

— Храпящая старушка под боком никого не обрадует, — хмыкнула я.

— Вы правы, — легко согласилась Ермакова.

Мы некоторое время говорили о преимуществах и недостатках платных медицинских услуг, и я решила затронуть главную тему встречи.

— Насколько я знаю, ваша больница переполнена, кое-кто часами лежит в коридоре приемного покоя, ожидая, пока на него обратит внимание врач.

Лада Сергеевна погрустнела.

— Тут ничего не сделать. Врачей не хватает, мест тоже. Мы и так в двухместных палатах ухитряемся четырех больных разместить. Не имеем права отказать ни одному человеку: бомжу, нищему, цыганке, наркоману, пьянице, жертве ДТП или инфарктнику. Постороннему трудно представить, какой здесь сумасшедший дом!

— Сочувствую, — иезуитски сладко протянула я. И начала сочинять: — Один мой знакомый в январе попал сюда после небольшой аварии. Сергей промаялся часов пять на передвижной кровати, а потом ушел, не дождавшись врача.

Ермакова смущенно кашлянула.

— Такое случается. Наверное, в приемном покое запарка была. С другой стороны, радуйтесь, что ваш приятель не оказался в таком состоянии, когда персонал должен остальных бросить и к нему спешить. Если медики к больному не торопились, значит, и не было у него ничего страшного, — оптимистично сказала Ермакова.

Я кивнула. Знакомая аргументация, те же слова произнес врач Александр Григорьевич, когда я пожаловалась ему на пофигизм местных эскулапов.

— Вы правы, но вряд ли медсестры обладают третьим глазом и способны без томографа или рентгена разглядеть внутренние повреждения, — не сдержалась я. — Если человек лежит тихо на каталке — это не значит, что с ним полный порядок. А вдруг пациент потерял сознание?

— Нас ругают за превышение лимита смертности, — пояснила Лада Сергеевна, — никому не хочется премии лишиться, врачи хоть разок, да поинтересуются состоянием больного.

Я подавила возмущение, напомнив себе, что пришла узнать сведения о пациенте из вип-палаты, а не для того, чтобы читать Ермаковой нотации на тему врачебной морали и этики, и задала следующий вопрос:

— Сергей мучился в коридоре, а в то же время палата номер сто один была пустой. Вам не кажется, что пострадавшего следовало положить туда?

Правый глаз Лады Сергеевны начал косить.

— Это помещение находится в личном ведении нашего главврача.

— А человек, жертва аварии, стонал на сквозняке в коридоре, — я сгустила краски. — Как это вяжется с милосердием?

Ермакова насупилась.

— Я здесь ни при чем! Романенко хозяин, у него и спрашивайте. Но только сто первая никогда не пустует.

— Сергей видел кровать без белья, — отчаянно лгала я, — и никаких вещей, чайников, продуктов на тумбочке.

— Вероятно, один больной выписался, а другой оформлялся, — воспряла духом Лада Сергеевна.

— Нет, — уперлась я.

— Зря спорите, — фыркнула Ермакова.

— Ладно, — временно отступила я, — давайте по-честному. Вы ведете учет платных больных?

Лада Сергеевна ткнула пальцем в компьютер.

— Конечно! Договор в трех экземплярах, квитанция об оплате и то же самое в электронном виде.

— Отлично, — кивнула я, — сейчас назову число, когда Сергей попал в клинику, вы откроете дату, и мы вместе посмотрим на состояние сто первой палаты. Если там был клиент, я похвалю в газете вашу клинику, если же коммерческая палата пустовала, поставлю в статье вопрос об этике ваших докторов, плюющих на бедного во всех смыслах пациента.

Глава 22

По лицу Ермаковой проскользнуло недовольство.

— Журналисты любят искать грязь там, где ее нет. Но я совершенно уверена: сто первая была занята, смотрите...

Забыв о том, что нарушает врачебную тайну, Лада Сергеевна схватила мышку и торжествующе возвестила:

— Вот! Карекин Геннадий Викторович.

Я почти въехала носом в монитор.

— Дайте-ка посмотреть повнимательнее... Ага, адрес и телефон. А что тут написано? Рогачева Людмила Павловна и тоже адрес с телефоном. Они что, вместе лежали?

— Конечно, нет, — успокоившись, ответила Ермакова, — Рогачева оплатила пребывание Карекина. А, теперь понятно!

— Что? — тут же заинтересовалась я.

— Людмила Павловна наш консультант, — не стала делать секрета собеседница, — она сюда по просьбе самого главврача приезжает. Наверное, попросила Романенко своего родственника или приятеля в сто первую положить. С нее пятьдесят процентов оплаты взяли, как с сотрудницы. Вообще-то, главный очень не любит, когда свои же коммерческие палаты клянчат, нам скидка положена, вот он и ищет повод для отказа. Но Людмилу Павловну Романенко уважает, они раньше вместе работали, рука руку моет. Впрочем, Карекин недолго лежал, ему фурункул под мышкой вскрывали. Ну, довольны? Надеюсь, не напишете гадость о больнице, сотрудники которой днем и ночью спасают жизнь людям? Вместо того чтобы несчастное городское заведение ругать, загляните в частный госпиталь. Говорите, вашего приятеля в коридоре устроили? Так его сюда хотя бы приняли, а подождал бы сутки и получил бы помощь в полном объеме. В платную же больницу без договора на порог не пустят, даже если кровью у них под дверью истекать будешь. Не в том месте ведьм ловите!

— О вас я напишу лишь самое хорошее, — успокоила я Ермакову, — ни одной капли черной краски!

— Надеюсь, — сердито буркнула Лада Сергеевна.

Горя от нетерпения, я чуть не бегом выскочила из кабинета, добралась до местного кафе, забилась в самый укромный угол, набрала номер Карекина и сразу же испытала разочарование, услышав:

— Данный номер не существует.

На всякий случай я сделала вторую попытку и добилась прежнего результата.

Геннадий Викторович мог уехать из Москвы, сменить мобильный, посчитать сотовый слишком дорогой забавой и вообще от него отказаться. Многие теперь используют компьютерную программу «Скайп» и не получают от телефонных компаний километровые счета. Ладно, попытаемся соединиться с Рогачевой. Похоже, она указала городской номер. Мне ответил бас:

— Институт психической коррекции детей и подростков.

От неожиданности я икнула.

— Простите, не ожидала, что попаду в НИИ, думала, что звоню на дом.

— Назовите фамилию сотрудника, и я вас с ним соединю, — предложил собеседник. — Если, конечно, он есть у нас в штате.

— Рогачева Людмила Павловна, — быстро сказала я.

В трубке повисла тишина, ни гудков, ни шорохов.

— Рогачева Людмила Павловна, — повторила я. — Можно с ней побеседовать?

— А вы кто? — вдруг поинтересовался мужчина.

— Коллега, — лихо соврала я, — из Екатеринбурга. Когда-то мы вместе учились, я приехала в Москву, решила встретиться. Хотя уже поздно, очевидно, Людочка ушла домой. Не подскажете ее мобильный?

— Поздно, — со странной интонацией произнес мужчина. — Вынужден вас расстроить: Людмила Павловна умерла.

От неожиданности я выронила трубку, та по счастливой случайности упала не на пол, а мне на колени. Схватив непострадавший мобильный, я спросила:

— Скончалась?

— Да.

— Заболела? — я попыталась уточнить причину смерти Людмилы Павловны.

— Увы, нет, — раздалось из мобильного, — погибла на даче, при пожаре.

— Давно? — спросила я.

— Точное число не назову, где-то в январе.

— Просто ужас, — прошептала я.

Собеседник издал протяжный вздох.

— Согласен, страшная смерть, мы здесь все долго пребывали в шоке.

— Может, дадите домашний номер Люды? — пришла я в себя. — Хочу родственникам соболезнование выразить.

Собеседник деликатно кашлянул.

— У Людмилы Павловны нет родных. Семью ей заменяли больные. Если кому и следует сочувствовать, то только им и сотрудникам лаборатории, которой заведовала Людмила.

— Подскажите адрес НИИ и часы работы, — попросила я.

Время медленно приближалось к восьми. Я села в «ежика», с большим трудом ввинтилась в поток машин, протащилась чуть больше километра и застыла в пробке. Мысли в голове носились как полоумные.

Рогачева сгорела на даче. В принципе это не редкое событие, хлипкие щитовые домики часто вспыхивают в мороз, когда их хозяева включают сразу несколько обогревателей... В огне погибли и сестры Васюковы, что тоже не очень настораживает, наверное, Мира бросила незатушенный окурок. Она дымила, как горящее торфяное болото, во время нашей беседы она ни на секунду не выпускала изо рта сигарету, едва одна цигарка догорала, как Мира закуривала следующую... А еще костер в своей спальне развела сумасшедшая жена Романа Хитрука, мать пропавшего мальчика Александра. И вновь нет повода для беспокойства, Инна Сергеевна страдала шизофренией... По отдельности эти пожары кажутся несчастными случаями, но если предположить, что Рогачева, Васюковы и Хитрук как-то связаны между собой, то складывается зловещая картина. Но что общего у вышеназванных людей? Не что, а кто: Артем Васюков. Он учился с Павлом Хитруком в одном классе, оба мальчика спешно покинули школу после ссоры в раздевалке спортзала.

Я хлопнула ладонью по рулю. Справка о том, что

Тема Васюков из-за гастрита нуждается в обучении на дому, была выдана в **НИИ** психической коррекции детей и подростков, том самом, где работала недавно погибшая Рогачева. Вероятно, Людмила Павловна знала Васюковых. Жаль, что я не помню фамилии врача, подмахнувшего документ, но дома, в компьютере, есть необходимые данные.

Я заерзала на сиденье. Ну когда же впереди появится свободное пространство? Очень хочу поскорее попасть к ноутбуку и удостовериться в правильности собственных рассуждений.

А ведь был еще один пожар, совсем давно старуха, жившая в бараке, открыла краны горелок, и дом взлетел в воздух, похоронив под обломками жильцов и среди них одну из сестер Васюковых. Вместе с ней погибла девочка Саша, хулиганка и безобразница.

О Теме в тех местах нет никаких упоминаний. Учительница Таисия Максимовна не помнила мальчика, занимавшегося заочно дома, зато гадкую Сашу описала в деталях. Так откуда взялся Артем? И почему обе сестры до недавнего времени были живы? Одна-то вроде скончалась под развалинами.

Толпа машин поредела, я нажала на педаль газа.

Не следует все усложнять, как правило, верна самая простая отгадка. Скажем, Римма Марковна, потеряв дочь, усыновила мальчика-школьника. На новую квартиру Васюкова прибыла уже с сыном, никому из соседей о пережитой трагедии она не рассказывала, и люди считали Тему ее родным ребенком. Мальчик тоже не хотел жалости от педагогов или жителей дома, поэтому набрал в рот воды. Каждый сирота мечтает о родной маме, Тема не был исключением. Вежливый, тихий отличник, талантли-

вый художник — вот кого получила Римма Марковна взамен отвязной хулиганки Саши.

И долгое время Васюковы были счастливы. Чтобы не возбудить в школе подозрений и не нести туда
справку из заведения, в котором обучался детдомо-
вец, мать обратилась в НИИ психической коррекции к своей близкой знакомой. Думаю, ею была Рогачева. Она по доброте душевной состряпала справку. Наверное, в младших классах, живя в детдоме,
Артем не отличался хорошей успеваемостью, Римме
Марковне пришлось нанять репетиторов, дабы зала-
тать дыры в знаниях мальчика. На то, чтобы он дог-
нал сверстников и полностью освоился с ролью домашнего ребенка, ушло несколько лет. В седьмом
классе Артем начал ходить в школу очно, сел за парту. У него возникли проблемы с одноклассниками,
но все потихоньку наладилось, пока не появился
Хитрук, который стал изводить Васюкова.

Очень интересная цепочка выстраивается: она
состоит из пожаров и смертей. И нет ответа на вопрос: почему сестер Васюковых было до недавнего
времени две? Одна-то из них давно погибла.

Резкий звонок мобильного заставил меня вздрогнуть.

— Гражданка Тараканова? — спросил хриплый
голос. — Капитан Борисов беспокоит. Завтра, в десять утра, прибудьте на разбор ДТП по адресу: Меркулова, пятнадцать.

— Вот здорово! — возмутилась я. — Предупреж-
даете вечером. А если у меня работа?

— Значит, не прибудете, — меланхолично ответил гаишник. — Только оно вам больше, чем мне,
надо, придется в суде договариваться с Колкиным
Ильей Михайловичем.

— Это кто? — удивилась я.

— Хозяин машины второй стороны ДТП. Лучше используйте свой шанс спокойно обсудить действия, приведшие к ДТП, достичь консенсуса без судьи, — прозвучало в ответ.

— Непременно приеду, — уныло сказала я, поняв, что завтра выспаться не удастся.

— Документики не забудьте, — заботливо напомнил капитан Борисов и отсоединился.

Не успела я бросить трубку на пассажирское сиденье, как она снова начала вибрировать, на этот раз моего внимания добивался Билли.

— Ты где?

— Около съезда на нашу улицу, — отрапортовала я.

— Возле поворота есть аптека, — сказал Билли, — будь другом, купи бинты, пластырь, кетчуп, зеленку, йод и ватные палочки.

— Кому-то плохо? — озабоченно спросила я.

— Нет, — сдавленно ответил Билли.

— Ну ладно, — согласилась я, — мне не трудно.

— Супер! Ты настоящий друг! — обрадовался парень.

Доброе слово и кошке приятно, люблю, когда меня хвалят. Поэтому я с энтузиазмом влетела в стеклянный павильончик и на одном дыхании выпалила:

— Нужны бинты, пластырь, кетчуп, зеленка и ватные палочки.

Девушка-провизор пошла к ящикам.

— Бинт какой ширины?

Я навалилась на прилавок.

— Нормальной.

— Каждому свое нормально, — не смягчилась фармацевт. — Пять сантиметров? Семь? Десять?

— На ваш вкус, — смиренно опустила я взгляд.

— Я бинтами не питаюсь, — последовало в ответ.

— Семь сантиметров, — рассердилась я.

— Стерилизованный или нет?

— Да, — кивнула я.

— Уточните, что «да»?

Я начала закипать.

— Для перевязки открытых ран.

— Российский, немецкий, французский, американский? — с интонацией робота продолжала допытываться вредная аптекарша.

Я решила доставить ей удовольствие.

— Какая между ними разница?

Голубая шапочка склонилась над ящиком.

— Немецкий стоит тысячу рублей, французский на сотню дешевле и имеет обработанный край, американский в одну цену с германским, зато у него вкус банана.

Я заморгала.

— Находятся люди, которым важен вкус бинта?

— Детям берут, — без каких-либо эмоций сообщил автомат по выдаче таблеток.

— Наверное, это для кляпа! — осенило меня. — Надоедает родителям бесконечную болтовню отпрысков слушать, вот они и хватаются за бинт. Очень гуманно, ребенку вкусно, папа с мамой наслаждаются тишиной, пока чадо бинт грызет. Давайте российский, полагаю, он дешевле.

Провизор положила на прилавок разорванный бумажный сверток.

— Десять рублей.

Я возмутилась.

— Упаковка нарушена.

— Десять рублей. Хотите немецкий?

— Нет, — сдалась я. — Теперь пластырь. Отечественный, в рулоне, ширина пять миллиметров, цвет серый, липкий с одной стороны, пахнет отвратительно, вкуса не имеет. Характеристика товара вас устраивает? Предполагаю, с йодом, зеленкой и ватными палочками проблем не будет.

— Уточните цвет ватных палочек, — нанесла сокрушительный удар фармацевт. — Есть три колера: белый, голубой и розовый.

— И дайте кетчуп, — перебила я.

— Его нет.

— Вот безобразие, почему? — пошла я в атаку.

— Потому что соусом торгуют в супермаркете, — не изменил своего тона робот, — а вы находитесь в аптеке.

— Действительно, — согласилась я. — Мне еще нужен препарат с кальцием. Вот только забыла, как он называется.

Провизор достала со стеллажа с лекарствами коробку.

— Вот пожалуйста, могу предложить новый препарат — Кальцемин.

— Точно! Вспомнила! Вот как раз о нем-то мне и говорили!

— Да, действительно очень хорошее средство. Кальций с витамином Д-три и минералами — все необходимые вещества для здоровых и крепких костей. И отлично усваивается даже людьми с хроническими заболеваниями органов пищеварения. Рекомендуется как лечебное и профилактическое средство. Вы инструкцию обязательно почитайте — подходит для всей семьи, детям можно давать после пяти лет.

Интересно, фармацевт живая или передо мной человекоподобный автомат? Девушка назубок знает весь ассортимент аптеки!

— Пробивать? — спросила провизор.

— Да, беру, — кивнула я и полезла за кошельком. — Ой, подождите, возьму две упаковки.

Фармацевт кивнула и открыла шкаф. Я начала изучать ассортимент за стеклянной витриной, нахваливая себя за сообразительность. Оля Теленкова пригрела моего котопса Лео, куплю и ей в знак благодарности.

Глава 23

Когда Билли открыл дверь, я протянула ему пакет и сообщила:

— В аптеке служит робот-сквоттер, в него заложена программа обслуживания покупателей. Удивительная девушка — спрашивает о цвете ватных палочек!

— Маленькая, курносая, на лбу челка? — уточнил парень.

Я села на табуретку, стоявшую у вешалки.

— Точно. Она местная знаменитость?

— Это Алиска, моя бывшая жена, — ответил Билли. — С тех пор как мы развелись, больше в аптеку я не заглядываю.

— Сколько ты с ней прожил? — посочувствовала я Билли.

— Десять дней, — скорчил он гримасу.

— Странно, что так долго продержался. А зачем тебе перевязочные средства с кетчупом? — не сдержала я любопытства.

Билли прислонился к двери ванной.

— Завтра меня позвали в отдел разбора ДТП.

— Меня тоже, — сказала я, — велено приехать с раннего утра.

Мы с Билли сравнили полученные адреса и поняли, что оба приглашены капитаном Борисовым. Мне это совпадение показалось странным, но Билли не нашел ничего удивительного в ситуации.

— Живем же в соседних домах, это как в одну школу попасть с ребятами из своего двора.

Я не стала уточнять, что снимаю квартиру, а на самом деле прописана по другому адресу, просто молча слушала.

— Надо вид жертвы принять, — излагал свой план парень. — Завтра заходи ко мне в восемь, и приведем себя в надлежащий вид. Пусть капитан Борисов полюбуется на наши боевые раны. И еще справочки из больницы ему на стол положим!

— У меня нет справки, — расстроилась я.

Вот ведь, была же сегодня в клинике, беседовала с Ермаковой, ну кто мешал мне вспомнить об аварии!

Билли приложил палец к губам.

— Тише, мыши, кот на крыше! Ваще-то, оказывается, ни тебя, ни меня в больнице не оформляли. Не успели нас законными больными сделать. Но моя красота совместно с умом и сообразительностью — это гремучая смесь, которая действует на баб безотказно. Читай!

Жестом фокусника Билли выудил из кармана серый бланк, украшенный яркой печатью. Я углубилась в текст: «Справка дана гражданке (далее следовал пропуск) в том, что она находилась в больнице в связи с травмами, полученными в результате ДТП, — перелом основания черепа, разрыв селезенки, вывих тазобедренного сустава, открытая скальпированная рана теменной части черепа, перелом двадцать пятого ребра и потеря 48-го и 64-го зубов».

— Тебе не кажется, что я слишком сильно пострадала? — обалдело спросила я, тщательно изучив документ. — И откуда у меня почти сто зубов и полсотни ребер?

Билли округлил глаза.

— Документ составила врач, у меня такая же бумага. Впиши в свою имя, отчество и фамилию точно по паспорту, там место оставлено.

— Но это обман, нас могут наказать, — испугалась я.

— Кто? — спросил парень.

— Не знаю, — призналась я. — Но, если честно, мы оба не похожи на калек.

Билли поманил меня пальцем.

— Пошли на кухню. Мой друган Васька, тот, что в ГАИ служит, четко объяснил: верят только бумаге, лично тебя к делу не пришьют, в папку справку положат. Вторая сторона тоже стопудово медицинское заключение принесет.

Я потрусила за парнем по коридору, пытаясь по дороге его вразумить:

— Любой человек пробежит глазами текст, посмотрит на нас и сообразит: перед ним стоят лиса Алиса и кот Базилио, отвязные обманщики и нахалы.

— Видел в детстве этот фильм, — оживился Билли, — кот Базилио в темных очках рассекал, под слепого косил. Ты молодец, точно усекла! Мы загримируемся.

— Так вот зачем нужны бинты... — осенило меня.

На следующее утро я явилась к Билли ровно в восемь, и он скомандовал:

— Садись на табуретку и молчи. Вчера на ночь я киношку посмотрел, там как раз жертву наезда показывали, ща мы картинку повторим. Ну-ка, разинь рот!

— Только не надо мне туда бинт запихивать, — испугалась я.

Билли заржал.

— Не, я хочу зубы убрать.

Я быстро отбежала к окну и прижалась спиной к подоконнику.

— С ума сошел?

«Гример» начал гоготать.

— Не бойся, — с трудом успокоившись, произнес он, — это всего лишь краска, зачерню два резца. Издали супер смотрится! Потом щеточку возьмешь — и снова Голливуд.

— Ну ладно, — с некоторой опаской согласилась я, глядя, как он отвинчивает крышку от пузырька. — Точно потом отмоется?

Билли снисходительно похлопал меня по плечу.

— Доверься мастеру. Разевай пасть и помолчи немного.

Примерно через четверть часа я посмотрела на себя в зеркало и обомлела. В Билли явно пропал художник-гример. При первом же взгляде на меня любому человеку становилось ясно: несчастная угодила в лапы к медведю-гризли, но ценой нечеловеческих усилий сумела вырваться от хищника, выбежала на шоссе, попала под танк, однако снова чудом спаслась, в конце концов добралась до железной дороги, и здесь по ней проехало несколько грузовых составов.

В порыве вдохновения Билли замотал мне голову бинтами, слегка вымазал повязки кетчупом, намалевал под правым глазом огромный фингал и закрасил шею зеленкой.

— Улыбнись, — велел он, наблюдая за моей реакцией.

Я послушно растянула губы, вместо передних резцов зияла черная дыра. Краска возымела удивительное действие! Испугавшись, я провела языком по внутренней стороне зубов, не ощутила пустоты и выдохнула:

— Офигеть!

— А то! — гордо возвестил Билли. — Фирма веников не вяжет. Ща себя «украшу», и двинем. Ты, когда в кабинет разбора войдешь, согнись пополам и за левый бок держись.

— Почему именно за левый? — уточнила я.

— Там селезенка, — с уверенностью отличника объявил парень, — справа печень и аппендикс. Смотри, не перепутай!

— Йес, босс, — кивнула я.

Минут через двадцать мы вошли в лифт и понеслись к первому этажу. Когда на табло над дверью появилась цифра «3», кабина притормозила и открыла двери, на площадке стоял полный мужчина с кейсом. Сначала он уронил портфель, потом взвизгнул.

— Заходите, — поторопил его Билли, — все поместимся.

— Большое спасибо, — дрожащим голосом ответил незнакомец, — я по лестнице пройдусь.

Билли ткнул пальцем в кнопку, лифт продолжил движение.

— Отлично смотримся, — удовлетворенно возвестил «гример».

— Похоже на то, — согласилась я.

Билли ездит намного быстрее меня, поэтому, очутившись на МКАД, он рванул вперед и очень скоро скрылся в потоке машин. Я потащилась в своем любимом третьем ряду, кожей ощущая сочувственные взгляды водителей. Хорошо хоть в голову Билли не пришла мысль наложить мне гипс от шеи до колен.

В здании ГАИ толпилось множество посетителей, и все они проявили сочувствие к женщине в окровавленных бинтах. Помня о наказе приятеля, я, старательно хромая, доползла до кабинета й спросила у деда с малышом на коленях:

— Вы в пятнадцатый?

— Нет, — испуганно ответил старичок, — просто сижу где потише. В отдел разбора пофамильно вызывают.

Я опустилась в жесткое кресло с продранной обивкой и улыбнулась крошке, который с некоторым испугом смотрел на меня.

— Тетя! — пролепетал ребенок и прижался к деду.

— Тетя, — повторил старичок.

— Бо-бо! — вытянул руку внук. — Ай-ай, бо-бо!

— Бо-бо, — покорно подтвердил пенсионер. Потом он с укоризной осмотрел меня и вдруг сказал: — Вот, Митенька, запомни тетю. Видишь, какая она страшная? Вырастешь, никогда не садись за руль пьяным или обкуренным, иначе будешь на тетю похож. Нажрутся и лезут управлять автомобилем...

На мгновение я лишилась дара речи, затем хотела достойно ответить деду, но тут из пластмассовой коробки, прикрепленной к наружной стороне двери, прокаркало:

— Тараканова, заходите.

Я схватилась за правый бок, согнулась и поспешила в кабинет.

Капитану Борисову на вид было лет пятнадцать, тощий, бледный, он походил на замученного учебой подростка и имел тоненький голосок второклассника.

— Присаживайтесь, — пропищал милиционер, — Тараканова Виола Леонидовна?

— Ленинидовна, — привычно поправила я.

Билли, устроившийся на стуле справа от стола, заелозил на сиденье. Потом сделал большие глаза и приложил руку к левому боку. Я поняла, что перепутала, где находится селезенка, и поменяла позу.

— Тараканова? — переспросил вдруг Билли. — Не, она Белла Ви. Сергей Михалыч, вы дела перепутали. Я вызван для разбора с Муравьевой.

— А мне велели приехать, чтобы договориться с Ильей Михайловичем Колкиным, — влезла я. — Капитан Борисов, вы там бумаги перемешали.

Сергей Михайлович открыл тумбу стола, вытащил бутылку минералки, сделал несколько жадных глотков, вытер рот и приказал:

— Всем внимание! Гражданка Тараканова следовала в нужном ей направлении, начав движение через перекресток в момент переключения сигнала светофора. Навстречу ей, в нужном ему направлении следовал гражданин Колкин, начав движение через перекресток в момент переключения сигнала светофора. Автомобили произвели столкновение, повлекшее за собой тяжкие телесные повреждения участников ДТП, без смертельного случая с их стороны, но с причинением ущерба здоровью, что подтверждается наличием в деле необходимых медицинских справок. Как поступим? Найдем консенсус? Сразу предупреждаю, начнете лаяться и драться, будет хуже. Терпеть не могу, когда в кабинете базар!

— Хотите сказать, что я столкнулась с ним? — указала я на Билли. — Но его фамилия Кузнецов.

— Верно, — согласился мент. — Но автомобиль принадлежит Колкину, который при опросе сообщил нашему сотруднику о продаже машины по доверенности, а поскольку владелец Колкин, то...

— Какого черта ты сказал, что пострадал от дуры Муравьевой? — закричала я, уставившись на Билли.

— Тараканова, Муравьева... — растерялся тот. — Ну, спутал. Я в насекомых плохо разбираюсь. Но ты же Белла Ви!

Делать нечего, пришлось признаваться:

— По паспорту я Тараканова.

— Супер, — приуныл Билли. — Получается, мы с тобой друг в друга вмазались?

— Похоже на то, — согласилась я. — Вот почему в больнице мы рядом очутились, нас «Скорая» с одного перекрестка привезла.

— Вы знакомы? — обрадовался Борисов. — Придете к согласию в отношении своих претензий друг к другу?

Я кивнула, Билли встал.

— Порядок, командир, без базара.

— День начался отлично! — потер ладони Борисов. — Сейчас в двенадцати местах распишитесь и гуляйте. Починитесь — больше не нарушайте правила проезда через перекресток.

Когда мы с Билли очутились в коридоре, малыш на коленях у старика оживился.

— Дядя, бо-бо, — начал он верещать. — Тетя, ай-ай, бо-бо!

— Верно, Митенька, — заскрипел пенсионер. — Какая тетя, такой и дядя. Муж и жена одна сатана, козел с жабой свадьбу не играют, приличный человек с наркоманом и алкоголиком не сойдется.

— Молчи, пока не огреб, — спокойно ответил Билли. — Еще раз про мою бабу гадость скажешь, вентилятором в окне работать станешь, языком воздух гонять будешь.

— Прости, сыночек, — заюлил дедок, — я Мите сказку излагаю, она никакого отношения к вам не имеет. Русский народный сказ про козла и жабу.

— Не помню такого, — решил устроить скандал Билли.

Я дернула его за рукав.

— Пошли, надо бинты снять и лицо умыть. Здесь должен быть туалет.

— В конце коридора, у лестницы, — услужливо подсказал старичок. — Но вы, ребятки, лучше туда не заглядывайте.

Я с тоской посмотрела на дедушку.

— Все так плохо?

— Чернобыль, — емко охарактеризовал состояние сортира дедок.

Мы с Билли, провожаемые жалостливыми взглядами посетителей ГАИ, выбрались во двор.

— Надеюсь, со страховой проблем не будет, — ожила я.

Парень вдруг расхохотался. И сквозь смех начал рассказывать:

— Мой приятель Ленька работает инструктором в крутом фитнесе, там годовая карточка двести тысяч стоит. Один раз приходит к нему клиент и ржет. Он с семьей ехал в тренажерный зал, сам на «Майбахе», за ним жена на «Майбахе», а последней дочь, у той машинка попроще, «Бентли» по спецзаказу, как раз для девочки, ну не на старперском же «Майбахе» ей кататься. Рулят себе, посвистывают, и тут через дорогу бродячая собака скок-поскок. Папа животных любит и по тормозам бьет, его «Майбах» замирает. В него вламывается мамин «Майбах», а тому в заднице впендюривается дочкин «Бентли». Папа из авто вылезает и бежит посмотреть, что с собачонкой, мама с дочкой от смеха по асфальту катаются. Результат: пес теперь живет у олигарха в золотой будке, у страховой компании коллапс, она чуть не обанкротилась, оплачивая ремонт, мама с дочкой в восторге. Говорят: «В последний раз так веселились, когда отец на Ривьере в аквапарке в трубе, по которой в воду спускаются, застрял». Это я к тому, что мы можем расслабиться, у нас машины не по миллиону баксов. Страховая промолчит.

— А почему они цугом ехали? Неужели нельзя всем вместе в одном «Майбахе» поместиться? — заинтересовалась я.

— Так ведь это ж не круто, — пояснил Билли. — Мы, кстати, тоже не простые, ща на разных тачках понесемся!

Я обозрела битую, древнюю иномарку парня, почти уже своего разномастного и разноцветного «ежика», большая часть деталей которого была произведена в середине шестидесятых годов прошлого века, и кивнула:

— Мы не хуже людей из списка «Форбса».

Билли сел за руль.

— Не, мы лучше! У форбсятников все позади, цели достигнуты, скукота. А у нас жизнь впереди, желаний море. Езжай за мной, я знаю хорошее кафе, умоемся и поедим.

В «хорошее кафе» нас не пустили. Едва мы с Билли вошли в пустой холл, как секьюрити, мирно дремавший у двери, вскочил и кинулся к нам с заявлением:

— У нас санитарный день!

— Типа мышей травите? — оскалился мой спутник.

Я испугалась, что Билли полезет на рожон, и тихо заблеяла:

— Тут плохо, противно пахнет, наверное, кофе помойный нальют.

— Твоя правда, — согласился Билли, — через три дома лучший ресторан стоит.

Но в «лучший ресторан» мы тоже не попали. На сей раз не прошли фейс-контроль у дородного красавца, облаченного в безукоризненно отглаженный костюм и белоснежную рубашку с шелковым галстуком.

— Прошу господ нас простить, — величаво заявил метрдотель, — но мы ждем гостей на свадьбу, залы выкуплены на торжество.

— Нам бы на пять минут в туалет, — заикнулась я и улыбнулась.

Мужик обмер.

— Право, не сочтите за обиду, но устроитель торжества заранее обговорил условие: никаких посторонних. Мы будем счастливы обслужить вас в другой день, но до конца года уже расписаны все мероприятия: юбилеи, презентации, поминки.

Билли молча пошел к выходу, а меня охватила злость.

— Поминки? — переспросила я. — И когда они намечены? Мне хотелось бы сюда через две недели забежать.

Мужчина закатил глаза:

— Увы, увы, как раз спустя четырнадцать дней здесь соберутся родные покойника, вам лучше приехать через год.

— А где вы храните труп? — мило улыбнулась

я. — В холодильнике на кухне? Две недели не малый срок. Или вы знаете точно, когда клиент умрет? Подрабатываете киллером?

Метрдотель замер, а я побежала за Билли. Ну почему о человеке судят по внешнему виду. Противные ресторанные работники узрели пару в окровавленных бинтах, с бланшами под глазами, шеями в пятнах зеленки и моментально решили: маргиналов следует вытурить. Но это ошибка, мы добропорядочные граждане! Просто загримированы под жертв ДТП.

Глава 24

Желание вытолкать «бомжей» вон не выразили только сотрудники забегаловки «Счастливый бургер». Я размотала в туалете бинты, смыла «синяк» и попыталась стереть зеленку с шеи. Последнее удавалось плохо.

— Вода не возьмет, надо духами, — деловито посоветовала стоявшая у зеркала высокая, сильно накрашенная блондинка в блузке, вызывающе обтягивающей пышный бюст.

— У меня их нет, — грустно ответила я, обозревая шею.

Блондинка выругалась сквозь зубы и выудила из своей безразмерной сумки пузырек с золотой пробкой.

— Ща тебя опрыскаю, а ты живо зеленку стирай.

Я оторвала кусок от бумажного полотенца и начала возить им по коже. Девушка схватила другой клочок.

— Дай сюда, чухня косорукая. Надо аккуратно! Во, гляди, супер!

— Спасибо, вы меня спасли, — поблагодарила я.

Красотка решила поучить недотепу уму-разуму:

— Женщина должна быть предусмотрительной, иметь в сумочке косметику, парфюм, всякие мелочи.

Дверь туалета приоткрылась, показался парень в джинсах, он заорал:

— Эй, Серж, хорош трендеть! Навел марафет? Ступай на точку.

— Не хами, — с достоинством ответила девушка, — губы докрашу и приду. У меня обед, хоть я и б..., но кушать хочется.

— ... — бросил сутенер и ушел.

Я уронила сумочку в раковину.

— Ты парень?

— Сколько раз говорила мерзавцу, не лезь за мной в тубзик, так нет, обязательно припрется, — сердито пропела особа непонятного пола. — Я женщина в мужском теле. И зовут меня не Серж, а Серджина. Почувствуй разницу! Ну, как я тебе?

Блондинка одернула кофту и стала сосредоточенно красить губы.

— Фантастика, — честно сказала я, — стопроцентная Мисс Мира.

— Спасибо, — сверкнула глазами Серджина.

— Ты делала операцию по смене пола? — не сдержала я любопытства.

— Нет, лапушка, пока на нее не накопила, — ответил цветок дороги.

Но я никак не могла успокоиться.

— А как же ты добилась полнейшей трансформации внешности?

— Гормоны... — многозначительно протянула Серджина, — маленькие такие таблеточки. Выпьешь одни — грудь растет, волосы везде, кроме головы, выпадают, голос меняется. Сожрешь другие — усы появятся, мышцы буграми, басом заговоришь, никаких чудес, сплошная фармакология.

Дверь в туалет снова распахнулась, на этот раз в проеме замаячил Билли.

— Ошибся, котик, — промурлыкала Серджина, — тут только девочки.

— Вижу, сплошные принцессы, — ухмыльнулся парень.

— Я тебе понравилась? — начала охоту Серджина.

— Сражен в самое сердце, — галантно ответил Билли. — Но хочу свою бабу забрать. Белла, ты не утонула? Пошли, жду!

— Твой лучше моего, — вздохнула Серджина, провожая его взглядом. — Такой милый, ласковое слово сказал, без грубости, прямо завидки берут. От моего Андрюхи только мать-перемать дождешься. Ну, лапонька, чмоки тебе, я побежала.

— Желаю удачи, — помахала я Серджине рукой.

— А тебе денежек побольше, — не остался в долгу трансвестит. — Улыбайся раз в году и от клиентов не отобьешься.

Не поняв, почему Серджина посоветовала мне не улыбаться, я покинула туалет, выпила вместе с Билли кофе, попрощалась с ним и не торопясь вышла на улицу.

В Москве редко бывает хорошая погода. Либо с неба шпарит солнце, превращая жителей в посетителей сауны, либо мороз зашкаливает за сорок, либо перед вами стена мелкого дождя, растекающегося под ногами грязными лужами. Двадцать два градуса тепла, отсутствие ветра и осадков, солнышко не жарит, а нежно ласкает лучами, все вокруг цветет — такие дни можно пересчитать по пальцам. Не зря жители столицы придумали анекдот. «Как ты провел лето? Увы, эти сутки я проторчал в офисе». Но сегодня на улице потрясающе хорошо, улыбаются даже дворовые кошки, сидящие на задворках «Счастливого бургера».

Я помедитировала пять минут, потом, переполненная эндорфинами, села за руль. Мысли вернулись к привычной теме — моему расследованию.

Единственной ниточкой к исчезнувшему Теме была погибшая во время пожара на даче Людмила Павловна Рогачева, попросившая главврача клиники поместить некоего Карекина в вип-палату и внесшая за него плату. Но теперь я почти уверена, что Геннадий Викторович — это Артем, о кончине которого мне с трагичным выражением лица соврала Мира. Вот Римма Марковна произвела на меня впечатление искренней женщины. Она считала сына живым и очень волновалась за его судьбу.

И с какого боку подступиться к поискам Артема? Жив ли он? Парень пропал достаточно давно. Почему его выкрали из клиники? Версию о выкупе можно смело вычеркнуть, в семье Васюковых больших денег не водилось.

Я медленно выехала с парковки на шоссе, повернула влево, увидела у тротуара машину ДПС, быстро притормозила и ощутила легкий толчок сзади.

Зеркальце продемонстрировало машину, которая въехала в «ежика». Я выскочила на дорогу и закричала:

— А вот теперь точно ты в меня тюкнулся!

— Ловко у нас получается, — ответил Билли, открывая дверцу.

— Проблемы, ребята? — крикнул гаишник, подойдя к месту незначительного происшествия.

— Все отлично, — заверил Билли. — Ты как?

— Роскошно! — воскликнула я. — Чувствую себя мамой на «Майбахе». Нет, лучше дочкой на «Бентли».

— Главное, не встретить на дороге собаку, — деловито заметил Билли, быстро дал задний ход и испарился.

— Что он тут нес про пса? — прищурился милиционер.

— Мой мужик шутил, — во весь рот улыбнулась я. — У нас игра такая, друг друга машинами пинать.

— Ну-ну... — с легкой угрозой сказал патрульный. — Приколисты, значит? На спор катаетесь? Кто быстрее, нарушая правила, с Воробьевых гор до Капотни доскачет? Встречал я таких Шумахеров. И смайл у тебя прикольный, все в тему.

Я не поняла одно слово.

— Смайл? Можете уточнить, о чем речь?

— Опять прикалываешься? Ну-ну, — сердито буркнул сержант. — Документы попрошу!

— Миленький, — засюсюкала я, — давайте я исчезну без следа, пропаду, как будто меня и не было.

— Если милиция обратила на тебя внимание, то след завсегда останется, — торжественно объявил гаишник. — Когда протокол составим, не спрячешься.

Я подпрыгнула от неожиданной мысли.

— Точно! Надо поискать дело Александра Хитрука. Спасибо!

— За что? — удивился парень.

— Он тоже пропал, как Тема! И еще эти пожары... — затараторила я. — Если соображу, почему все так внезапно поумирали...

— Уезжай, — приказал владелец волшебной полосатой палочки.

— Сколько? — обрадовалась я и, сверкая улыбкой, впилась взором в стража дороги.

— Сам тебе заплатить готов, лишь бы отвалила, — отмахнулся милиционер.

Я замерла. Ну и ну! Первый раз встречаю представителя власти, который готов расстегнуть собственный кошелек.

Сзади раздался нетерпеливый гудок, мне пришлось сесть за руль. Отъехав пару кварталов и пристроив «ежик» во дворе дома, я вынула телефон. В списке контактов у меня есть волшебный номер, сейчас наберу его, и человек, к которому я обращусь с просьбой, выполнит ее в мгновение ока. Вот только тревожить джинна крайне не хочется. Но альтернативы нет, без него мне к нужным бумагам не подобраться.

Повздыхав на разные лады, я приложила трубку к уху.

— Наварро, — ответил звонкий девичий голос.

— Простите, ошиблась, — извинилась я.

— Пустяки, — спокойно отреагировала тезка главного героя сериала «Комиссар Наварро».

Я повторила попытку и вновь услышала:

— Наварро!

— Опять к вам попала. Наверное, на станции случился глюк.

— Не переживайте, с третьего раза непременно повезет, — без малейшего налета раздражения заявил голос из мобильного.

Решив последовать дельному совету я, контролируя каждое движение пальцев, набрала все цифры правильно.

— Наварро.

— С ума сойти! — вырвалось у меня.

— Какой номер набираете? — спросила девушка. И, услышав мой ответ, протянула: — Совершенно верно, это он и есть.

Настал мой черед изумляться:

— Простите, но это телефон Олега Куприна.

— Точно. Он оставил сотовый на столе, велел мне отвечать.

— Вы служите в его отделе? А где Олег?

— Уехал, — коротко сообщила Наварро.

Я стала сыпать вопросами:

— Куда? Надолго? Как с ним связаться?

— Вы кто? — бдительно осведомилась собеседница.

— Его жена, — на автомате вылетело у меня изо рта.

— Жена? — с выражением крайнего изумления повторила Наварро.

— То есть вдова, — уточнила я. — Ой, простите, как называется супруга, которая больше не живет с мужем?

— Арина Виолова? — воскликнула Наварро.

— Да, — подтвердила я.

— Меня зовут Аня. Анна Наварро. Я служу у Олега Куприна всего полгода и столько о вас слышала.

— Представляю, — вздохнула я.

— Мечтала с вами познакомиться, — трещала девушка.

— Спасибо.

— Хочу стать писательницей, — не останавливалась Аня.

— Отличная идея, — сквозь зубы процедила я. — Так все-таки, где Олег?

— В Мордовии, опрашивает одного из зэков на

тамошней зоне, — отрапортовала Анна. — Вернется через пять дней, улетел час назад.

— Повезло мне, — щелкнула я языком.

— Могу вам помочь? Не стесняйтесь, — сказала Наварро, — Олег постоянно повторяет, что ближе Вилки у него никого нет.

Я заколебалась.

— Это не совсем законная просьба.

— Обожаю нарушать правила! — взвизгнула Аня.

— Мне нужно просмотреть дело из архива.

— Фамилия, имя, отчество, год рождения, — зачастила Наварро.

— Александр Романович Хитрук. Ему было около десяти лет, когда он пропал. Бумаги нужны срочно, сегодня, чем быстрее, тем лучше. Записывайте адрес Хитрука...

— Сейчас вам перезвоню, — по-пионерски ответила Аня. — Олег не простит, если я не помогу великой писательнице.

Я отложила трубку и глянула в зеркало. Великая писательница?! Похоже, Наварро произнесла это на полном серьезе. Неужели Куприн изменил отношение к моим романам? Помнится, раньше он называл их историями про Серого волка в Красной шапочке. От полноты чувств я улыбнулась во весь рот и вскрикнула, зеркало отразило тетку без передних зубов, я до тошноты походила на молодую Бабу Ягу в расцвете сил и красоты.

Меня охватил ужас. Доигралась, Вилка! Нельзя посещать зубного врача раз в три года. К стоматологу нужно ходить регулярно, через каждые шесть месяцев. Трясущимися руками я хотела пощупать «пеньки», наткнулась на совершенно целые зубы и вспомнила про черную краску, которую Билли нанес мне сегодня утром. Так вот почему Серджина советовала мне поменьше улыбаться! Конечно, с таким оскалом всех клиентов распугаешь. И вот по какой причине гаишник не пожелал продолжить беседу с водительницей. Я пошарила в кармашке на дверце, обнаружила влажные салфетки, вытащила одну и начала стирать черноту. Процесс занял около получаса, в конце концов зубы приобрели серый оттенок, издали казалось, что я слопала таз черники. А мой язык стал темно-синим, как у собаки чау-чау, но это намного лучше, чем зубы, похожие на сломанный забор.

Не успела я вернуть себе относительно приличный вид, как позвонила Аня и доложила:

— Улица Варгина, дом восемь, комната пятнадцать, Шумаков Юрий Павлович, он ждет вас с документами.

— Невероятно! — поразилась я. — Вы волшебница!

— Я только учусь, — скромно ответила Наварро. — Очень хочу с вами подружиться. Может, вместе кофе попьем?

— С радостью, — согласилась я, хотя и не испытывала озвученного чувства.

Не люблю встречаться с незнакомыми людьми для пустой болтовни. О чем нам беседовать с Наварро? Если она хочет выудить из меня информацию о Куприне, то затея заранее обречена на провал, я не стану сплетничать о бывшем супруге. Но нельзя же отказать женщине, которая, забросив все дела и наплевав на строгие должностные инструкции, добыла для меня бумаги, не предназначенные для чтения посторонними.

— Я вам понравлюсь, — пообещала Аня. — Давайте шашлычок забацаем!

— Замечательно, — фальшиво весело отозвалась я, — но придется созвониться и договориться о дате.

— Сейчас пришлю эсэмэску, ты получишь мой номер, — лихо перешла на «ты» Аня. — Если еще что понадобится, звони в любое время.

Шумаков встретил меня, как английскую королеву, в его обшарпанном кабинете был накрыт стол. Я, бывшая жена мента, великолепно знаю размер оклада майора и хорошо осведомлена о порядках в отделе Олега. Куприн, выходя из кабинета, всегда запирает в сейф не только документы, но и банку с растворимым кофе. Если оставить ее на столе, мигом набегут коллеги и угостятся от души. Зарплата следователя «с земли» не позволяет угощать всех желающих, как правило, бедному парню в конце месяца самому не хватает средств на сахар и сушки.

Но Юрий проявил редкостное хлебосольство.

— Кофейку? — захлопотал он. — Чайку? Лимон? Рафинад? Берите булочки, конфеты, все свежее.

Мне стало неловко. Ведь знала куда еду, надо было купить красивую бутылку. Шумаков будто подслушал мои мысли.

— Я не пью, — объявил он, — поджелудочная барахлит.

— Надеюсь, ничего серьезного, — подхватила я светскую беседу.

— Все ерунда, пока не помер, — оптимистично завершил вступительную часть Юрий. — Чем вас заинтересовал Александр Хитрук?

Я взяла стакан с чаем и попыталась максимально подробно ввести Шумакова в курс дела. Следователи, как правило, великолепные слушатели, Юрий не был исключением.

— Значит, и младший мальчик у них умер, — протянул он.

— Стал жертвой сумасшедшей матери, — подтвердила я.

— Надо же, какая любовь, — хмыкнул Шумаков. — Муж простил жене убийство, спрятал ее в частную лечебницу. Наверное, много денег надо потратить, чтобы проделать подобный фокус.

— Хитрук обеспеченный человек, бизнесмен, — объяснила я.

— Вы с ним встречались? — поинтересовался Юра.

— Нет, — призналась я, — пока не успела.

Шумаков отхлебнул кофе.

— На меня этот папочка произвел неприятное впечатление. Сейчас расскажу, как дело обстояло.

Глава 25

Заявление о пропаже Александра принес отец. На вопрос, когда хватились мальчика, Хитрук ответил не сразу, а только после того, как Юра потребовал:

— Говорите, пожалуйста.

— Вечером, в начале восьмого, — выдавил из себя папаша. — Я младшего с продленки привел и увидел, что Саши нет.

— А заявление об исчезновении сына подали только через неделю! — поразился Шумаков.

Роман опустил голову.

— Я думал, он объявится, загулял и вернется.

— И часто ваш сын на ночь из дома удирал? — спросил Юрий.

— Ну... не помню, — промямлил Хитрук.

— Раз? Три? Десять? — навалился на папашу следователь.

— Не считал, — мрачно ответил Хитрук. — Он ерепенистый. Чуть против шерсти погладишь, ощетинится и вон убегает. Один раз летом с поезда сняли, Саша тогда на три недели испарился. Хорошо, что каникулы были, в школе не узнали!

Шумаков слегка расслабился. Есть дети авантюристы по натуре, их гонит вон из дома не нужда и не жестокость родителей, а жажда приключений. Если Александр принадлежит к такой породе, тогда понятно странное спокойствие отца.

— Вам следовало показать сына врачу, — посочувствовал Юрий.

— Нет таблеток, чтобы его вылечить, — со странным выражением лица заявил старший Хитрук.

Шумаков, успевший успокоиться насчет судьбы исчезнувшего ребенка, постучал карандашом по столу.

— Неужели вам никто не советовал отвести мальчика к психологу? Впереди подростковый возраст, можете окончательно потерять ребенка.

— Я никому не рассказывал о его побегах, — помолчав, признался Роман, — сообщал классной руководительнице: Александр болен — и ждал, когда он назад вернется.

— Погодите-ка! — воскликнул Юра. — Вы упоминали о трехнедельной отлучке парня. Что, вы и тогда не подняли шума?

— Ну... нет... — без особого энтузиазма признал Хитрук.

— Почему же сейчас встревожились?

— Александр домой все не возвращается, — прозвучало в ответ.

— Вас не взволновало трехнедельное отсутствие сына, а в данном случае прошло всего семь дней, — насел на отца Юра.

— Думаю, на него педофил напал, — вдруг выдал Хитрук.

Шумаков быстро спросил:

— Откуда такое предположение?

Роман опустил глаза.

— За день до пропажи сына я нашел у него в сумке электронную игрушку. Забыл, как она называется, похожа на яйцо с экраном. На мониторе картинка, цыпленок, его нужно кормить, водить гулять, иначе он умрет.

— Тамагочи, — сообразил милиционер.

— Верно, — кивнул Роман. — Александр давно такую просил, но я ему ее не покупал. Сын троек нахватал, не за что подарки дарить. А тут в ранец к нему полез и вижу, лежит. Ну и устроил паршивцу допрос с пристрастием. Саша заплакал и сказал: «Мне игрушку дядя дал. Мы с ним в магазине познакомились, я зашел на тамагочи посмотреть, а мужчина у прилавка стоял. Он хороший, я видел его там раньше, он в гости меня приглашал, сказал, что у него дома много игрушек».

Роман замолчал, Юрию захотелось стукнуть папашу. С огромным трудом сдержав эмоции, следователь сказал:

— Резюмируя услышанное, подвожу итог. Александр раньше постоянно убегал из дома, поэтому ни отец, ни мать не заволновались, когда сын в очередной раз не вернулся.

— Все правильно, — согласился Хитрук. — Учительница сказала, что он двойку по контрольной огреб. Саша понял: ремня получит, вот и смылся.

— Но, поразмыслив, вы сегодня пришли с заявлением, потому что вспомнили про мужчину, который пытался завести дружбу с мальчиком, подарив ему тамагочи?

— Да, — кивнул Хитрук. — Вдруг в голову вступило: тот мужик педофил. Разве станет нормальный человек чужому ребенку дорогие игрушки покупать?

— Почему же вам не «вступило в голову» обратиться в милицию, когда вы впервые узнали про тамагочи? — обозлился Юра.

— Ну... — протянул Роман, — э... ну... вы не поймете!

— Говорите, — приказал Шумаков.

— Саша подворовывает в магазинах, — нехотя признался отец. — Тырит по мелочи, конфеты, жвачку, чипсы. Сколько раз я его лупил — эффекта ноль. Я решил, что он тамагочи спер, а про мужика придумал. Зачем, подумал я, в милицию идти, сам разберусь. А уж когда парень снова исчез, я все вместе и сложил.

Шумаков отпустил Хитрука и стал опрашивать учителей. Никто из педагогов не сказал о парнишке плохого слова. Учился Саша не очень успешно, плавал с тройки на четверку, бывали у него и двойки. Был самостоятельным, часто болел, но всегда потом приносил справку от врача. В той же школе учился младший Сашин брат Павел. У мальчиков не было теплых отношений, на переменах они не общались. Паша оставался на продленке, а Саша уходил после занятий домой. Мать мальчиков в школе не видели, отец исправно приходил на родительские собрания, без спора сдавал деньги на классные расходы. Саша был ребенок неконфликтный, но охотно ябедничал учителям. Павел отличался драчливостью, орудовал кулаками, и одноклассники старались держаться от него подальше.

— Думаю, у них в семье не все ладно, — сказала классная руководительница Павла, — в доме имеет место насилие. Либо старший брат занимается «дедовщиной», либо отец распускает руки. Вероятно, Хитрук бьет жену. Для Павла отстаивать свои интересы при помощи силы естественно, у него перед глазами пример такого поведения.

Но поскольку исчез не Паша, а Саша, слова учительницы пропустили мимо ушей. Шумаков выяснил, что четвероклассник, выйдя из школы, шел домой мимо большого торгового центра. Редкий ребенок удержится от соблазна зайти в магазин игрушек. Юра показал фото пропавшего мальчика продавцам, и те узнали постоянного посетителя. Оказалось, Александр забегал в царство машинок почти каждый день. Ни разу он не был замечен в воровстве, всегда оставлял рюкзак в специальной подставке у входа и только потом шел в торговый зал.

В день исчезновения Александр тоже забрел в отдел игрушек, на него привычно не обратили внимания. Потом кассирша заметила двух девочек, одна выглядела лет на восемь, другой, похоже, было четырнадцать-пятнадцать. Они шушукались у входа, потом старшая ушла, а младшая вошла в отдел, выхватила из камеры хранения оранжево-зеленый рюкзак и вдруг крикнула:

— Эй, урод! Ку-ку!

Из-за стеллажей вынырнул Александр. Девочка бросила ему:

— Слабо меня догнать? — и выскочила из магазина. Мальчик ринулся за ней.

Кассирша не обратила ни малейшего внимания на это происшествие, на то они и дети, чтобы баловаться. Сашу она как постоянного посетителя знала, а школьницу видела впервые.

— Девочки как девочки, — растерянно повторяла она. — Внешность ее не помню, одежду тоже. Единственное, что я видела: младшая девочка швырнула на пол обертку от конфеты. Я хотела возмутиться, но нахалка уже удрала.

Юрий посмотрел на меня.

— И как вам эта история?

— Таинственного мужчину-педофила искали? — задала я вопрос.

— Пытались, но зашли в тупик, — вздохнул следователь. — Словесного описания не было, на камерах видеонаблюдения ничего подозрительного не обнаружили. Мы нашли на пленках Сашу, в день пропажи он действительно бродил по магазину игрушек. Съемка зафиксировала его около стеллажей со сборными моделями, Александр долго рассматривал коробки. Никаких попыток украсть что-либо он не делал, просто любовался на «Лего». Затем видно, как мальчик пулей вылетает вон. Мы отыскали и другие записи с Сашей. Хитрук, выскочив из торгового центра, свернул налево. Дальше по улице расположены два дорогих ювелирных магазина, оба оснащены охранной видеоаппаратурой. Мимо первого салона Саша пронесся, а до второго не добежал. Он исчез именно на этом отрезке дороги.

— А девочка? — осенило меня. — Она ведь тоже должна была попасть в зону видимости.

— Я подумал о том же, — кивнул Шумаков, — и нашел хулиганку на пленке. Она вошла в торговую точку через некоторое время после Саши. На вид ей было лет девять. Худая, маленькая, на голове бейсболка, козырек не позволил разглядеть лицо. Наши техники как ни бились, ничего сделать не смогли. Школьница схватила рюкзак и унеслась. Слова кассирши полностью подтвердились: было видно, как безобразница кидает на пол конфетную обертку. Девчонка, выбежав из центра, тоже свернула налево и проскочила мимо первого ювелирного магазина, кинула прямо возле входа очередной фантик, а потом исчезла. На камере, прикрепленной у следующего ювелирного бутика, ее нет.

— И что вы предположили? — вцепилась я в Юрия.

Шумаков достал из папки лист бумаги и вдруг перешел на приятельский тон:

— Смотри. Это план улицы. Вот универмаг, вот первый ювелирный, потом будка с мороженым и второй магазин. Здесь же остановки троллейбуса, автобуса, подземный переход. Каковы варианты?

— Их много, — пригорюнилась я, — можно вскочить в любой транспорт, перебежать на другую сторону проспекта.

— Верно, — согласился Юрий. — Мы опросили всех: водителей, которые в то время подъезжали к остановке «Торговый центр», лоточников из перехода, — показывали им фото Саши, и никто его не опознал.

— А девочку с рюкзаком? — тормошила я Юру.

Шумаков передвинул стопку документов.

— Та тоже как в воду канула.

Я решила перейти со следователем на «ты».

— Признайся, тебя что-то насторожило.

— На уровне нюха, — усмехнулся Юра, — но это к делу не пришьешь. Мне все время казалось: Роман что-то не договаривает, юлит, хитрит. Вроде логично объясняет свое поведение, но не нравился мне этот папаша, и все! И он никак нас не торопил, не грозил пожаловаться на нерасторопных ментов ни начальству, ни в прокуратуру. Странно это.

— Его алиби проверили? — не успокаивалась я.

— Он чист как слеза младенца! Утром, как всегда, приехал на работу. Ни разу не вышел из офиса, до трех часов Хитрук постоянно был на людях, можно по минутам расписать его передвижение. К тому же компания, главой которой он стал впоследствии, наблюдала за сотрудниками, в каждой комнате спрятаны камеры, они были установлены везде, кроме кабинета Хитрука и тогдашнего президента фирмы. До пятнадцати Роман ходил по отделам, потом осел за письменным столом.

— Ха! — подпрыгнула я. — Саша пропал во второй половине дня. Папочка сидел в комнате, где отсутствовало «государево око». Алиби-то у него нет!

— Дослушай до конца, торопыга, — укорил меня Юра. — Ровно в три у Хитрука началось совещание, он сидел на глазах у десяти человек, даже в туалет не выходил. Уехал в шесть, направился в школу за младшим сыном.

— Странно, что обеспеченный человек не завел ни няню, ни домработницу, — пробормотала я. — Почему Роман сам ходил за сыном?

— Еще по кофейку? — Шумаков включил чайник. — У каждой пташки любимые замашки. Одним словом, у Романа было железобетонное алиби, пришлось вычеркнуть его из списка подозреваемых.

— Он мог нанять исполнителя, — сказала я.

— Во! — поднял указательный палец Юра. — Снимаю шляпу! Знаешь, когда я о наемнике подумал? Рассказываю папочке о девочке с рюкзаком и ее старшей подружке, а у него в глазах ужас появился. А когда я сообщил, что не сумели установить личность школьниц — ни одной, ни другой, так он чуть «ура» не закричал, такой вздох издал, словно мы ему Сашу живым и здоровым вернули.

— Немного странно, — согласилась я. — А что мать?

— С ней и младшим сыном нам поговорить не удалось. Инна Сергеевна угодила в больницу с сердечным приступом, она лежала в реанимации. А к Павлу отец нас не подпустил, дескать, разговор травмирует мальчика, ему едва исполнилось девять, он очень любит брата, не трогайте малыша. Справку от врача приволок, там масса слов о стрессе, который Паша перенес. И что я мог поделать? Мать еле дышит, младший брат в истерике...

У меня появились фантастические предположения.

— И где обследовали Павла?

— Здесь справка есть, — загудел Юра, — из НИИ психической коррекции детей и подростков.

— Фамилию врача, подписавшего документ, можешь назвать? — мгновенно спросила я.

— Кандидат наук Рогачева Людмила Павловна, — раздалось в ответ.

Я оторопела, но Шумаков, отвернувшись к чайнику, не заметил моей реакции и повел повествование дальше:

— Ну, предположим, я придираюсь. Роман никого не прятал, ничьих показаний не боялся. Инна на самом деле слегла, узнав о пропаже старшего сына, а Павел тяжело переживал происшествие с братом. Но мороженщица! Жаль, я не успел ее добавить.

Я справилась с шоком, который испытала, услышав фамилию Рогачевой.

— Кто?

Юрий снова ткнул пальцем в план.

— Между ювелирками стоял ларек с мороженым, забыла? Там сидела девушка, Татьяна Владиславовна Лапина. Ей тоже показали фото Саши и спросили про девочку с рюкзаком и ее подругу. Лапина моментально заявила: «Никогда не видела этих детей. Ни разу». Слишком уверенно ответила, что мне не понравилось. Через некоторое время я решил повторно поговорить с Татьяной, приехал к ее ларьку. Ба! А там сидит старуха. На вопрос о Лапиной бабка ответила: «Она квартиру получила, наследство ей досталось, съехала и работу бросила».

— Сплошные странности в этом деле, — отметила я.

Шумаков поставил передо мною чашку с дымящимся кофе.

— Ага. И самая главная будет сейчас. Я начал искать Лапину и обнаружил, что живет она не где-нибудь, а на проспекте Мира, в хорошем доме сталинской постройки, в двушке с окнами во двор. А ведь Татьяна не москвичка! Она приехала в столицу из провинции, поступала в институт, пролетела, как фанера над Парижем, сняла комнатенку в коммуналке и стала мороженым торговать. Никаких родичей, которые могли бы оставить ей столичную недвижимость, и в помине не было.

— И откуда «двушка»? — спросила я.

— Получена в подарок от Минкиной Тамары Николаевны, — чуть вздернув бровь, ответил Юра.

— Кто это такая? Пожалуйста, не тяни! — в нетерпении я застучала ногами по полу.

— Потомственная москвичка, бывшая учительница, в последние годы сильно болела, лежала по разным клиникам, лечилась от болезни Паркинсона.

— За какие заслуги Минкина отписала свою квартиру Лапиной? Они дружили? Что сказала Татьяна?

Юра откусил печенье.

— Понимаешь, в тот момент я попал в передрягу по другому делу. Схлопотал пулю в живот и очутился в госпитале. Последнее, что успел узнать: Минкина была одинокой, за ней ухаживала племянница, и Тамара Николаевна обещала той за заботу свою квартиру.

— А отдала ее мороженщице? — взвилась я.

Шумаков расплылся в улыбке.

— Племяшку звали Инна Сергеевна Мотовилина. Ничего у тебя не щелкает?

— Мотовилина? — повторила я. — Нет.

— Инна Сергеевна, — продекламировал Юра. — Как зовут жену Романа Хитрука?

Я ахнула.

— Хочешь сказать, что она...

— Мотовилина в девичестве, Хитрук по мужу, — подтвердил следователь. — Да, и еще одна деталь. За пару часов до ранения я случайно выяснил — за Павлом в день исчезновения Саши отец не заходил. Младший мальчик уже год посещал музыкальную школу, сам шел около четырех на занятия.

Глава 26

— И ты оставил это дело! — закричала я. — Ежу ясно, что Лапиной заплатили за молчание, она знала, куда подевался Саша. А если учесть, что квартира на проспекте Мира принадлежала тетке Инны...

— ...которая уже практически ничего не соображала и без всяких вопросов подмахнула дарственную, подсунутую племянницей, то получаем ответ: Роман Хитрук замешан в пропаже собственного сына, — завершил Юрий за меня.

— Почему он? — усомнилась я.

— А кого еще могла спасать Инна? — нахмурился Шумаков.

— Себя, — пробормотала я. — Хотя мне говорили, что мать обожала Сашу, а отец души не чаял в Павле. Ну почему ты не завершил работу?

Юрий погладил себя по животу.

— После ранения меня положили в госпиталь, дело передали другому следователю, а тому два месяца до пенсии оставалось.

— Ясно, — вздохнула я. — Это не убийство депутата или медийного лица, не ограбление известного журналиста, не разборка между крупными бандами, не смерть криминального авторитета, а всего лишь пропавший мальчик, ученик четвертого класса. Ну кому он нужен? На таком материале карьеры не сделаешь, внимание прессы не привлечешь. К тому же заявитель, отец ребенка, не бегал по кабинетам с жалобами на следователя, который тихо ждет, пока папку с материалами можно будет сдать в архив. Родители не скандалили, результатов от следователя не требовали, вот тот и отправил дело на полку, а сам вышел на пенсию. Ты же, придя из госпиталя, занялся другой работой. Это только в кино следователь легко открывает старое дело и устанавливает через сто лет истину. В жизни такое редко случается. Документы в архив и до свидания!

— Грубо, но верно, — согласился Шумаков. —

Когда я вернулся на работу, про Александра Хитрука все забыли.

— Дай мне координаты счастливицы Лапиной, — потребовала я.

Проспект Мира застроен добротными домами, нужное мне здание стояло недалеко от станции метро. Я попыталась заехать во двор, но уткнулась капотом в решетчатые ворота. Жильцы не хотели, чтобы их двор превращался в парковку и место тусовки бомжей. Пришлось бросить «ежика» на тротуаре около булочной. Конечно, хорошо иметь пафосную новую иномарку, вас будут уважать на дороге, пропускать в нужный ряд. Но у всякой медали есть оборотная сторона. Дорогой внедорожник страшно оставить без пригляда, на него могут польстится угонщики или эвакуаторщики. А мимо «ежика» преступники пройдут, не обернувшись. Кому нужна сборная солянка из разноцветного металлолома.

Слава богу, пропусков для пешеходов местное домоуправление не придумало, я беспрепятственно проникла в п-образный двор и нашла нужный подъезд.

Лапина не отвечала на звонок домофона, я, радуясь замечательной погоде, села на скамеечку и стала наблюдать за входом в подъезд. Через час меня охватила скука, я сбегала к метро, купила книгу в мягком переплете, удостоверилась, что в квартире Лапиной никого нет, и погрузилась в чтение.

Около половины восьмого во двор въехала красная малолитражка, из нее вышли мужчина лет тридцати пяти, женщина чуть моложе его и маленькая девочка. Мать подхватила ребенка, муж взял сумки, семья двинулась в подъезд. Через пять минут темные окна на третьем этаже вспыхнули ярким светом. Я вскочила и подбежала к домофону.

— Кто? — спросил женский голос.

— Таня, — весело ответила я, — это Надя, соседка. Вы пакет у машины забыли.

— Блин... — донеслось из домофона. — Спасибо, уже бегу!

Я встала у двери. Моя выдумка сработала. Конечно, дом большой, в нем непременно найдется хоть одна соседка по имени Надя. Правда, Татьяна могла велеть мужу спуститься за сумкой, но мой расчет оправдался, Лапина сама поспешила вниз.

Железная дверь скрипнула, во дворе появилась молодая женщина и быстрым шагом двинулась к красной машине.

— Таня! — окликнула я бывшую мороженщицу. Лапина обернулась.

— Вы меня зовете?

— Угадали, я ищу Татьяну Владиславовну Лапину.

— Зачем? — ощетинилась та. — Секундочку! Значит, никаких покупок мы не забывали? Что за прикол? Сейчас Витю позову.

— Лучше не надо, — предостерегла я.

— Для кого лучше? — агрессивно осведомилась Лапина.

— Вам привет от Тамары Николаевны, — продолжила я.

— Чего? — не поняла Татьяна.

— Неужели вы ее забыли?

— Кого? — изумилась Лапина.

— Свою благодетельницу, Минкину, — напомнила я.

— Минкину? — искренне удивилась Лапина. — Я с такой не знакома.

— Ну и ну, — укорила я, — Тамара Николаевна вам квартиру отписала, благодаря Минкиной вы из съемной комнаты в шикарную «двушку» перебрались.

Я ни разу не видела, чтобы у человека настолько разительно менялось лицо. Татьяна осела на капот своей машины.

— Вы кто?

— Надо должок отдать, — загадочно сказала я.

— Кому? — одними губами спросила Лапина.

Я пошла ва-банк:

— Тамаре Николаевне. Она нуждается в заботе и прислала меня к вам, велела напомнить про дарственную. Вы получили жилплощадь бесплатно, купите теперь пенсионерке еды.

— Но она разве... мне обещали, — залепетала Таня, — она тогда умирала... совсем плохая была...

— Когда? — уточнила я.

Лапина предприняла героическую попытку взять себя в руки:

— Давно.

— В тот год, когда вы не рассказали милиции правды об исчезнувшем Саше Хитруке? — добила я Татьяну.

Она замерла.

— Танюша, — крикнули сверху, — картошка кипит. Ты с кем болтаешь?

Лапина стояла без движения. Мне показалось, что бывшая мороженщица не может не только шевелиться, но и дышать.

— Тань, — надрывался мужик, — все в порядке? Эй?

— Ответь мужу, — приказала я. — Если он забеспокоится и спустится, беседу придется продолжать при нем. А внутренний голос мне подсказывает: бывшая продавщица из киоска с мороженым ни с кем не захочет делиться тайной, даже с супругом.

— Это Витя, — выдохнула Таня, — он меня москвичкой считает.

— Таня, ау! — не успокаивался муж.

Я толкнула Лапину.

— Отомри!

Она подняла голову.

— Вить, у нас в магазине сигнализация сработала, придется на работу ехать!

— Лады, — поверил во вранье Виктор, — я Наташку уложу. Не волнуйся, покормлю ее и сказку почитаю. Не задерживайся там долго, держи...

Спустя пару секунд послышался сочный шлепок — на асфальт перед подъездом упала небольшая черная сумочка размером чуть больше портмоне.

— Не езди по Марковской, — предостерег Витя, продолжая висеть в окне, — там со вчерашнего дня одностороннее сделали.

После чего он исчез.

— Какой заботливый! — восхитилась я. — Такого человека ценить надо. Редкий муж не разозлится, узнав о том, что жена вместо готовки ужина должна вернуться на работу. А ваш Витя просто пирожное с кремом, и девочку спать уложит, и ключи с документами от машины заботливо дал, и об изменении движения предупредил. Где вы откопали столь эксклюзивный экземпляр?

Татьяна медленно открыла дверцу машины.

— Садитесь, — промямлила она.

Я не стала ждать, пока Лапина повторит предложение, и живо юркнула в салон, бывшая мороженщица выехала на проспект, запарковалась через квартал в другом дворе и еле слышно сказала:

— Кто вы?

— Виола, — представилась я.

— Если хотите денег, то у меня их нет, — забормотала Лапина, — весь доход на жизнь идет. Витя хороший, но прижимистый.

— За какие труды вам досталась квартира? — я сразу пошла в наступление. — Хочу предупредить: сказку про наследство даже не начинайте.

Лапина зачем-то пристегнулась ремнем безопасности.

— Ничего плохого я не совершила, — дрожащим голосом объявила она.

— Конечно, — кивнула я, — как правило, дорогие подарки получаешь за хорошее поведение. Например, когда помогаешь прятать следы преступления!

Лапина вцепилась в мою руку.

— Вы москвичка?

Я удивилась.

— Да. Но при чем тут место рождения?

Татьяна выдернула «язычок» ремня безопасности из замка.

— Меня поймет только тот, кто в столице один выжить пытался. Денег нет, помощи ждать неоткуда, батон хлеба купишь и на три дня растягиваешь. На работу устраиваться придешь, хозяин в паспорт глянет, и у него сразу на лбу надпись загорается: над этой можно измываться, никто ее не защитит. Москвичи все сытые, со связями, живут в шикарных квартирах, они тех, кто из провинции приехал, презирают!

Лапина закашлялась, а я терпеливо ждала, пока ее перестанет душить злость.

Большинство людей, совершив подлость, понимают, что поступили плохо, но жить, думая: «Я сволочь», никто не хочет. Человеку свойственно себя оправдывать. Убил престарелую родственницу, чтобы завладеть ее сбережениями? Я не виноват, меня в детстве в школе за бедность дразнили. Начал воровать у людей деньги? Опять же я не виноват, родители меня не любят, они заняты собственной карьерой. Решила скрыть от милиции важную информацию о преступнике, который, вероятно, убил Сашу Хитрука? Совсем не виновата, это столичные жители гады, у них у всех особняки, а мне приходится ютиться в сарае. Бесполезно объяснять Лапиной, что тысячи коренных москвичей мучаются впятером на двадцати квадратных метрах и тем не менее не испытывают никакой агрессии по отношению к гостям города. Без толку напоминать ей о выходцах из деревень и маленьких городков, которые прибыли в столицу с полупустым кошельком, а теперь благодаря упорству и трудолюбию богаты и знамениты. На Таню никакие здравые аргументы не подействуют. Ее можно лишь припугнуть разоблачением.

Я похлопала Лапину по плечу.

— Тебе пришлось нелегко, но еще хуже будет начать все с нуля.

Она дернулась, словно ее укололи иголкой.

— Зачем начинать с нуля?

— Тамара Николаевна тяжело болела, маловероятно, что она была дееспособна, дарственную она подмахнула не глядя, родственники Минкиной могут затеять судебный процесс, ведь квартира на проспекте Мира лакомый кусочек, за него можно побороться.

Лапина вцепилась в руль.

— Неправда! Он сказал, что у Минкиной никого нет! И я ничего дурного не совершила!

— Ага, — кивнула я, — только помогла спрятать тело убитого мальчика. Куда вы с мужиком труп засунули? В холодильник, где хранят мороженое?

Татьяна шарахнулась в сторону и стукнулась затылком о стекло дверцы.

— Да как тебе такое в голову пришло? Все по-другому было!

Я приблизила к Лапиной лицо.

— Попытайся внятно описать произошедшее.

— Столько лет прошло... — прогундосила она.

— Сомневаюсь, что ты ничего не помнишь, — сказала я. — Обрати внимание: я не пришла в незаконно полученную тобой квартиру, не стала расспрашивать тебя в присутствии родных. У меня нет желания рушить твое счастье, я хочу лишь узнать, свидетелем каких событий ты стала. Но если ты будешь юлить, я...

— За моим ларьком были гаражи, — тихо начала Таня, — киоск поставили между двумя ювелирными бутиками впритык, оставили только крохотный проход, чтобы продавец протиснулся и сзади дверку открыл. Место бойкое, покупатели часто подходили.

Я откинулась на спинку кресла, а Таня, уставившись в одну точку, монотонно вела рассказ.

Глава 27

С момента приезда в Москву Лапиной катастрофически не везло, она не поступила в вуз, быстро истратила данные мамой деньги и осталась без жилья. Сначала Таня решила отправиться домой, в маленький городок Трегубов, но потом представила мамины слезы, торжество бывших одноклассников, фразу, которую непременно отпустит папа: «Говорил же, нечего ездить, только собранные нами на ремонт деньги профукала», — и отправила на малую родину телеграмму самого светлого содержания: «Поступила в институт, дали место в общежитии и стипендию. Пишите на Главпочтамт до востребования».

Отрезав себе пути назад, Таня целую неделю ночевала у девушки Веры, с которой познакомилась в очереди, когда сдавала документы в вуз. Вера была москвичкой, жалела Лапину, кормила-поила ее и не спрашивала: «Ты купила обратный билет в Трегубов?»

Ксения Яковлевна, мать новой знакомой, ни разу не дала Тане понять, что она незваная гостья с хорошим аппетитом. Но через семь дней дама подошла к несостоявшейся студентке и сказала:

— Наверное, ты думаешь о работе? Могу тебе помочь, моя приятельница ищет продавщицу в ларек, мороженым торговать. Соглашайся, пока не поздно, я тебе и с жильем поспособствую, другая моя подруга комнату в коммуналке сдает. Видишь, как здорово все устраивается.

Таня поблагодарила заботливую даму и перебралась на новое место жительства. Лапина понимала: Ксения Яковлевна хотела избавиться от постороннего человека и лишнего рта. Но мать Веры могла просто выставить девушку за дверь, не волнуясь о том, куда та пойдет. Тане повезло встретить порядочную женщину, которая позаботилась о срезавшейся абитуриентке.

Работа в ларьке оказалась нетрудной, Татьяна сидела в будке до поздней ночи. С одной стороны, ей хотелось побольше заработать, с выручки капал процент. С другой, жизнь в коммуналке была совсем не веселой — кроме нее там обитали три семьи алкоголиков. Каждый вечер на кухне начиналось выяснение отношений, вечно толклись странные личности бомжеватого вида, квартира походила на притон. Танечка мечтала оттуда удрать, но за комнатушку хозяйка брала с нее копейки, поэтому приходилось терпеть. Девушка твердо решила обзавестись собственным жильем и откладывала каждый, далеко не лишний рубль. Но, повторяю, придя домой, она всегда оказывалась либо в эпицентре драки, либо в сердце развеселой гулянки.

Тот, кто полагает, что гулянка намного лучше дебоша, никогда не жил бок о бок с любящими погудеть соседями. Поверьте, через неделю вам станет все равно, по какой причине за стеной шумят: матерятся жильцы в момент озлобления или, испытывая ко всему миру нежность, нестройно поют «Постой, паровоз», все равно вы не уснете. Лапина пыталась усовестить алкоголиков, покупала беруши, — но никакого эффекта от этого не было. И Танечка стала оставаться ночевать в палатке, там как раз хватало места, чтобы расстелить на полу матрас.

В тот год выдался очень теплый август, затем наступил не менее погожий сентябрь. Домой Таня забегала, чтобы помыться и переодеться, все остальное время она проводила в торговой точке. Девушка предпочитала не задумываться о том, что будет, когда наступят холода, радовалась каждому ясному денечку и возможности выспаться.

Однажды в конце сентября Танюша, как всегда, торчала за прилавком. В торговле мороженым наступил мертвый час — у детей в школе закончились уроки, малышня уже унеслась домой, кое-кому удалось уговорить сопровождавших взрослых на приобретение эскимо. Следующий наплыв покупателей ожидался после шести, когда народ повалит с работы, и Таня откровенно скучала. Внезапно за ларьком послышался шум и приглушенные голоса, продавщица приоткрыла дверь и увидела двоих школьников, по виду третьеклассников. Дети выглядели странно, мальчика колотила дрожь, девочка тяжело дышала, оба были растрепанными, как будто только что подрались. Не успела Татьяна окликнуть безобразников, как со стороны гаражей выглянула старшеклассница.

— Идите сюда, — свистящим шепотом приказала она.

Девчонка молча ринулась на зов, а мальчик прошептал:

— Меня сейчас стошнит!

Лапина сразу поняла, что дети придумали какое-то безобразие, и хотела крикнуть: «Эй, чем вы там занимаетесь?»

Но тут к ней подошла покупательница и стала выбирать пломбир для дня рождения. Женщина брала много порций и оказалась капризной — требовала, чтобы пачки были не помятыми, с аккуратными обертками. Тане пришлось переворошить весь холодильник. Когда придирчивая покупательница убралась восвояси, Лапина решила посмотреть, что происходит на задворках за будкой. Распахнула дверь и увидела, что там никого нет, зато у бачка валяется портфель, серый, украшенный изображением самолета. Таня открыла замки, нашла внутри учебники за третий класс, дневник с именем «Павел Хитрук» и номером школы на обложке. Решив завтра сбегать в учебное заведение и получить от родителей растеряхи денежное вознаграждение, Лапина спрятала находку под прилавок и продолжила торговлю. Потом она расстелила матрас и улеглась спать.

Ночью Таню разбудили звуки, доносившиеся из-за ларька.

Мало кто знал, что за будкой с мороженым есть небольшой проход к гаражам. О нем были осведомлены лишь местные дети. Просвет был таким узким, что воспользоваться им могли либо малыши, либо очень худые школьники. Но детсадовцы одни не гуляют, а старшие дети бродят компаниями, в которых часто есть толстяки. Потому проходом пользовались крайне редко. Один раз Тане взбрело в голову, что ее киоск как граница, отделяющая один мир от другого. По бокам павильончика стоят очень дорогие ювелирные магазины, перед ним простирается широкий, ярко освещенный по вечерам проспект, а сзади ржавые гаражи да квартал блочных трущоб, где обитают полунищие люди, многим из которых не по карману даже «плодово-ягодное» из Таниного киоска.

Лапина отлично понимала, что ночью нельзя выскакивать из будки с криком: «Кто там шумит?» Продавщица ведь не имеет права ночевать в торговой точке, ее могут оштрафовать за нарушение санитарных норм. Но еще хуже будет, если она нарвется на уголовника, который решил неприметной дорогой проникнуть к гаражам, чтобы спереть инструменты, колеса или угнать машину. Нужно было сидеть на матрасе, не издавая громких звуков, но любопытство оказалось сильнее благоразумия.

Татьяна очень осторожно приотворила дверь и выглянула в щелку. Яркая реклама, горевшая на торце ювелирных бутиков, работала лучше фонаря, свет озарил пространство с баком для мусора. Увиденное зрелище сильно удивило мороженщицу. Около мусорного контейнера стояли двое: мужчина и та самая старшеклассница. Оба держали в руках карманные фонарики.

— Нашла? — тихо спросил дядька.

— Нет, — прошептала девочка. — Но должен быть здесь, он сказал, что бросил его у бачка.

— Тут ничего нет... — бормотал мужик. — Плохо. Ты сама не помнишь?

— Папа, это не я, — всхлипнула школьница, — она виновата.

— Сейчас не до споров, — остановил ее отец, — надо его увезти.

— Ой, нет! — застонала девочка. — Нет!

— Майя, ты хочешь сесть в тюрьму? — сурово осведомился отец. — Хватит одного горя!

— Зачем она их родила! — заплакала дочь.

— Майя, возьми себя в руки, — приказал отец. — Ищи портфель, времени мало, а я пойду займусь телом.

Таня от страха зажмурилась. Когда она открыла глаза, Майя сидела в той же позе, отца не было. Лапину заколотила крупная дрожь.

— Майя, — позвал мужчина, выходя на пятачок из-за гаражей, — отыскала? Хватит рыдать! Александру уже не помочь, надо вас спасать. Где портфель? Его не должны здесь найти! Павел не выходил из школы, ты была около больной мамы — у тебя полнейшее алиби.

— Может, его кто-то украл? — прошептала Майя.

— Молчи! — прикрикнул отец. — И твердо заучи: ты здесь никогда не была, с Павлом не знакома, Александра ни разу в жизни не видела. Вообще-то я сомневаюсь, что кто-нибудь о тебе вспомнит. Павла я в больницу спрячу, шум погашу.

— А Сашка? — пропищала Майя.

— И с ней договоримся, выкрутимся. Доченька, соберись! Вспомни, где портфель!

— Не могу, — зарыдала девочка.

— Тише, — шикнул отец, — вроде нет никого вокруг, ночь стоит, но шум нам не нужен.

И тут Таня высунулась из ларька.

— Простите, вы пытаетесь найти школьную сумку Павла Хитрука?

Лапина закашлялась и схватила бутылку колы из пластиковой подставки около подлокотника.

— Ты бесстрашная авантюристка, — оценила я по достоинству поведение Татьяны. — Услышала слова: «Пойду, займусь телом» — и не побоялась заявить о том, что стала свидетельницей заметания следов преступления.

Лапина вернула почти опустошенную бутылку на место.

— Нет, — не согласилась она, — я умная и сразу сообразила: дядька на киллера не похож.

— Имей преступники на лбу надпись «убийца», жизнь следователей и оперативников стала бы намного проще, — фыркнула я. — Позволь тебя разочаровать: иногда за милой внешностью девочки-белочки скрывается хитрая и жестокая гиена. Ты вела себя глупо и безрассудно.

— Кто не рискует, тот не пьет шампанское, — бесшабашно откликнулась Таня.

— Ладно, — опомнилась я, — не собираюсь обсуждать твои действия, меня интересуют только факты. Ты спросила про портфель и что?

Лапина довольно ухмыльнулась.

— Они испугались! Девчонка опять у мусорника

на землю села, а мужик глаза выпучил, уставился на меня и мычит что-то нечленораздельное. Но он быстро в себя пришел и пообещал: «Подарю тебе квартиру, только молчи», — довольно улыбнулась Татьяна.

— Я бы ему не поверила, — сказала я.

Лапина кивнула:

— И я не дура. Пока бумаги не оформили, я портфель не отдавала, спрятала его в камере хранения. По улице ходила, оглядывалась, боялась, что по башке стукнут. Но Роман оказался честным, не обманул. У него какие-то знакомые были, за пару дней сделку оформили. И теперь я живу на проспекте Мира.

— Значит, Роман, — кивнула я.

— Ага, — подтвердила Татьяна. — У его жены была тетка, она умирала, это ее площадь. Ой, такая загаженная была! Я года два квартиру в порядок приводила. Денег-то больших не имела, заработаю чуток и переклеиваю обои!

— Ты понимаешь, что помогла убийце уйти от ответственности? — не выдержала я.

Лапина посмотрела в зеркальце.

— Я никакого преступления не видела. Роман с девочкой искали портфель, и все!

— Ну да, тебя наградили квартирой за сохранение дневника и учебников, — ехидно заметила я.

— Ага, — закивала Лапина. — Бумаги на жилье законно оформлены. И вообще, кто вы такая? Откуда взялись? Чего я вас испугалась?

— Наверное, совесть нечиста, — вздохнула я. — Если в прошлом есть грязная тайна, постоянно будешь трястись и оглядываться.

Татьяна крепко сжала губы, потом внезапно расслабилась.

— Ничего я вам не рассказывала, вы в моей машине не сидели, мы не встречались. И попробуйте поспорить, мое слово против вашего будет!

Мне стало понятно, что испуг, который испытала Лапина при виде незнакомки, появившейся во дворе, словно призрак из прошлого, прошел.

Большинство людей, столкнувшись с тем, кто знает их секреты, похороненные под спудом лет, ощущают страх, теряются и становятся излишне откровенными. Но постепенно человек успокаивается, трезвеет и предпринимает отчаянные попытки отказаться от невольно вырвавшегося признания. Опытные сотрудники из органов знают: хочешь получить чистосердечное признание, не откладывай допрос в долгий ящик, начинай разговор сразу, пока задержанный не пришел в себя.

— Квартиру вам у меня не отнять, — пыхтела, как рассерженный еж, Лапина, — она оформлена по всем правилам. И чего? Сообщите мужу, что я не москвичка? Ну обманула парня, за это не судят. Мать у него тронутая, хотела только столичную невестку со своей площадью. Но теперь свекровь на меня молится и простит.

Я, забыв попрощаться с ушлой девицей, вылезла из ее симпатичной иномарки и направилась назад, к своему разноцветному чудовищу, вытаскивая по дороге мобильный.

— Шумаков, — усталым голосом ответил Юра.

— Это Виола. Можно попросить тебя о любезности? — спросила я.

— Ну конечно, — с готовностью откликнулся следователь.

— Не проверишь родственников Хитрука? Сыновей у него нет, оба умерли. А дочь, девочка по имени Майя, есть? Вероятно, он развелся с первой женой, и Майя от нее.

— Сейчас попытаюсь, — пообещал Юра.

— Буду тебе очень признательна, — с интонацией главы дипкорпуса ответила я и побежала к «ежику».

Около моей машины неожиданно обнаружился мужчина, на голове у которого сидела шляпа. Черный котелок съехал на затылок и чудом там держался. Я приблизилась к машине и поняла, что мужчина не трезв и что он пытается при помощи брелока открыть мое авто, дверцы которого отпираются просто ключом.

— Отойдите, пожалуйста, — вежливо попросила я пьяного.

— Ехать хочу, — без смущения сообщил набравшийся гражданин.

— Вы стоите около чужой машины, — попыталась объясниться я, — и лучше вам в таком состоянии за руль не садиться, идите домой пешком!

— Это моя тачка, — заявил незнакомец, покачиваясь.

— Нет, моя, — возразила я.

— А вот и моя! — с упорством, достойным лучшего применения, стоял на своем дядя в шляпе. — Ща, откроется, уно моменто... Ну почему не щелкает?

— Потому что вы пытаетесь влезть в чужой автомобиль, — все еще вежливо пояснила я.

— Ни фига подобного! — топнул ногой дядька и громко икнул. — Знаешь, кто я?

Хотелось ответить: «Пьяная чебурашка», но интеллигентного человека от хама отличает неискренность, поэтому я пробормотала:

— Извините, но мы до сегодняшнего дня не встречались.

Мужик рыгнул.

— Тройник!

— Простите? — прищурилась я. — Это фамилия?

— Тройник, — повторил пьянчуга и приосанился. — Нас по головам можно пересчитать! Тройник — редкость! Не фамилия, а просто настоящий тройник. Видела такое хоть раз? Давай знакомиться... э... э...

Алконавт замер с приоткрытым ртом.

— Тройник? — поразилась я. — Пластмассовая штукенция, которую вставляют в розетку для увеличения количества электроприборов на одной точке? У меня на кухне есть такое для телика, зарядки и лампы. И должна сказать, вы абсолютно на него не похожи.

— Поспорь тут еще! — сверкнул глазами выпивоха. — Я тройник! Зовут... э... э... Как меня зовут? Черт, забыл. Усе, отвали! Не мешай, мне ехать пора! Севодни праздник у ребя-я-ят...

Несмотря на нелепость положения, мне стало смешно, и я попыталась помочь нетрезвому поросенку.

— Вы откуда идете?

— Из леса, — неожиданно нормальным голосом сообщил дядя. — Хорошо в лесу, вкусно, грибочки соленые, капустка маринованная, медвежатина жареная.

— Да уж, повезло в волшебном местечке погулять, — захихикала я, — собрал соленые грузди, полакомился белокочанной в уксусе, ба, навстречу только что со сковородки снятый Топтыгин торопится! Замечательный вечер получился! Ладно, заедем с другой стороны. Какая у вас машина?

— Ну, эта... того самая... черная... длинная... на

носу... Блин... кто у нее на носу? — мучительно вспоминал любитель прогулок по фантастическому бору.

Я взяла ошалевшего от возлияний типа под локоть и попыталась оттащить в сторону. До какой же степени надо налакаться, чтобы спутать свой автомобиль с «ежиком»? Разноцветный агрегат уникален! Правда, я встречала людей, которые по ошибке пытались на стоянке открыть чужие тачки. А сама я один раз попала в наиглупейшее положение. Как-то в декабре рано утром спустилась во двор, увидела ряды сугробов, в которые превратил машины всю ночь валивший снег, и стала откапывать свою «крошку». Потратив сорок минут на приведение малолитражки в божеский вид, я замерзла, устала и была счастлива, когда отрыла дверцы. Но к моему огромному недоумению, сверкавшая чистотой «букашка» никак не отреагировала на мои манипуляции с брелоком, зато из соседнего сугроба раздалось характерное попискивание. Тут только до меня дошло: я перепутала место парковки и выкопала чужую малютку, похожую на мою и цветом, и маркой! Обратите внимание, я пребывала в кристально трезвом состоянии, я практически не употребляю алкоголь, мне от спиртного делается плохо.

Глава 28

Из кармана пьяницы послышался хорошо знакомый звук.

— Вам пришла эсэмэска, — подсказала я.

— Кто? — ухмыльнулся «тройник».

Сигнал повторился, затем раздался еще раз. Я, отбросив церемонии, запустила руку в карман идиота и выудила сотовый. Надеюсь, прекрасного прынца разыскивает жена или приятели. Так и есть, на экране эсэмэска.

— «Ярик, ты где?» — озвучила я сообщение.

— О! Точняк! Ярик! — обрадовался пьянчуга. — Рад познакомиться!

Я быстро набрала номер и тут же услышала звонкий тенор:

— Яра, куда ты подевался?

— Ваш Ярик не дает мне сесть в машину, — пожаловалась я.

— Вот гад ползучий, — ответил незнакомец. — Ща с Ростиком пришагаем. Куда двигать?

— Эй, деушка, — заблестел глазами Ярик, — ты, ваще, понимаешь...

— Ну гаденыш! — заорали вдруг сзади.

Я обернулась и совершенно потеряла дар речи, потому что из сгущающихся сумерек выступили еще два Ярика, в таких же костюмах и шляпах. Мужики были слегка навеселе, совсем не пьяны, явно приняли всего по сто граммов для хорошего настроения.

— Не сердитесь, — сказал один.

— Ярик у нас как неуправляемый землеснаряд, — подхватил второй. — Совсем бухать не умеет! Верно, Ростик?

— Тройня не без урода, — добавил брат.

— Вы тройняшки! — осенило меня. — Вот почему Ярик все твердил про тройник.

— Точно, — согласился Ростик. — Но что касается меня, то я с огромным удовольствием остался бы в двойне со Стасиком.

— Из-за Ярика у нас забот навалом, — объявил Стас. — Угораздило же его вместе с нами родиться! Да еще мама учудила, назвала нас Ярослав, Ростислав и Станислав. И так путаницы хватает, а она еще добавила.

У меня в голове будто щелкнуло. Ярослав, Ростислав и Станислав. Наверное, у тех родителей, у кого рождаются близнецы, появляется желание дать им похожие имена. Вот и Васюковы... Правда, сестры не были близнецами, они погодки. Римма и Мира! Что, если...

— Он вас не обидел? — заботливо осведомился Ростик, хватая Ярика за плечо.

— Если он матерился или одежду вам запачкал, мы заплатим, — пообещал Стасик, вцепившись в братца с другой стороны.

— Полный порядок, — ответила я, — просто ваш Ярик хотел своим брелоком мою машину открыть.

— Урод! — хором отреагировали братья, тряхнув засыпающего Ярика и толкая его вперед.

— Думаю, вам надо обратиться к психиатру, — крикнула я им вслед.

Ростик и Стасик обернулись.

— Почему? — слаженно осведомились они.

— У Ярика галлюцинации. Он с восторгом рассказывал, как гулял по лесу, ел соленые грибы и лакомился жареной медвежатиной. Это не зеленые чертики, конечно, но если не обратить внимания на его видения, то скоро он начнет читать стихи маленьким гномикам, — предостерегла их я.

Мужчины переглянулись.

— Не, все нормально, — выдохнул Ростик.

— Мы и правда в лесу гуляли, — уточнил Стасик. — Ресторан так называется — «Лес». В нем и лося подают, и кабана, и зайца...

— И медведя, — закончил Ростик. — Все хорошо

было, потом мы на улицу вышли покурить, возвращаемся — Ярик егеря жрет!

— Коктейль такой, — быстро добавил Стасик, правильно поняв выражение, появившееся на моем лице. — «Егерь» делают из водки, колы, лимонного сока, коньяка, пива и сливовицы.

— Жуть! — передернулась я.

— Совершенно согласен, — в один голос пропели братья и потянули Ярика в прежнем направлении.

Я с ужасом вспомнила составляющие бодрящей смеси под названием «Егерь», и тут затрезвонил мобильный.

— Майя Хитрук, — доложил Юрий, — дочь Светланы Михайловны и Романа Андреевича. Брак между родителями был расторгнут через три месяца после рождения Александра, матерью которого является Инна Сергеевна. Обычное дело: мужчина изменял супруге, любовница забеременела, устроила ему скандал. В результате Роман совершил рокировку, стал жить с Инной. Светлана Михайловна умерла в августе того же года, когда пропал Саша.

— И от чего она скончалась? — поинтересовалась я.

— Она покончила с собой, — пояснил Шумаков, — выпрыгнула из окна.

— Давай адрес Майи! — закричала я. — И еще: Римма и Мира Васюковы.

— А с ними что?

— Выясни, не было ли у них еще одной сестры. Далее. У кого из Васюковых была дочь Саша? Когда Римма Марковна усыновила Артема?

— На последний вопрос ответ сразу не получу, — предупредил Шумаков. — Все, что связано с приемными детьми, быстро не узнаешь. С первой частью задания я легко справлюсь.

— Попробуй заехать с другого бока, — попросила я, — пробей самого Артема Васюкова, попытайся разузнать о его раннем детстве.

— А что мне за это будет? — вдруг воскликнул Юра.

Я вздрогнула, словно получила по носу мокрой тряпкой. Шумаков не произвел на меня впечатления человека, способного брать деньги за услуги. И вот, пожалуйста, я ошиблась!

— А чего ты хочешь? — я осторожно ступила на скользкий лед переговоров.

— Награды! — безо всяких экивоков потребовал Юра.

— И каков ее размер? — приуныла я.

— Большой, — алчно заявил Шумаков.

Я решила остудить его пыл:

— Послушай, я не знаю, в каких ты отношениях с Анной, которая работает у Олега Куприна...

— Она моя сестра, — пояснил, перебив меня, Юра. — Родная!

— С фамилией Наварро?

— А что странного? Она вышла замуж и перестала быть Шумаковой. Тебя такой финт удивляет?

Я рассердилась на себя за тугодумие.

— Нет. Очень приятно, что вы с Аней родственники. Так вот, я не в курсе, что обо мне она тебе сообщила...

— Только хорошее, — снова не дал мне закончить фразу Юра. — Ты ее любимая писательница, талантливая женщина, красавица, Олег Куприн до сих пор локти грызет, что не сумел удержать жену, но так ему и надо, раз дурак. Вот!

Я смутилась.

— В разводе виноваты мы оба.

— Не, как правило, мужик козел, — заявил Шумаков. — Пил, гулял или работал слишком много, за женой не ухаживал, вот и получил от ворот по морде. Ты удивительно одарена, надо было создавать тебе условия для творчества, оберегать, баловать, холить, лелеять, прощать и нежно целовать. Если нашел бриллиант, помести его в достойную оправу. Эй, ты чего притихла?

— Заслушалась, — призналась я. — Так что насчет оплаты? Сколько?

Юра засмеялся.

— Воскресенье.

— Извини? Ты о чем? — встрепенулась я.

— Целый выходной! Он мой! На дворе шикарная погода, поедем к моим друзьям на шашлык. О'кей?

— Ну... в принципе можно, — осторожно ответила я. — А твои приятели кто?

— Анька с мужем и другие люди, — ответил Шумаков.

— Я отправляюсь с тобой на пикник, а взамен могу попросить выполнить кое-какие задания? — на всякий случай уточнила я.

— Ну, это будет слишком дешево, — не согласился Юра. — Давай так! Сведения о Васюковых — шашлык. Следующий вопрос — поход в кино, ну и так далее. Все, что я делал до сих пор, бесплатный бонус, замануха для клиента.

— Лучше деньгами, — вырвалось у меня.

— Ха! Рубли отслюнить нетрудно, ты расплатись временем, — уперся Шумаков. — Не хочешь — не надо. Кстати, у меня напряга с бабками нет.

— Первый раз натыкаюсь на милиционера без финансовых проблем, — удивилась я.

— Я редкий экземпляр, — признался Юра. — Ну? По рукам? Васюковы — шашлык. Ты мне очень нравишься, талантливая и красивая! Чего я буду свое счастье упускать?

Я решила расставить все точки над i.

— Прости, в мои планы не входит заводить любовные отношения.

— В мои тоже, — крякнул Юра. — Терпеть не могу баб. Зову тебя на шашлык. Если ты не в курсе, то это всего лишь куски мяса, нанизанные на шампур, и никаких обязательств. Больше всего на свете я боюсь оказаться в загсе перед тетенькой, чей монументальный бюст украшен красной лентой.

— Наши страхи совпадают, но я не люблю мясо, — улыбнулась я.

— Рыба, курица, овощи, грибы, коренья, печень твоего злейшего врага... Делай выбор! Любой твой каприз будет выполнен! — продекламировал Шумаков.

Мне стало весело.

— И ты не будешь распускать лапы?

— Я? — ахнул Юра. — Ну ты и сказала! Это же все равно как в армии гантели сержанта из его тумбочки спереть. Нельзя на святое покушаться.

— Сильное сравнение, — откликнулась я. — Договорились.

— Супер! — воскликнул Шумаков и отключился.

Я села за руль и завела мотор. Похоже, Вилка, тебя позвали на свидание. Не могу сказать, что Шумаков сразил меня красотой и умом, но он не противный, по первому впечатлению не жадный и веселый. Кажется, он слегка моложе меня, но, думаю, разница в возрасте у нас составляет не более двух лет. И что мешает мне поехать на шашлык? Я сто лет не выбиралась за город. И, если честно, никто меня и не звал. Что надеть? Джинсы или брюки? А может, платье? Хотя у костра я буду глупо в нем выглядеть. Надо непременно сходить в парикмахерскую, сделать маникюр...

Мысли стали вертеться вокруг предстоящей тусовки, я автоматически нажимала на педали и совершенно неожиданно очутилась у дома из светлого кирпича, построенного в начале шестидесятых годов двадцатого века.

Не испытывая ни малейшего угрызения совести, я нажала на кнопки домофона и на ожидаемый вопрос: «Кто там?» — бойко сообщила:

— Я из домоуправления, принесла новую квитанцию по квартплате.

— Сейчас открою, — ответил женский голос, — бросьте ее в почтовый ящик.

— Непременно, — пообещала я, проникла в подъезд, освещенный экономичной сороковаттной лампочкой, села в лифт, поднялась на нужный этаж и позвонила в дверь.

— Я же просила вас оставить квитанции внизу, — упрекнула меня полная шатенка лет пятидесяти. — Уже поздно, вы чего в такой час людей беспокоите?

— Извините, но документ нужно отдать в руки хозяйке, — потупилась я. — Позовите Майю Романовну.

Дама ощупала меня взглядом.

— Входите, я закрою дверь. Недавно гриппом переболела, не хочется простудиться.

Я покорно вошла в узкий коридор, женщина захлопнула дверь.

— Майи нет, можете передать квитанцию мне.

— А вы кто? — поинтересовалась я.

— Мать Майечки, — раздалось в ответ.

— А где ваша дочь? — не успокаивалась я.

— Странное любопытство, — буркнула дама. — Она в Лондоне.

— Лучше я приду, когда она вернется, — вздохнула я, — кстати, по документам Майя Романовна здесь одна прописана.

— Вам придется долго ждать, — с легким пренебрежением заявила шатенка. — Дочь вышла замуж за англичанина, у них поместье в Йоркшире, Россию Майечка навещает редко.

— А вы тут, значит, без прописки живете? — прищурилась я. — Знаем мы о таких вариантах: уедут за рубеж, квартиру сдадут, в налоговую не сообщат, все денежки себе в карман, государству фига! И как потом зарплату бюджетникам платить?

— Милочка, да вы просто пламенный трибун! — засмеялась дама. — Блестящая демагогическая речь. Но должна вас разочаровать: я на самом деле мать Майи.

— Родная?

— Конечно, — беззастенчиво солгала тетка. — Так что я имею право находиться в этой квартире. Оставляйте платежки.

— Только после того, как увижу ваш паспорт! — не дрогнула я.

Хозяйка закатила глаза, раскрыла элегантную сумочку, висевшую на вешалке, и протянула мне бордовую книжечку.

— Ознакомьтесь.

Я раскрыла документ и прочитала:

— Хитрук Вера Михайловна.

— Ну, довольны? — поинтересовалась тетка. — Майя носит фамилию Хитрук, и у меня та же.

— Но мать Майи звали Светланой, — не выдержала я, — и она давно покончила с собой.

Женщина вздрогнула.

— Вы кто?

— А вы? — спросила я. — Наверное, тетя девушки? Ладно, больше не стану ломать комедию. Я занимаюсь делом похищенного Артема Васюкова, и след привел меня сюда.

— Милиция? — резко меняясь в лице, выдохнула Вера Михайловна. — Я ничего не знаю! О людях с фамилией Васюковы никогда не слышала. И какое отношение к вашему делу может иметь Майя? Когда того человека похитили?

— Вскоре после Нового года, — ответила я.

Вера Михайловна с облегчением выдохнула.

— Фу! Майечка не приезжала в Москву с прошлого лета, можете проверить по документам. Она абсолютно не причастна к пропаже Косюкова!

— Васюкова, — терпеливо поправила я.

— Не важно, — отмахнулась Вера Михайловна. — Право слово, не надо огород городить.

Я уставилась на хозяйку.

— Вы любите племянницу?

— Очень странный вопрос. Конечно! — заявила дама.

— Насколько я поняла, вы воспитывали ее после смерти своей сестры?

Вера Михайловна прислонилась к вешалке.

— Как к вам обращаться?

— Можно просто Виола, — расплылась я в улыбке.

— Красивое имя, — кивнула Вера Михайловна. — Так вот, Виола... Света долго болела, Майечка оказалась на моих руках почти с рождения. Моя сестра была большой эгоисткой! Сначала свою семью разрушила, а потом... Ну это неинтересно! Главное — у нас нет ничего общего с Васюковым!

— Ваша сестра? — переспросила я. — Но почему тогда у вас фамилия Хитрук?

— Долго объяснять, — скривилась Вера Михайловна, — вы меня не поймете.

— У отца Майи, Романа, во втором браке родилось двое сыновей, — монотонно завела я, — Александр и Павел. Оба умерли. Вернее, Саша пропал, сбежал из дома, а Паша погиб через несколько лет от руки своей матери. Та, похоже, сошла с ума, лишившись любимого сына.

Вера Михайловна схватилась за щеки.

— Роман хороший человек, он не заслужил такого горя. Ему патологически не везло с женами.

— Некая продавщица мороженого, Лапина Татьяна, осталась одна ночевать в своем ларьке, — не обращая внимания на эмоциональный всплеск собеседницы, продолжила я, — и стала свидетельницей странного происшествия. Мужчина и девочка лет пятнадцати искали в мусоре портфель. Она называла спутника папой, а тот ее Майей... Что с вами? Вы меня слышите?

Вера Михайловна медленно сползла на пол и закрыла глаза. Я бросилась к ней, поняла, что она потеряла сознание, кинулась на кухню, принесла стакан воды, брызнула на лицо хозяйки, растерянно повторяя:

— Пожалуйста, очнитесь...

Глава 29

В ту секунду, когда я уже решила вызвать «Скорую помощь», Вера Михайловна открыла глаза и посмотрела на меня.

— Вы правда тут? — прошептала она.

— Давайте, помогу вам подняться, — предложила я и протянула ей руки.

Она с трудом встала.

— Голова кружится.

— Вам надо лечь, — посоветовала я, ведя хозяйку по коридору.

— Сюда, — указала она на дверь. — Мне лучше посидеть, так я быстрее оправлюсь. Я знала, что рано или поздно правда выползет наружу, подспудно ждала человека с карающим мечом. Но со временем успокоилась. Думаете, Майечке легко? Она совсем ни в чем не виновата! Это все Саша!

— Васюкова? — уточнила я, осторожно усаживая Веру Михайловну в кресло.

— Омерзительная девочка, — передернулась женщина. — А Артем! Когда он вдруг появился, Майя так перепугалась... Но она действительно не виновата! Мы заняли денег, а потом Майя вышла замуж за Фреда. Он старше ее на тридцать пять лет, совсем не богат и с весьма непростым характером. Поместье в Йоркшире только так называется, на самом деле это небольшой, очень старый, давно требующий ремонта дом. Майечка прислала фото: потолки низкие, окна крохотные, мебель столетней давности, занавески еще бабушка Фреда шила! На наш взгляд, это куча старья, а для англичан — памятник прошлого, они там над сколотыми чашками трясутся, если из них предки чай пили! Кстати, о чае. Там обычный напиток не попробовать, только с молоком. И смесителей в ванной нет, из стены торчат два крана, нужно раковину пробкой заткнуть, набрать воды и в ней умываться. Невероятная антисанитария! Майя к Фреду никаких чувств не испытывает. Правда, для меня пыталась любовь к жениху изобразить, не хотела, чтобы я расстраивалась. А после свадьбы вдруг призналась: «Верушечка, Артем нас все равно в покое не оставит. Сейчас он деньги получил и успокоился, но они закончатся, и Тема снова объявится. Лучше мне в Англии жить, туда он не доберется. А если он решит в милицию донести, то ничего у него не получится. В Великобритании многие скрываются, я имею в виду настоящих преступников, которые у России много денег украли». Майя сама жертва, уж поверьте. И она жена лорда. Фред хоть и не богатый, но родовитый, его предки служили еще королю Артуру, в Англии это очень ценится. Майечку никто не тронет! И откуда Артем узнал? Как?

Я воспользовалась паузой в сбивчивой речи Веры Михайловны и попыталась ее успокоить:

— Майя интересует меня только как источник информации, я не собираюсь вредить вашей племяннице.

— Она не виновата, — заплакала Вера Михайловна, — это все Саша. Хоть и маленькая, а дрянь!

— Насколько я поняла, в прошлом Майя совершила некрасивый поступок, — осторожно сказала я, — но он остался безнаказанным. А потом внезапно, спустя много лет после произошедшего, появился Артем Васюков, который стал шантажировать девушку?

— Да.

— Поэтому Майя выскочила замуж за нелюбимого и уехала из России?

— Да.

— Кого еще мог шантажировать Артем?

Вера Михайловна обхватила себя руками.

— Господи! Откуда вообще он взялся? А уж Ирму как жаль!

— Кто такая Ирма? — моментально среагировала я на незнакомое имя.

— Ну, Ирма, — слегка растерялась собеседница. — Вообще-то я ничего не знаю! Ни о чем! Наболтала вам ерунды! Уж извините, у меня климакс, любой эндокринолог подтвердит, что женщина в это время как сумасшедшая, несет невесть что!

Я покосилась на Веру Михайловну.

— Вы абсолютно правы, в Лондоне и ряде других городов Великобритании преспокойно проживают люди, которых в Москве объявили в розыск. Не стану приводить фамилии бизнесменов, которые, совершив в России преступление, мирно гуляют по Гайд-парку. Наш МИД, наверное, знает, где проживают преступники, и англичане тоже, но первые делают вид, что разыскивают олигархов, а вторые разводят руками и говорят: «Ничего о них не слышали». Это такие игрушки для дипломатов и политиков. Но оставим в покое миллиардеров и обратимся к простым, средней обеспеченности людям. Музыкант К., юное провинциальное дарование, женился на дочери оптового торговца продуктами. Невеста была старше жениха на десять лет, не очень красива, и многие понимали, что брак заключен по расчету. Скрипач получил финансовую поддержку тестя, стал известен, завел себе любовницу, убил супругу и смылся в Лондон. К. рассчитывал, что талантливый исполнитель будет принят с распростертыми объятиями в любом оркестре, а рука российского правосудия до него не дотянется. И вначале его план удался, К. некоторое время концертировал, но через два года после переезда в Великобританию он упал под поезд в метро. Другой случай. Невестка одного очень известного и обеспеченного российского хирурга стала безутешной вдовой. А через некоторое время выяснилось, что сын доктора умер не своей смертью, его кончине поспособствовала жена-фотомодель, которая успела перебраться в Англию и начать там на деньги щедрого тестя карьеру манекенщицы. Увы, планы красавицы не сбылись; ее убили грабители, польстившиеся на шубу и брюлики, которые вдова по российской привычке носила каждый день с утра до вечера.

— К чему вы мне рассказываете эти ужасы? — встрепенулась Вера Михайловна.

— К тому же на государственном уровне дела решаются долго и трудно, а некоторые граждане могут сами разобраться со своей проблемой. Нанять профессионального киллера недешевое удовольствие, однако кое-кто готов отдать любые деньги, чтобы отомстить. До Лондона лету часа четыре, это совсем недалеко. Добраться до Майи не составит труда, — пояснила я, — Артем Васюков пропал. Либо его похитили, либо он сам спрятался, либо под чужим именем бродит сейчас по Лондону. Во всех случаях Майя в опасности. Чем быстрее мы найдем парня, тем больше у вашей племянницы шансов на спокойную жизнь.

Вера Михайловна съежилась в кресле.

— Да, это верно. Но Майя не виновата!

— Тем более расскажите, что знаете, — предложила я.

— Вы не поймете.

— Я постараюсь.

— У вас есть дети?

— Пока нет, — призналась я.

— Тогда тем более вы неправильно оцените случившееся.

Я пересела на диван, поближе к хозяйке.

— Вам нравятся котлеты из лягушки?

— Фу, — скривилась Вера. — Что за гадость!

— Так нет или да? — настаивала я.

— Даже пробовать эту мерзость не стану! — заявила тетя Майи.

— Но вы же их никогда не ели, — провокационно сказала я. — Вдруг это вкусно?

— Прекратите нести чушь! Какое отношение котлеты из лягушатины имеют к Майе? — рассвирепела дама.

— Вы не прикоснетесь к «деликатесу», хотя ни разу в жизни его не пробовали, потому что считаете, что он неприемлем в качестве еды, — глядя ей прямо в глаза, сказала я. — У меня нет детей, но я могу понять, на что могут пойти ради них родители. Вот так!

Вера Михайловна склонила голову.

— Оригинальный, но плохой довод. Матери бывают разные. Моей сестре невероятно повезло с мужем. Роман оказался человеком библейского терпения и кристальной честности. В том, что случилось, нет ни малейшей его вины, ответственность за сломанную судьбу Майи лежит на Светлане.

Я поняла, что собеседница начинает пространный рассказ, и, боясь ее спугнуть, замерла на краю дивана.

Роман был не очень обеспеченным человеком из небольшого подмосковного городка, а Света коренной жительницей столицы с хорошей квартирой и материальным достатком, который обеспечили ей умершие родители. Но, несмотря на финансовое благополучие, мужчины не спешили вести девушку в загс. Вера понимала, что женихов отпугивает характер ее сестры. Света была крайне авторитарна, добивалась, чтобы все было именно так, как ей хочется, и никак иначе. Доходило до абсурда: если она в туалете обнаруживала, что бумага оторвана не по перфорированной линии, то начинала орать, как раненый бизон. Два-три подобных скандала — и в мозгу любого мужчины укоренялась простая мысль: если девица таким образом себя ведет на романтическом этапе отношений, что ж она тогда учудит после свадьбы?

Обычно парень «хватал в охапку пальто и шапку» и быстро удирал от истерички. Как назло, Светлане очень хотелось замуж, она всякий раз тяжело переживала разрыв, плакала и жаловалась сестре. Верочка, хоть и была младше, пыталась научить скандалистку уму-разуму, но та отвечала:

— Я пробую сдержаться, а не получается. Злоба изнутри поднимается, у меня даже уши закладывает, перед глазами сетка трясется. Если не заору — меня от гнева инсульт разобьет.

Вера только вздыхала, с таким характером мужа не найти. Но Свете повезло, в ее жизни появился Роман, очень спокойный, терпеливый, с чувством юмора. Когда она начинала беситься, Рома пригибал голову и бормотал:

— Ну-ну, дерьмо попало в вентилятор!

Самое поразительное, что эта фраза вызывала у Светы приступ смеха, и очень часто истерика гасла в зародыше.

Вера вначале полагала, что Хитрук соответствует

своей фамилии: хитрющий мужичок, задумавший поселиться в Москве под боком у обеспеченной жены. Иных причин, чтобы парень терпел закидоны Светы, младшая сестра не находила. Но через некоторое время ей стало понятно: Рома любит скандалистку!

Сыграли свадьбу, родилась Майя. Вера надеялась, что появление ребенка исправит характер сестры, но стало только хуже. Дочерью мать почти не занималась, воспитание Майи целиком легло на плечи бросившей ради племянницы работу Веры. А вечером, вернувшись со службы, с дочкой нянчился Роман. Он обожал девочку, мать относилась к ней прохладно. Светлану бесило нежелание ребенка тихо сидеть на месте, аккуратно собирать игрушки и во всем слушаться маму. Однажды Вера не выдержала и закричала сестре:

— Майя не собака, а ты не дрессировщик!

— Здесь все обязаны выполнять мои указания, потому что я главная, — отрезала та. — Не нравится — вали вон!

Вера вспылила, схватила сумку, а крошечная Майя бросилась за ней с воплем:

— Матетя, не уходи!

— Матетя? — заорала мать. — Это еще что такое? Мама-тетя?

Скандал бушевал сутки, Роман с трудом погасил пламя. И такие разборки случались часто, чем старше делалась Майя, тем масштабнее становилась война.

Однажды Роман пришел домой не вечером, а около двух часов дня, пригласил подросшую дочь и Веру в гостиную и сказал:

— Я очень любил Свету и старался сохранить семью. Но больше жить в эпицентре урагана не могу.

— Понимаю, — кивнула Вера.

— Я ухожу к другой женщине, она через пару месяцев должна родить от меня ребенка, — откровенно признался Роман. — Но я буду поддерживать вас материально. Не волнуйся, Вера, проблемы с деньгами вам не грозят. Майя, ты моя доченька, ничего не изменится, не сердись на папу.

— Нет, конечно, — закивала девочка. — Мама сумасшедшая, ей нельзя угодить.

Роман пошел в спальню и начал спешно кидать в сумку свои вещи.

— У меня есть кое-какие планы в области бизнеса, — открыл он Вере свои планы. — Если все пойдет удачно, куплю вам с Майей квартиру, заживете нормально. Эту жилплощадь Света никогда разделить не позволит. Наверное, я трус, но хочу сбежать из дома до того, как жена вернется. Вот здесь, на столе, я оставил заявление о разводе.

Наверное, не стоит описывать скандал, который устроила Света, когда поняла, что потеряла мужа. Разрыв проходил долго и мучительно. Светлана не спешила признать себя побежденной, начала полномасштабную войну, в ход пошли все средства: Майе она категорически запретила общаться с отцом; чтобы вытрясти из Романа побольше денег, добыла себе справку об инвалидности и потребовала от бывшего мужа средств на содержание не только ребенка, но и покинутой супруги. Вскоре после второй женитьбы у Хитрука пошли в гору дела в бизнесе, и Светлана окончательно распоясалась. Она звонила его второй жене Инне, материла ее от души, желала их детям болезней и горя, могла приехать к дому Романа и исцарапать его машину. Инна оказалась достойной соперницей. Она категорически не желала видеть Майю и тем более Веру, с которой Романа связывала крепкая дружба, закатывала скандалы из-за алиментов, выплачиваемых мужем Светлане и дочери, звонила своей предшественнице и орала в трубку: «Когда ты, сука, сдохнешь и своего выродка с собой прихватишь?»

Роман метался меж двух огней. У каждого мужчины есть свои предпочтения, очень часто, разведясь с женой, он спустя короткое время женится на ее клоне. Ну тянет его на определенный тип баб, и ничего он с этим поделать не может. Романа угораздило дважды попасть в один капкан.

В пылу войны женщины начисто забыли о детях. Вернее, Светлана никогда и не заботилась о Майе, девочка служила лишь педалью давления на Романа. Инна оказалась еще более странной матерью, она обожала Сашу и терпеть не могла Павлика. Мальчики постоянно конфликтовали друг с другом и делали исподтишка гадости родителям. Саша мог спрятать ключи от папиной машины и, тихо посмеиваясь, наблюдать, как Роман, чертыхаясь, бегает по квартире. А Паша залезал в сумку к маме, находил там тюбик с кремом для рук или флакончик с лаком для ногтей, отвинчивал у них крышки и закрывал ридикюль. Наградой безобразнику было огорчение матери, сокрушавшейся над испорченными рабочими бумагами и сумочкой.

Майя же, в отличие от мальчиков, очень хотела с ними встретиться. Ей удалось упросить отца познакомить ее с Пашей. Роман тайком привел младшего сына в кафе (старшего он взять поостерегся, знал, что Саша настучит о свидании матери).

Майя с Павлом подружились за пять минут. Девочка была намного старше второклассника, но у нее был спокойный характер, как у отца, и она дружелюбно предложила брату:

— Давай помогу тебе с уроками.

Дети стали встречаться тайком. Поскольку Саша с Пашей не дружили и ходили в разные классы, старший мальчик и предположить не мог, чем занимается Паша. А тот попросил отца написать записку для учительницы продленного дня и вручил её педагогу. С тех пор Павел около четырех часов выскальзывал из школы и бежал в расположенную неподалеку детскую библиотеку. Туда же приезжала Майя, и брат с сестрой спокойно делали уроки, болтали. Для них это были самые счастливые минуты, на них не орали истеричные мамаши, их не шпыняли педагоги. Ни в школе, ни дома у Майи с Пашей не было своего угла, чтобы спрятаться от взрослых, ребята постоянно находились в состоянии напряжения, а библиотека оказалась тихим оазисом. И никто из старших, кроме Романа, целый год не знал об их встречах. Инна и Саша предполагали, что Павел на продленке, учительница, прочитав записку от отца, считала, что Паша посещает музыкальную школу. Майя же сказала дома:

— Я записалась в театральную студию.

Мать не среагировала на ее слова, а Вера обрадовалась, что племянница проявила интерес к искусству, и со спокойной душой занималась хозяйством.

Глава 30

Многие люди, узнав о свалившейся на них беде, восклицают:

— Гром грянул внезапно!

Но мне кажется, что любую неприятность всегда

можно просчитать по каким-то признакам. Но, увы, не все способны правильно оценить предупреждение и предотвратить несчастье.

Лето Майя и Паша провели врозь. Когда второго сентября девочка пришла в библиотеку, брат уже ждал ее. Произошел обмен новостями, и Павел сказал:

— Меня посадили с Сашей Васюковой.

— Хорошая девочка? — поинтересовалась Майя.

— Учителя ее не любят, — стал откровенничать Паша, — зовут хулиганкой и обманщицей, считают, что Сашка из карманов пальто в раздевалке деньги тырит. Только поймать ее не могут!

— Не повезло тебе с соседкой, — вздохнула Майя.

— Не, она мне нравится, — заявил Паша, — веселая, вечно что-то придумывает. Дерется здорово, лучше мальчишек.

— Ну-ну... — протянула Майя и перевела разговор на другую тему.

Через несколько дней Паша показал Майе электронные часы.

— Красивые?

— Папа подарил? — предположила девочка.

— Сам купил, — похвастался Паша и тут же замолчал.

Сестра начала трясти брата и выяснила шокирующие детали. Саша Васюкова с Пашей прогуляли целый учебный день. Вместо занятий они отправились шататься по магазинам, и в одном из них Саша показала мальчику, как легко можно украсть товар с прилавка.

Майя пришла в ужас.

— Девчонка воровка!

— Это была просто шутка, — засмеялся Паша. — Часы ведь ничейные, пока их не купили. Главное, быстро действовать. Сашка продавщицу отвлекла, а я хап!

Сестра попыталась вразумить брата, а потом предложила:

— Приведи завтра Сашу, я с ней побеседую.

Беда прислала детям телеграмму, но никто этого не понял. Если бы Майя не стала встречаться с Сашей... Впрочем, не следует заниматься пустыми предположениями. Случилось то, что случилось.

Васюкова Майе категорически не понравилась. Саша мало походила на девочку, скорей на пацана-сорванца, воспитанного на улице. Майя попыталась объяснить ей пагубность воровства, но та лишь повторяла:

— Ничего не знаю! Если Пашка часы прихватил, я тут ни при чем, просто показала ему, как их унести можно, дальше он сам работал. Павел спер, его и ругай!

Исчерпав все доводы, Майя рявкнула:

— Держись подальше от моего брата!

— Ладно, — пожала плечами Саша. — Не очень-то хотела с ним дружить, он первый ко мне приставать начал.

— Вот и отлично, — подвела Майя итог беседы.

Васюкова убежала, а сестра строго сказала Паше:

— Она очень плохая девочка.

Павел скривился. Впервые между братом и сестрой пробежала черная кошка.

Майя в тот день вернулась домой в расстроенных чувствах, ей очень не хотелось терять дружбу с Павликом. Но на следующий день тучи рассеялись, о Васюковой они более не разговаривали и целую неделю потом мирно сидели в библиотеке.

В пятницу дети, как обычно, разложили учебники, и тут в тишине читального зала словно перфоратор заработал.

— Сволочь, мерзавка, гадина, предательница! — визжал женский голос.

Майя оглянулась на шум и увидела, как от двери несется, размахивая кулаками, ее мать.

— Лезь под стол, — еле успела шепнуть девочка брату.

Светлана подбежала к дочери, надавала ей пощечин, разодрала учебники Павла и детские тетради, разбила витрину с газетами. Старухи-библиотекарши в испуге вызвали милицию. Наряд прибыл мгновенно (отделение располагалось в том же здании), Светлану сунули в обезьянник. Но она так орала, материлась и бушевала, что участковый понял: дама с явным психическим расстройством. И вызвал врачей.

На глазах у обомлевшей Майи ее мать скрутили санитары и увезли. Потом примчался отец и забрал дочь.

Роман, шокированный поведением супруги, попытался выяснить, откуда та узнала про свидание брата с сестрой, ситуацию прояснила Вера:

— Кто-то позвонил по телефону, и Света сразу побежала во двор. Я стояла на балконе и видела, как к ней подошел мальчик с оранжево-зеленым рюкзаком. Они о чем-то поговорили, и сестра полетела к метро с такой скоростью, словно за ней гнался рой диких пчел.

— Знаешь его? — повернулся Роман к Майе.

— Среднего роста, светловолосый, лет десяти с виду, — описала Вера.

— Нет, — растерялась Майя, — мои друзья намного старше, а из младших школьников я общаюсь только с Пашей.

Вера всплеснула руками, и племяннице пришлось рассказывать правду о своих отношениях с младшим братом. В конце концов Майя, чувствуя вину перед тетей, заплакала. Ее утешили и отправили спать.

Для Паши дома все сложилось не так хорошо. Когда Роман вернулся в свою тихую семейную обитель, Инна доколачивала второй сервиз. Павел, избитый отцовским ремнем, трясся в углу.

— Подонок! — налетела Инна на мужа. — Ты где шлялся? Этот Иуда предал мать! Он встречается с выродком сучки!

Дальше рассказывать не стоит. У Хитруков была бессонная ночь. Утром мать заперла Павла в комнате, запретив ему идти в школу, а Роман отправился на работу, не зная, как жить дальше. Вторая жена словно отлита по форме первой! Но Хитрук чувствовал ответственность перед сыновьями, не хотел лишать их семьи. С другой стороны, у него есть любимая дочь Майя и Вера, их нельзя оставить без материальной помощи. И можно ли назвать семью Романа и Инны нормальной? Хитрук не видел выхода из этого тупика. Ясно, что пока живы Света и Инна, спокойствия ждать не приходится. Вот если бы...

Испугавшись собственных мыслей, Роман постарался переключиться на дела, и именно в этот момент ему позвонили из больницы с сообщением о смерти жены. На всю жизнь у Хитрука осталась уверенность: Светлана шагнула с подоконника в ту секунду, когда он подумал: «Хорошо бы ей умереть, с одной Инной я управлюсь».

Может, Света и страдала психическим расстройством, но суицид она подготовила, как человек, мыслящий здраво. Утром бывшая супруга Хитрука сказала врачу:

— Можно мне листок бумаги и ручку? Хочу написать список вещей, которые дочь должна принести в больницу.

Доктор не усмотрел в ее просьбе ничего странного, и Свете вручили письменные принадлежности. Через час ее тело нашли на козырьке центрального входа. Каким образом она сумела открыть заколоченное окно, так и осталось тайной. В кармане ее халата обнаружили письмо, смысл которого можно изложить парой фраз: Светлану бросил без средств к существованию муж, она голодала, питалась с помойки, заработанные тяжким трудом копейки тратила на дочь, а Майя избивала мать, потому она и решила свести счеты с жизнью.

К чести милиционеров, в руки которых попало послание, нужно отметить, что они правильно оценили ситуацию. Ни Майе, ни Роману не предъявили обвинения в доведении Светланы до самоубийства. Инна, которую тоже допрашивали, изображала из себя тихую интеллигентную женщину, жалеющую своего мужа и скорбящую по его первой супруге-психопатке. Но, придя домой, она превращалась в фурию и вымещала злость на Павлике. Старший брат не скрывал своей радости и пользовался любым удобным случаем, чтобы пнуть младшего.

В конце сентября Саша Васюкова шепнула Павлу:

— Хочешь, я скажу, кто растрепал про ваши с Майей встречи в библиотеке?

— Ну? — мрачно кивнул Паша.

— Твой брат, — торжествующе заявила Васюкова.

— Врешь, — дернулся Павел.

Саша вытянула губы трубочкой.

— Не-а! Он за всеми подглядывает. Знаешь, из-за чего на меня учителя взъелись, говорить про воровство стали? Санька им наплел, он стукач. В тот день, когда я с вами в библиотеке встречалась, Александр за мной проследил и матери Майи в уши напел. Больше некому. Он знал, что тетя Света взбесится.

Паша моментально поверил соседке по парте, у него не возникло ни малейшего сомнения в виновности Александра. Ясное дело, тот хотел остаться единственным сыном в семье, мать каждый день повторяет:

— Павла надо сдать в интернат, не желаю видеть морду предателя.

И рано или поздно она доконает отца, Павлик очутится в какой-нибудь школе казарменного типа, а Александр будет кайфовать под теплым мамочкиным крылышком.

— Давай ему отомстим? — предложила Васюкова. — Сволочей надо наказывать. Устроим ему темную!

— Ага, — обрадовался Паша. — Но где? В школе нельзя, он учителям нажалуется, а дома мне с ним не справиться.

— А я на что? — воскликнула девочка.

— Брат здоровый, — уныло ответил Паша. — И к нам тебя не пустят, мать запрещает мне друзей приглашать.

— Есть одно местечко, — понизила голос Васюкова. — Недалеко от торгового центра, за будкой с мороженым есть проход к гаражам. Там хоть в барабан бей, никто не услышит! Надо нам с Майей объединиться. Она старше, сильная, так вмажет, мало ему не покажется!

— Моя сестра волейболом занимается, — Паша не упустил случая похвастаться, — у нее подача ломовая.

— Вот, вот! — закивала Васюкова. — Заманим Сашку в тихий уголок и там раздавим, как таракана!

— Так он с нами и пойдет... — снова загрустил Павлик. — Не дурак же, сообразит, чего мы придумали.

— Я его выманю, — запрыгала от возбуждения Васюкова, — твой брат после уроков всегда в магазин претет. Рюкзак он в камере хранения оставляет, там дверок нет, просто полки. Я схвачу рюкзак, покажу ему и побегу. Понятно? Гад за мной кинется, я за будку шмыгну, а там вы стоите. Класс?

— Супер! — похвалил ее Паша.

Васюкова постучала себя кулаком в грудь.

— Фирма! Договаривайся с Майей.

Вера Михайловна на долю секунды умолкла, потом торопливо продолжила:

— Можно упрекнуть мою племянницу, что взрослая девочка, пятнадцать лет ведь исполнилось десятого сентября, согласилась участвовать в аутодафе, которое задумала Васюкова. Но учтите обстоятельства! Света хоть и ужасная, но мать. Она покончила с собой, Майю и отца таскают на допросы, соседи гудят и перешептываются, в школе сплетничают и дети, и учителя, но никто не знает правды, поэтому события искажены, как в кривом зеркале. С Павлом встречаться нельзя, его дома буквально изничтожают. И ничего бы этого не случилось, если б не Александр! Вы бы удержались от желания побить стукача?

Я честно ответила:

— Нет. Во времена моего дворового детства доносительство считалось самым страшным пороком. Мы пару раз устраивали очень жестокие «темные» детям, которые ябедничали родителям.

— Вот и Майя, забыв про свой возраст, пошла с Пашей и Васюковой, — кивнула Вера Михайловна. — Сначала события развивались по намеченному плану.

Александр оставил рюкзак в ячейке, Васюкова схватила его, окликнула мальчика и кинулась к ларьку. Саша бросился за нахалкой, та нырнула за киоск, паренек ринулся следом и попал в руки Майи и Павла.

— Ща попляшешь! — пообещал ему брат.

— Я ничего не делал, — захныкал Александр, смекнувший, что с тремя врагами, в числе которых была старшеклассница, ему ни за что не справиться, — отпустите!

Но компания схватила предателя, затащила его за гараж, который стоял ближе к проулку, и начала его пинать, выкрикивая:

— Доносчику первый кнут!

— Это не я, — рыдал Александр.

— Моя тетя видела, как ты говорил с мамой! — заорала Майя.

— Нет, — плакал паренек, — нет.

— Он еще и врет! — вышла из себя Майя. — А ну, наподдайте ему!

Александра повалили на землю, он попытался прикрыть руками голову и закричал:

— Я за вами не следил! Мне Васюкова о вас рассказала!

Майя замерла.

— Васюкова?

Александр понял, что она изумлена, и затараторил:

— Да! Васюкова деньги по карманам тырила, я увидел и классной сказал. Васюкова пообещала мне отомстить, но ничего не сделала, а потом про вас мне разболтала, затем...

И тут Саша ударила Александра подобранной рядом палкой и полным негодования голосом воскликнула:

— Он врет! Хочет убежать! Зачем мне про вас с Пашкой трепать? Этот хитрожопый решил один у мамочки остаться. Из-за него все!

У Майи потемнело в глазах, у Павла помутилось в голове, Васюкова снова опустила палку на Александра... Дальнейшее и Майя, и Паша помнили плохо, они пришли в себя лишь после того, как Васюкова заорала:

— Эй, вы его убить хотите?

Глава 31

Майя очнулась. Рядом с сестрой тяжело дышал Паша, Васюкова стояла поодаль.

— Вы его убили, — сказала она. — Насмерть! Офигели, да? Че теперь делать?

Майя и Павел испугались, но Саша сохранила трезвую голову.

— Берите его, — начала распоряжаться она, — Майя за плечи, Пашка за ноги, бросайте в яму. Этот гараж давно пустой, сюда никто не ходит, я знаю. Главное, молчите! И рюкзак его не забудьте сбросить. Нас тут не было! Ничего, прокатит...

Спрятав труп Александра, школьники побежали домой.

Павел залез под горячий душ, потом придумал, что он скажет родителям, и решил сесть за уроки. Тут только до него дошло: его портфель остался лежать за ларьком.

Паша выскочил из дома и поторопился к Майе, понимая, что ни за какие сокровища в мире не согласится один вернуться в тот проулок. А Майя тем временем во всем призналась Вере. Тетка позвонила Роману, отец быстро свернул совещание и полетел к дочери, а во дворе увидел Пашу...

Вера Михайловна стиснула ладонями виски.

— Боже, что нам пришлось пережить! Павел остался тут, он не успел сказать про портфель. Роман поехал к Инне, у них состоялся жуткий разговор. Рома пообещал жене, что дети, убившие Александра, будут наказаны им лично: Паша отправится в интернат, Майя и Саша Васюкова уедут из Москвы навсегда и никогда не вернутся. Только на этих условиях Инна согласилась молчать, но все равно у Романа не было уверенности в том, что жена сдержит слово. Чтобы Инна не устроила истерику, Хитрук дал ей тройную дозу снотворного, уложил в кровать и поспешил к Ирме.

— К кому? — переспросила я.

— К матери Саши Васюковой, ее звали Ирма, — уточнила Вера.

Я сцепила пальцы в замок. Ярослав — Ростислав — Станислав. Римма — Мира — Ирма. Сколько еще родителей любит играть с именами? Сестер было три! И я почти догадалась, почти решила загадку.

Вера Михайловна потерла ладонями щеки и продолжила:

— ...Вот уж кто имел стальные нервы, так это Саша Васюкова. Майя с Павлом почти потеряли рассудок, а третьеклассница попыталась изобразить полнейшую непричастность к убийству и упорно повторяла:

— Ничего не знаю, ни с кем не была! Паша и Майя меня оговорили!

В конце концов Роман заорал:

— Дура! Неужели ты не понимаешь, что вас посадят в колонию? Я пришел тебя не наказывать, а спасать! Не дай бог милиция правду узнает!

Саша примолкла, а Ирма кинулась на колени, стала целовать Хитруку руки, лепеча:

— Вы святой человек... Потеряли сына и пришли к убийце...

— Я никого не трогала! — опять взвизгнула Саша. — Один раз только его пнула! Майка с Пашей озверели! Это они! Буду так говорить везде!

Ирма вцепилась в колени Хитрука, заговорила сбивчиво:

— Я должна вам рассказать... Саша — исчадие ада, но она мой ребенок. Я знала, что все так закончится! Александр сообщил классной руководительнице о воровстве, он следил за дочкой, хотел взять ее с поличным... Майя поговорила с моей дочерью, велела ей оставить Пашу в покое... Саша очень мстительная, она придумала, как убить Александра чужими руками. Она чудовище! Но что делать? Нельзя ее в милицию сдать, девочка исправится, я ее лечу... Вы святой! Помогите нам!

Роман поднял Ирму.

— У меня трое детей, двое из них убили своего брата. Александру уже не помочь, надо вызволять Майю и Павла, ради их блага придется и Сашу вытаскивать. Необходимо найти психиатра, младших виновников убийства лучше уложить в такую клинику, куда ни под каким видом не пустят милицию.

Ирма кинулась к столику и схватила растрепанную телефонную книжку.

— Есть такой специалист! Она Сашей с рождения занимается. Рогачева Людмила Павловна, служит в НИИ психической коррекции детей и подростков.

— Звоните ей немедленно, — приказал Хитрук, — все расходы я беру на себя.

— Людмилочка божий человек, такой же, как вы, — всхлипывала Ирма, набирая номер, — она нам поможет бескорыстно, поймет, что дети не хотели ничего плохого, просто драка зашла слишком далеко.

Роман, с трудом сдерживая гнев, исподлобья посмотрел на спокойно сидящую в кресле Сашу. Та, поймав взгляд Хитрука, быстро изобразила на лице плаксивое выражение и стала суетливо тереть сухие глаза кулаками. И бизнесмен понял: Ирма отлично знает, на что способна ее дочь. Мать права, Саша хотела отомстить всем: Александру, который приметил воришку, Майе, отругавшей ее, и Паше, показавшему старшей сестре часы. С недетской расчетливостью Васюкова составила план, который с блеском осуществила. Майя и Паша находятся в шоке, Саша же вполне довольна произошедшим. Его дети в момент совершения преступления впали в состояние аффекта, ничего не помнят и готовы сейчас признать: да, это они забили брата до смерти. Саша же сохраняет хладнокровие. Девчонка талантливая актриса, сумеет изобразить перед следователем невинную овечку, скажет: «Я испугалась, стояла в стороне и видела, как они брата палкой колотили». Чтобы спасти своих детей, ему придется выводить из-под удара и мерзавку, спланировавшую преступление.

— Людмила Павловна не берет трубку, но я буду ей звонить, обо всем договорюсь и всем сообщу. Оставьте свой телефон, — попросила Ирма.

Роман позвонил Вере, приказал той всю ночь не спать, не сводить глаз с Майи и Павла, а сам поторопился домой. Сейчас самую большую угрозу для детей представляла Инна, которая потеряла любимого сына. Да, жена вроде согласилась молчать, но обещание дала в минуту шока, не вполне осознав, что случилось. Как она поступит утром, очнувшись от тройной дозы снотворного?

Когда Хитрук вошел в квартиру, Инна крепко спала, Роман сел на кухне, и тут позвонила Майя.

— Папа, — плакала девочка, — портфель Паши! Он его там забыл!

Хитрук стойко вынес новый удар.

— Доченька, — зашептал он, — успокойся, я поеду и привезу сумку.

Не успел Роман произнести эти слова, как до него вдруг дошло: тело Саши лежит в каком-то гараже. Спасая двух своих детей, он даже не вспомнил о трупе! Вот когда ему стало по-настоящему жутко. Хитрук на досуге любил смотреть полицейские сериалы и нахватался из них обрывков знаний по криминалистике. Тело найдут, быстро установят причину смерти, непременно обнаружат улики, указывающие на Майю и Пашу. И нельзя же оставить Александра просто так! Мальчика необходимо похоронить.

Не дай бог кому-нибудь оказаться на месте Романа. Отец очень любил своих детей, но, если быть до предела честным, Александра меньше других. Старший сын обожал мать и всячески подчеркивал, что к отцу не испытывает особых чувств. А вот Майя с Пашей нежно относились к папе. Хитруку было безумно жаль Александра, но он не мог отправить дочь и второго сына за решетку.

А еще он понимал: в том, что произошло, виноваты Светлана с Инной и он сам. Вторая жена ухитрилась посеять между мальчиками ненависть, истерики первой добавляли масла в огонь. Это Инна приучила Александра шпионить за Пашей, докладывать ей о его шалостях, а потом получать награды за доносительство. Роман же, великолепно осведомленный о положении дел, предпочитал не замечать вражды между сыновьями, занимался бизнесом, говоря себе: «Вырастут — подружатся, мне надо семью содержать, а не детские дрязги разбирать. Хватит того, что я, кормилец, занимаюсь еще ворохом бытовых проблем».

— Доченька, — Хитрук постарался придать своему голосу уверенности, — попытайся успокоиться и точно опиши место, где вы оставили... ну...

— Я ничего не помню, — прошептала Майя.

— А ты попытайся, иначе беда случится, — настаивал отец.

— Будка, — залепетала дочь, — там направо... Или гараж слева? Нет справа... нет, прямо... Папа, я забыла!

— Я сейчас приеду за тобой, одевайся, — приказал Роман, — покажешь, где лежит Александр. Очутишься в том районе, и память сразу вернется.

— Я боюсь, — пролепетала Майя.

— Деваться нам некуда, — вздохнул Хитрук.

Вера Михайловна вцепилась руками в край кресла и замерла. Я молча смотрела на нее, переваривая услышанное. Вот почему Роман не сразу пошел в милицию с заявлением об исчезновении Александра. Он заметал следы, хоронил сына, прятал Майю, Пашу и Сашу Васюкову, решал проблемы с мороженщицей Татьяной Лапиной. Вот почему он сказал следователю неправду о любви Александра к побегам и никак не стимулировал поиски мальчика. Вот по какой причине спешно поменял квартиру и уехал на противоположный конец Москвы. Но каким образом он уговорил Инну хранить молчание? Все, что я знаю об этой женщине, свидетельствует о ее полнейшем неумении владеть собой. Неужели мать осознала свою вину в произошедшем и поняла, что у нее есть еще один сын, которого она подтолкнула к убийству?

— Мне трудно вам объяснить, как потекла наша жизнь дальше, — бормотала Вера Михайловна. — Спасибо Рогачевой и Евдокии Матвеевне Константиновской. Второй даже больше, чем первой, именно она вытащила Майю из глубочайшей депрессии. Но наши с девочкой трудности ничто по сравнению с тем, какое испытание выпало Роману. Видно, его судьба окончательно добить решила. Сначала беда приключилась с Инной. Помните, я говорила, что Хитрук жену снотворным накормил, дал ей тройную дозу, чтобы та не проснулась и не помешала ему детей спасать?

Я кивнула, Вера Михайловна всхлипнула.

— В медицине столько хитростей! Оказывается, лучше дать сто пилюль, чем четыре-пять штук.

Я снова кивнула и пояснила:

— В некоторых случаях да. У многих людей организм бурно реагирует на препараты, при попадании в желудок огромной дозы лекарства начинается рвота, шансы на выживание сильно повышаются. А не очень большая доза, превышающая терапевтическую, допустим, в полтора раза, усваивается полностью и убивает человека. Нельзя сказать, что это происходит всегда и со всеми, но такой эффект врачам известен.

Собеседница еще немного посидела молча, затем заговорила:

— ...Инна спала сутки. Роман насторожился, вызвал «Скорую», жену увезли в больницу, и выяснилось, что она в коме.

Почти неделю Инна провела в отключке, потом, совершенно неожиданно, пришла в себя и даже смогла восстановить кое-какие навыки. Она сама себя обслуживала и временами походила на обычную мать семейства. Маленькая деталь: после выхода из комы жена Хитрука практически ничего не помнила, заново знакомилась и с мужем, и с сыном. Роман удалил из квартиры все, что могло напомнить ей об Александре, рассказал сильно адаптированный вариант семейной истории: якобы у Романа была первая жена, которая, заболев психически, выпрыгнула из окна, от брака осталась дочь. Инна, выйдя замуж за Хитрука, родила Пашу, и все жили счастливо, пока она не очутилась в больнице. Боясь соседских сплетен, Роман поменял квартиру, на новом месте жильцы ничего не знали о Хитруках. Спустя год семья снова перебралась в другое место, потом в следующее, пока, наконец, не произошло новое несчастье.

Почему он зайцем петлял по Москве? Оказывается, доктора его предупреждали: если с Инной спорить, нервировать ее, последствия могут быть непредсказуемыми. У жены Ромы иногда бывали припадки буйства, а еще она приобрела привычку громко петь по ночам. Вот Роман и снимался с места, когда жильцы в подъезде начинали возмущаться. Очутившись в очередной новой квартире, он догадался оборудовать спальню жены, как радиостудию, обить стены звуконепроницаемыми панелями. Роман очень устал мотаться с места на место, хотел наконец-то осесть и жить более или менее спокойно. С момента смерти Александра прошло более пяти лет, тело мальчика не нашли, признали его умершим, о вине Майи и Паши никто даже речи не заводил. Хитрук начал успокаиваться. Его дочь училась в институте, сын посещал школу, жизнь вроде налаживалась, но тут судьба вновь нанесла ему удар.

Как-то раз, в субботу, Роман отправился на рынок за картошкой. Инна, которая в последнее время была непривычно оживлена, возилась с книгами в библиотеке, Паша находился в школе. Был тихий, обычный день, ничто не предвещало кошмара. Но когда Хитрук вернулся домой, в квартире стояла странная тишина. Встревоженный отсутствием членов семьи, Роман заглянул в спальню к сыну, потом на кухню, затем вошел в комнату к Инне, увидел небольшое пламя и бросился тушить огонь. Пожару не удалось разгореться, Хитрук появился дома вовремя, он погасил разведенный на полу костер из книг.

Сначала Роман не понял, что случилось, потом увидел в углу комнаты тело Павла, из груди сына торчал нож. Инна лежала на кровати. Едва муж подбежал к ней, как она села и показала ему фотографию. Глянцевый снимок запечатлел Инну и Александра незадолго до его убийства.

— Где Саша? — неожиданно спросила супруга.

Это были ее последние разумные слова. Роман не успел моргнуть, как жена вскочила и бросилась на него, издавая нечленораздельные вопли. С огромным трудом Хитруку удалось скрутить обезумевшую Инну, затолкать в туалет и запереть. Потом пришлось вызывать врачей и милицию. Специалисты вынесли вердикт: Инна Хитрук после исчезновения старшего сына страдала психическим заболеванием. Болезнь прогрессировала незаметно для окружающих, и в конце концов Инна, впав в буйство, убила Пашу, а потом, не владея собой, устроила поджог.

Инну увезли в лечебницу, к ее мужу претензий не было. Хитрук в очередной раз сменил квартиру, он-то понимал, что лишило Инну рассудка, — уничтожая все следы пребывания в доме старшего сына, Роман не перелистал книги, в одной из них жена обнаружила фотографию, которая послужила катализатором беды. Инна вспомнила все, что случилось в тот день, когда она впала в кому, осознала, что убийца ее любимого сына жив и здоров, да еще обманывал мать, скрывая от нее произошедшее, и схватилась за нож. Ну, а потом ее рассудок не выдержал нагрузки, костер Инна разожгла уже в безумном состоянии. Роман был уверен, что дело обстояло именно так.

— Он так и не рассказал в милиции правды о судьбе Александра? — уточнила я.

— Конечно, нет, — ответила Вера Михайловна. — Отец защищал Майю. У него осталась одна дочь, он не мог и ее лишиться!

— А что случилось с Сашей Васюковой? — спросила я, желая до конца размотать клубок.

Веру Михайловну передернуло.

— Есть бог на свете! Она погибла на следующий день после того, как умер Александр. Я абсолютно уверена: все придумала эта девчонка, подлая, хитрая, не по-детски лживая. Вот Господь ее и покарал.

В их доме случился взрыв газа, так рвануло, что все здание рассыпалось. Много народа погибло, Ирма и Саша оказались в их числе.

Я постаралась сохранить на лице нейтральное выражение. Если, по мнению Веры Михайловны, высший разум поспешил наказать девочку-убийцу, то почему он вместе с ней отправил на тот свет ни в чем не повинных жильцов, среди которых были и другие дети? И можно ли обвинять в убийстве Александра одну Васюкову? Да, похоже, это она спланировала преступление и умело спровоцировала драку, но ведь Майя и Паша согласились участвовать в «темной» и били своего брата. Только медицинская экспертиза могла определить, кто нанес Александру смертельный удар. Да, Роман уводил от правосудия других своих детей, но мы знаем, что отец прохладно относился к Александру и нежно любил Майю с Пашей. Не этим ли объясняется его странное равнодушие к кончине старшего сына?

Вера Михайловна протяжно вздохнула, я вернулась к беседе:

— Значит, Васюковы погибли, Пашу убила мать, сама Инна очутилась в психбольнице, сухой из воды вышла только Майя?

Тетка укоризненно покосилась на меня.

— Майечка стала ходить в церковь, она молилась и за Пашу, и за Александра, и за маму, и даже за Васюковых.

— Надеюсь, им помогли ее молитвы, — не удержалась я от ехидства. — А что стало с Романом?

Собеседница сложила руки на коленях и стала похожа на испуганную первоклашку.

— Рома ушел в монастырь. Удалился от мира,

326 ································· **Дарья Донцова**

живет в обители далеко от Москвы, стал схимником[1].

— Но он прописан в столице, — напомнила я.

— Да, — подтвердила Вера Михайловна. — Он оформил со мной брак, фиктивный, чтобы я получила возможность распоряжаться его имуществом, потому у меня теперь фамилия Хитрук. И свой бизнес на меня оформил. Дело небольшое, но на жизнь хватает.

— Ясно, — кивнула я, — значит, мне с Хитруком не поговорить.

— Васюкова многим людям жизнь сломала, — всхлипнула Вера Михайловна, — чтоб ей в аду гореть.

— Но не она устраивала склоки между женами Романа и воспитывала ненависть друг к другу у родных братьев, — не выдержала я. — И без девочки Саши у Хитруков все плохо было. Ну а когда в вашей жизни появился Артем? И кто он такой?

Вера Михайловна съежилась.

— За Майечкой как раз Фред ухаживать начал. Она его всерьез не воспринимала, старый очень, но англичанин не отставал, цветы носил, конфеты.

Майя честно объяснила кавалеру: она к нему относится как к другу, но тот ответил:

— Ничего, я подожду, когда дружба перерастет в любовь.

Вера разрешала племяннице проводить время с Фредом и не ругала ее, если она задерживалась с ним в театре или на концерте.

Однажды Майя прибежала домой в слезах.

_____

[1] С х и м н и к — монах, соблюдающий строгие, аскетичные правила поведения.

— Что случилось? — забеспокоилась тетя. — Фред тебя обидел?

Майя, с трудом справившись с истерикой, рассказала невероятную историю. Сегодня после занятий ее встретил у ворот института худощавый молодой человек и без длительных предисловий заявил:

— Неси десять тысяч долларов, и тогда я никому не открою твоей тайны.

Студентка рассмеялась парню в лицо:

— Ты перепутал объект. У меня нет никаких секретов, тем более таких, за сохранность которых я стану платить такую сумму.

Юноша, не моргнув, протянул:

— Привет тебе от Саши Васюковой. Думаешь, раз она на кладбище и Паша с матерью померли, истории конец? Ошибочка вышла, я все знаю и готов молчать за деньги! Так как? Платишь или иду в милицию? Есть улики вашего преступления, Сашка мне их передала перед смертью.

— Какие? — дрожащим голосом спросила Майя.

Парень криво ухмыльнулся.

— Настоящие. Ты их в том сентябре за будкой мороженщицы оставила, а Сашка подобрала и мне вручила. Я Артем Васюков, ее двоюродный брат. В общем, пришло время платить за прошлые дела.

Глава 32

Вера Михайловна жутко перепугалась после сообщения племянницы. Посоветоваться ей было не с кем, Роман уже ушел в монастырь и не общался с людьми, дав обет молчания.

— Может, это сама Васюкова тебя подстерегла? —

в безумной надежде предположила тетка. — Переоделась под парня и решила шантажировать!

— Саша ведь погибла при взрыве, — прошептала Майя.

— Спаслась, маленькая гадина! — упорствовала Вера Михайловна.

— Нет, тетя, нет, — простонала племянница, — это был настоящий парень, у него усы пробивались. Не приклеенные волосы, а щетина сквозь кожу прорезалась, и голос мужской, и пахло от него не как от женщины. Мы же с тобой ничего про Сашу не знаем. Папа говорил, что она жила с матерью, о других родственниках не упоминал, но они могли существовать.

— Десять тысяч долларов! — ужаснулась тетка. — Где их взять?

— Не знаю, — пролепетала Майя. — Но, если мы не заплатим, мне худо придется. Шантажист дал неделю на сбор средств. Кстати, он мне свой паспорт показал, там написано: Артем Петрович Васюков.

— Не побоялся документ продемонстрировать! — всплеснула руками Вера. — А вдруг бы ты его выхватила и прописку посмотрела?

Майя мрачно посмотрела на тетку.

— И что? Он чудесно понимает: я никому на него пожаловаться не могу.

— Вот сволочь!

— Где взять деньги? — заплакала Майя.

Разрешите дать вам совет? Никогда не платите шантажисту. Понимаю, что очень тяжело оказаться в лапах у человека, который предлагает в обмен на деньги сохранить ваш секрет в тайне. Но шантажист никогда не удовлетворится, получив один раз мзду, он будет выкачивать из жертвы все, что можно.

Хотя хорошо мне раздавать советы, я никого никогда не убивала, все мои тайны — это мелкий обман Олега. Как многие женщины, я, будучи замужем, преуменьшала стоимость своих покупок, не хотела, чтобы Куприн называл меня транжиркой. Большинство мужчин не способно понять, почему маленькая кожаная сумочка стоит, как комплект зимней резины для внедорожника. Любой представитель сильного пола предпочтет приобрести только что упомянутую резину, а не клатч для жены. Колеса — необходимость, сумочка — прихоть. И вообще, вон в магазине у метро вполне приличные «крокодилы» продаются, иди и купи себе. Ну как объяснить мужу, что любая женщина, достигнув пятилетнего возраста, безошибочно вычислит стоимость аксессуара и поймет, где вы его приобрели? Нечего тешить себя надеждой, что фальшивка, подделка под дизайнерскую вещь, смотрится, как родная. Это неправда! У китайской подделки не та фурнитура, строчка, неправильно пришиты ручки, другая подкладка. Но даже если вам и удастся отыскать необыкновенно удачную имитацию, то как быть с чувством собственной неполноценности? Таскать в руке «кролика под леопарда» все равно что присвоить себе самозванно титул герцогини. Уж лучше не выпендриваться и обзавестись простой дешевой сумочкой, утешая себя тем, что дорогая покупка впереди.

Между нами говоря, я стараюсь экономить на косметике. Поверьте, не очень дорогая губная помада смотрится прекрасно. А вот сумка... Ни подруг, ни коллег по работе нельзя обвести вокруг пальца, начнут хихикать, косясь на лже-Келли[1] .

---

[1] Очень дорогая сумка, названная в честь актрисы Грейс Келли.

Чтобы не выводить Куприна из себя, я, накопив нужную сумму, приобретала заветный ридикюльчик и, не моргнув глазом, врала супругу, что он стоит смешные копейки. Мужчина не женщина, если парень не работает байером, стилистом и не читает лекции по истории моды, он легко вам поверит, потому что ему в голову не придет, что за ерунду с ручками отдано целое состояние.

Конечно, появись перед моими глазами человек с заявлением: «Плати за молчание, или я сообщу Олегу истинную стоимость сумки», — я бы не испытала никакой радости и, вероятно, попыталась купировать назревающую неприятность. Однако денег шантажисту никогда бы не дала. Заявила бы: «Черт с тобой, ябедничай мужу, как-нибудь переживу семейный скандал!»

Но Майя не сумку приобретала, она убила человека и была готова на все, лишь бы истина не выплыла на поверхность.

Деньги Майя попросила у Фреда. Тот дал требуемую сумму, не спросив, зачем она понадобилась девушке. Щедрый поступок продемонстрировал британца с лучшей стороны, и Майя поняла: если она выйдет за него замуж и уедет в Англию, Артем ее никогда не достанет.

Вера Михайловна схватила висевшую на стуле шерстяную кофточку, уткнулась в нее лицом, заплакала и забормотала сквозь слезы.

— Так мы и сделали! От шантажиста избавились, он ко мне не приходил, а Майечка в Россию приехать боится. Никому из знакомых мы ее адрес в Йоркшире не дали и телефон тоже, девочка все связи с Родиной оборвала, затаилась в эмиграции! Бедная страдалица, расплачивается за чужие грехи, мучается в браке со стариком...

Я не прерывала ее стоны, хотя не могла с ней согласиться. Если вспомнить, что случилось с Александром, Пашей, Сашей Васюковой, Светланой и Инной, если не забывать о том, что Роман удалился в монастырь, то судьбу Майи можно назвать счастливой. Она убила единокровного брата и сейчас живет в Англии, в собственном доме. Вера обронила о Фреде крупицы информации, но их хватает, чтобы понять: англичанин любит свою жену. Навряд ли уж Майя так страдает. А вот Артем Васюков, вероятнее всего, попал в беду. Возможно, он шантажировал еще кого-то, имевшего отношение к убийству Александра, а тот человек оказался решительным и похитил парня.

— Кто еще был замешан в смерти Александра? — насела я на Веру Михайловну.

Дама стала по-детски загибать пальцы:

— Майечка, Павел и Саша Васюкова.

— Дальше, — потребовала я.

— О несчастье знали Рома, Инна, Света.

— Все?

— Ну... да.

— А Ирма Васюкова! — напомнила я.

— Ой, забыла, — всплеснула руками Вера.

— И мороженщица, — пробормотала я, — Татьяна Лапина. Двое детей и жены умерли. Майя в Лондоне, она жертва шантажиста, вы...

— Я нема как рыба, — еле слышно произнесла Вера Михайловна.

— И кто остается? — задала я вопрос. — Роман?

— Он дал обет молчания, — заверила меня дама. — А если б он и говорил, то секрета и под страхом казни не выдал бы. Думаю, он и на смертном одре не признается ни священнику, ни врачу.

— Врач! — подскочила я. — Рогачева из НИИ психической коррекции! Контакт подсказала Ирма Васюкова. Людмила Павловна погибла в нынешнем январе.

— Там было два специалиста, — воскликнула Вера Михайловна, — еще Евдокия Матвеевна Константиновская. Они работают в паре.

Едва я вошла домой, как мобильный запрыгал в сумке, меня разыскивал Шумаков.

— Уж полночь близится, а Германн не спит и спать не собирается, — продемонстрировал Юрий знание классики. — Будешь слушать справку на Васюковых?

— Конечно, — заверила я, — говори.

— Три сестры: Ирма, Римма и Мира, — начал следователь. — Они не близнецы. Или правильно говорить в этом случае «тройнецы»?

— Я слышала другой вариант: тройники, — сообщила я.

— В общем, тетки погодки, — продолжал Шумаков. — У них вполне советская биография: школа — институт — работа. Учились в одном вузе, стали химиками, затем служили на предприятии, которое занималось...

— Постой, — прервала я Юру, — у меня другие сведения. Мира директор школы.

— Сначала дослушай, — укорил меня Шумаков. — Верно, Мира потом подалась в преподаватели. Сестры были в числе ликвидаторов чернобыльской аварии, и у них стало нехорошо со здоровьем. Но, в отличие от многих, схвативших дозу радиации, женщины выжили. Ирма даже родила ребенка, девочку Сашу. Римма Марковна на тот момент была замужем за Петром Михайловичем, Мира никогда в загс не ходила.

Юра замолчал.

Когда тишина затянулась, я его окликнула:

— Ты заснул?

— Нет, — засмеялся Шумаков. — Просто настал момент вытаскивания кролика из шляпы. Бьют барабаны, гремят литавры... Бумс! Александра Васюкова и ее мать погибли при взрыве дома. Римма Марковна и Петр Михайлович никогда не имели детей, Мира тоже не обзавелась потомством. Но спустя некоторое время после похорон Ирмы и Саши Римма Марковна и Петр Михайлович перебираются в другую квартиру, а также меняют место работы. Немного странный поступок для людей, которые вполне успешно трудились и хорошо зарабатывали, не находишь?

— Насколько я поняла, после участия в ликвидации аварии на Чернобыльской АЭС все сестры занялись другой деятельностью, — не согласилась я, — например, Мира ушла в школу.

— Точно, — подтвердил Юрий. — Это было связано с ухудшением здоровья. И Римма с Ирмой тоже перестали заниматься химией. Очевидно, врачи им посоветовали держаться подальше от реактивов. Римма пошла работать в сберкассу, выучилась на кассира.

— Могла бы, как и Мира, заняться преподаванием, — бормотнула я.

— Верно, — подхватил Шумаков. — Так вот, потом они с мужем перебираются в новое жилище. Имели три комнаты — получили три комнаты, никакого улучшения бытовых условий не произошло. Римма легко нашла работу близко от нового дома, а вот Петру Михайловичу приходилось катить на службу через весь город. Раньше ему до офиса было рукой подать, он доходил пешком за пять минут, а после переезда тратил полтора часа в один конец: автобус — метро — маршрутка.

— Немного странно, — протянула я.

— Самое загадочное впереди, — возвестил Юра. — Уезжало из старой квартиры двое Васюковых: Римма и Петр, а в новой прописалось трое, прежние двое и... Артем.

— Откуда он взялся? — растерялась я. — Мальчика усыновили?

— Сначала произошедшее показалось мне загадкой века, — промурлыкал Юра, — я не мог найти никаких следов ребенка, ни одного документа. Но потом обнаружилась едва заметная ниточка. Смотри. В сентябре погибают Саша Васюкова и Ирма. В октябре Римма и Петр спешно совершают жилищный обмен, обстоятельно делают ремонт и только в январе следующего года начинают распаковывать вещи. Прежнее гнездо продано, на новое перебрались не сразу, вероятно, Васюковы временно обитали на съемной площади.

— Многие так поступают, ничего особенного в этом нет, — сказала я, вспомнив свои сегодняшние обстоятельства.

— Конечно, — не стал спорить Юра. — Но, закончив наконец-то переоборудование дома, Васюковы переехали в него втроем. К паре прибавился Артем. В документах мальчика четко указано: Артем Петрович Васюков, мать — Римма Марковна, отец — Петр Михайлович. Ловко? Может, они пошли на лишний расход, платили за съем жилья и очень долго отделывали комнаты, чтобы явиться на новое место уже с мальчиком?

— Мда... — крякнула я, — Копперфильд отдыхает. Где супруги нашли ребенка?

— В НИИ психической коррекции, — ответил Юра. — Если тебе на руки выдали документ, то, идя по бумажному следу, всегда можно доползти до истока. В январе Артема выписали из клиники этого института уже в качестве родного сына Васюковых. Но наиболее интригующий момент состоит в том, что мальчик туда не поступал. Его не привозили по «Скорой» и не помещали на лечение в плановом порядке. Никаких упоминаний об Артеме в институтских бумагах нет! Он не оформлялся в приемном отделении, не ел в столовой, не делал лечебные процедуры, не сдавал анализы, не получал медкарты. Мальчик-фантом. У меня сложилось впечатление, что аист принес Артема в клюве третьеклассником, сбросил его в холл НИИ психической коррекции, а Римма Павловна схватила «младенца» в объятия и утащила с собой.

— Маловероятно, — усомнилась я, — птичке никак не поднять такого тяжелого мальчика.

— Вот-вот, — хмыкнул Шумаков, — копать надо в НИИ, там собака зарыта.

В кабинет к Евдокии Матвеевне я попала без всяких проблем, просто сказала девушке на рецепшен:

— Мне посоветовали обратиться за помощью к доктору Константиновской.

Медсестра спокойно ответила:

— Понедельник, вторник и четверг с восьми до полудня Евдокия Матвеевна ведет бесплатный прием. Вам нужно иметь направление от районного врача и записаться. Сейчас заполнился июнь, в июле доктор в отпуске. Вы можете попасть на консультацию в первых числах августа.

Я покосилась в окно, за которым зеленел май.

— Навряд ли Константиновская трудится всего три дня в неделю.

— Конечно, нет, — улыбнулась девушка, — в среду она работает с платными пациентами.

— Сегодня как раз среда, — вкрадчиво сказала я. — Не согласится ли Евдокия Матвеевна за дополнительный гонорар побеседовать со мной после окончания приема? Очень прошу вашего содействия, я готова на любые материальные затраты.

Регистратор мило улыбнулась.

— Плата за прием фиксирована, вам выдадут квитанцию. И нет никакой необходимости просить доктора задержаться. Ступайте в пятнадцатый кабинет, Евдокия Матвеевна свободна.

Я не поверила своим ушам.

— Хотите сказать, что врач, к которому родители записываются заранее за несколько месяцев, скучает сейчас без пациентов?

Девушка кивнула:

— Ну да. Сама удивляюсь. Прибегают сюда мамаши, плачут, требуют своих детей срочно к Константиновской направить. Я им объясняю про долгое ожидание и предлагаю посетить специалиста на коммерческих основаниях. В ответ у всех одна реакция: «Деньги платить? Ну уж нет, лучше погодить». Я сначала пыталась женщин уговорить, объясняла: прием стоит умеренно, почему же этим не воспользоваться? А потом перестала, редко кто соглашается платить. Вот сегодня у нас пусто, а заглянете завтра, ахнете, в коридорах не протолкнуться будет.

Глава 33

К моему удивлению, на Евдокии Матвеевне был не белый халат, а платье с цветочным рисунком. Да и кабинет ее скорей походил на спальню, в которой мирно уживаются разновозрастные дети, чем на приемную врача. Никаких стеклянных шкафов с инструментами, медицинских справочников и кушеток, застеленных клеенкой.

Одну стену занимали полки с книгами: сказки, раскраски, комиксы, детективы для школьников, у второй стояли стеллажи с игрушками. Еще здесь были диван, парочка кресел и два стола. На одном, маленьком, лежала коробка с пластилином и доска, за другим, письменным, сидела Константиновская.

— Вам придется меня выслушать, — запальчиво заявила я с порога.

— Ну конечно, — улыбнулась Евдокия Матвеевна, — иначе я не смогу вам помочь. И выслушать придется, и порасспрашивать, и кое-чего записать. Садитесь, располагайтесь. Хотите чаю? Какой предпочитаете? Лично я люблю черный, наверное, не оценила зеленый. Но на всякий случай держу коробочку для любителей экзотики. Ну согласитесь, россиянам более по вкусу нормальный лист. А салат из горькой травы... э...

— Рукколы? — вступила я в разговор, ощутив, как внутри утихает дрожь.

— Верно, — засмеялась Евдокия, — я чувствую себя козой в гостях у Мурки. Помните, у Маршака в стихах «Кошкин дом» козочка говорит мужу: «Слушай, дурень, перестань есть хозяйскую герань». А тот ей отвечает: «Ты попробуй, очень вкусно, словно лист жуешь капустный». Вот и я ту рукколу мусолю лишь из желания продемонстрировать гастрономическую осведомленность, никакого удовольствия она мне не доставляет.

Надо отдать должное Евдокии Матвеевне: услышав в речи посетительницы нотки агрессии, она ловко погасила тлеющие головешки.

— Вы одна? — вдруг спросила Евдокия.

Я кивнула.

— Лучше приходить с ребенком, — посоветовала Константиновская, — но мы вполне можем сейчас обсудить часть проблем. Внимательно вас слушаю.

— Артем Васюков, — коротко сказала я. — Знаете его?

Глаза Евдокии погасли, словно задутые сквозняком свечи.

— У меня очень плохая память, — призналась Евдокия Матвеевна. — Мальчик уже был тут?

— Судя по документам, да. Ребенка выписали из НИИ, порекомендовав ему домашнее обучение.

— Очевидно, доктор счел такую форму занятий наилучшей, — проявила цеховую солидарность Константиновская. — Кто занимался с Артемом? Какая проблема привела вас ко мне и кем вы приходитесь молодому человеку? Кстати, он уже вышел из возрастных рамок нашего контингента.

Мне было забавно слушать, как хозяйка кабинета, не поведя бровью, врет про Артема Васюкова и совершает элементарные ошибки. Но я не хотела сразу ловить даму на лжи, поэтому продолжила беседу:

— Артема лечила Рогачева.

— Людмила Павловна погибла, — сообщила врач.

— Мне рассказали о вашей дружбе и совместной работе, — кивнула я.

— Да, мы сообща вели больных, — не дрогнула Константиновская.

Я положила ногу на ногу и задала главный вопрос:

— Где сейчас Артем?

— Понятия не имею, — машинально ответила врач. И моментально исправила очередную оплошность: — Никогда ничего не слышала о юноше.

Я облокотилась локтями о стол.

— Уважаемая Евдокия Матвеевна, откуда вам известно, что Артем юноша? Может, ему три года?

Константиновская сделала попытку отодвинуться от меня и вжалась в спинку стула.

— Имя «Артем» взрослое, — начала она на ходу придумывать аргументы.

— Еще раньше вы обронили фразу: «Он уже вышел из возрастных рамок нашего контингента». Если вы никогда не встречались с Васюковым, то откуда знаете, сколько ему стукнуло? И справка из НИИ, выданная для оправдания домашнего обучения, подписана Рогачевой.

— Но ведь не мной! — отбила подачу доктор.

— Верно, — согласилась я. — Только внутренний голос мне подсказывает: Людмила Павловна не сама устроила пожар на даче. Артем Васюков в опасности, его похитили. Мне очень трудно сейчас все рассказать, но...

— Излагайте, — перебила меня психиатр.

И я начала рассказ. Когда добралась до того момента, как Артем стал шантажировать Майю, Евдокия Матвеевна прикрыла ладонью глаза.

— Омэн, — сказала она.

— Что? — не поняла я.

— Ребенок дьявола, — тихо пояснила Константиновская, — он уже с рождения порочен. Как специалист я истово верила в фармакологию. Через мой кабинет прошли сотни детей с теми или иными поведенческими аномалиями. Кое-кто из них был действительно болен и не мог управлять собой, другие являлись продуктом родительского воспитания, страдали от насилия, безразличия взрослых, жестокого обращения, физических и моральных издевательств. В моем арсенале огромный диапазон средств, порой бывает трудно подобрать правильное лекарство, но в конце концов мне это удается, и я могу рассказать о своих удивительных успехах и шокирующих неудачах. Но Артем — это особый случай. Вы правы, мы с сестрами Васюковыми знакомы очень давно. А с Людмилой Рогачевой подружились еще в мединституте, сразу поняли, что имеем совпадающие интересы, и впоследствии стали работать в паре.

Васюковы были со всех сторон положительными девушками. Они не хотели зацикливаться только на работе, думали и о семейной жизни. Больше всех повезло Римме — она официально вышла замуж за Петра Михайловича. Ирма и Мира отношений с мужчинами не оформляли, они никогда не состояли в браке. Все сестры мечтали о детях, но ни одной из них забеременеть не удавалось.

Когда случилась авария на Чернобыльской АЭС, Васюковы были направлены на место катастрофы. Евдокия не знала, чем занимались в Припяти сестры, но они получили порцию облучения, лежали в клинике и вышли вроде бы здоровыми. Однако Константиновская понимала: радиация коварная вещь, человечество пока не знает, какие последствия ожидают живые организмы после определенной дозы через десять, пятнадцать лет. Японии до сих пор аукаются взрывы в Хиросиме и Нагасаки. Евдокия очень просила подруг внимательно относиться к своему здоровью, соблюдать режим дня и питания, при малейших признаках любого недуга, даже насморка, сразу бежать к врачу. Она убедила сестер бросить химию и заняться работой, не связанной с опасными веществами. И вроде беда миновала, у сестер улучшился анализ крови, пропала слабость, они окрепли, стали вести активный образ жизни. А потом Ирма забеременела.

Узнав о том, что подруга ждет ребенка, Евдокия воскликнула:

— Немедленно делай аборт!

— С ума сошла? — возмутилась Ирма. — Мне не удалось замуж выйти, так хоть рожу для себя!

— Тебе уже за тридцать, — Евдокия начала читать нотацию, — в таком возрасте очень увеличивается риск появления на свет малыша с патологией. Есть исследования и пугающая статистика, свидетельствующие: у матери, которой пошел четвертый десяток, часто рождаются дети с болезнью Дауна, сердечно-сосудистыми проблемами, онкологией.

Но Ирма стояла на своем.

— Какой ребеночек ни появится на свет, любить и воспитывать его я буду с радостью!

— Все же подумай, — повторяла Евдокия до тех пор, пока срок беременности подруги не подобрался к двенадцати неделям. — Ты получила дозу радиации, добавь сюда свой возраст и пойми: лучше пойти на операцию.

Мнения сестер разделились, Римма целиком и полностью стояла на стороне Ирмы.

— Ерунда! — по-детски беспечно восклицала она. — Проблемы с детьми возникают только у наркоманов и алкоголиков. Ирма же за всю жизнь ни сигаретки не выкурила. Подумаешь, мужа нет! А мы с Петей на что? Поможем ей ребенка поднять. Своих не имеем, племянником утешимся. Материальных проблем у Ирмы не будет.

Мира занимала кардинально противоположную позицию.

— Безответственное поведение, — сердилась она, — Евдокия совершенно права, нельзя так рисковать. Появится на свет инвалид, все измучаемся, и ребенку одни страдания. Надо иметь голову на плечах, а не тупо подчиняться инстинкту размножения.

— Хороша училка! — злилась Ирма. — Сначала сама курить брось! Не следуй тупо за инстинктом курения. Нашлась безупречная особа...

Сестры поругались, Мира свела к минимуму общение с Риммой и Ирмой. Спустя положенное время на свет появилась девочка, названная Сашей. Ирма стала воспитывать ребенка, Римма самоотверженно ей помогала.

Саша была гиперактивной, ни секунды не сидела на месте, никого не слушалась и доводила маму до рукоприкладства. Отшлепав безобразницу, Ирма начинала переживать, звонила Римме, плакала, мучилась совестью, повторяла:

— Я плохая мать, не могу справиться с трехлетним ребенком.

— Глупости, — отвечала Римма, — все родители хватаются за ремень, просто люди предпочитают помалкивать о своих методах воспитания.

Но скоро оптимизма у Риммы поубавилось, Саша стала вести себя слишком агрессивно, могла даже больно ударить мать, не говоря уж о детях во дворе. Едва Васюкова появлялась в песочнице, как няньки и мамочки подхватывали малышей и спешили уйти.

— Ничего, — теперь уже не так уверенно говорила Римма, обожавшая племянницу, — подрастет и образумится.

Из детских садов Васюкову выгоняли регулярно, ее шалости отличались жестокостью. Если Саша дралась, она хватала игрушку, причем металлическую, и яростно колотила противника. Когда дочь в третий раз попросили забрать из детсада, Ирма привезла ее на обследование к Константиновской.

— Не стоит впадать в панику, — стала утешать Евдокия подругу, — мы с Людочкой Рогачевой можем справиться с любой напастью, приведем в порядок буянку.

Как водится, начали с детального обследования: всевозможные анализы крови, УЗИ, рентген. Потом Ирму вызвали в клинику. Когда она вошла в кабинет и увидела лица Рогачевой и Константиновской, у нее подломились ноги. Ирма плюхнулась в кресло и прошептала:

— Рак? Саша умирает?

— Нет, — сохраняя странную улыбку, ответила Людмила, — физически ребенок крепок, никаких патологий. Но вот что касается... мда! Я с таким сталкиваюсь впервые, хотя в учебниках читала...

Рогачева беспомощно глянула на Евдокию, та шумно вздохнула и решилась на откровенность:

— Ирма, не падай в обморок, Саша абсолютно здорова, но она... мальчик.

Сначала мать не поняла ее.

— Здорова? — обрадовалась Ирма. — Вот счастье! А то я прочитала об опухоли мозга, которая растет и превращает ребенка в монстра, и чуть не умерла от страха. Значит, Сашу не надо лечить? Нужно просто скорректировать ее воспитание?

Людмила отвернулась к окну, Евдокия обняла Ирму.

— Саша — мальчик. Анализ крови это подтвердил, количество тестостерона рекордное, можно подумать, что ребенок каждый день ест стероиды ложками. Гормон и вызывает припадки ярости. С такой гормональной атакой ни один взрослый человек не справится, чего же ждать от крохи?

— Вы дуры? — заорала Ирма. — Ну и придумали! Мальчик... Ваши анализы пустая трата времени. У моего ребенка все половые признаки женские!

Евдокия стала гладить Ирму по голове и, стараясь оставаться спокойной, продолжила:

— Да, при внешнем беглом осмотре, какой делают в роддомах, Саша выглядит стопроцентной девочкой. Ты слышала о гермафродитах?

— Чудовища с двойным полом? — затряслась Ирма. — Одновременно и мужики и бабы? Жуткие уроды?

Евдокия снова обняла Ирму.

— Что за чушь! Древние греки почитали таких людей, считали их полубогами.

— Но мы живем в России, — зарыдала мать.

— Гермафродиты умственно нормальны, — поморщилась Людмила, — и обычно врач, установив, какой пол берет верх, делает ребенку операцию. Большинство пациентов потом даже не знают о проблеме, родители им не рассказывают.

Ирма вытерла лицо.

— Сашу можно исправить?

Рогачева откашлялась.

— С ней сложней. Наружные признаки женские,

в области малого таза есть необходимые мужские составляющие, а вот внутренних органов для зачатия и вынашивания ребенка у нее нет. Если Сашу оставить без корректировки, то у нее никогда не будет менструации и молочных желез, то есть грудь не образуется. Зато с большой долей вероятности она начнет испытывать интерес к женскому полу. И девушке придется ежедневно бриться.

— Думаю, у тебя завязалась двойня, — продолжила Людмила, — но один плод поглотил другой. Подобные случаи хорошо описаны в медицине. Обычно так называемого паразита можно удалить. Но Саша невероятный случай.

— Что еще? — прошептала Ирма. — Говорите сразу, не тяните кота за хвост.

— Внешне она девочка, фактически же мальчик с рекордным запасом тестостерона, психологически и то и другое, — объяснила Рогачева, — две личности в одном теле. Более сильная, мужская, подавила слабую. Иногда в Саше просыпается женская сторона, но другая ее тут же изничтожает. Отсюда вспышки неконтролируемой ярости, жестокость и нежелание подчиняться никаким правилам.

— Они могут подружиться? — в безумной надежде спросила Ирма, для которой сообщение врачей прозвучало как фантастический роман.

— Две личности? Нет, — отрезала Людмила. — Психологии и психиатрии о подобных случаях неизвестно.

— И что делать? — пробормотала Ирма.

Евдокия взяла ее за руку.

— У нас работает уникальный хирург, Владимир Петрович, он готов сделать операцию. Не хочу тебя обманывать, вмешательство серьезное, и нет никакой гарантии, что, став мужчиной, Саша будет им на самом деле. Понимаешь? Но в этом случае мужская сущность прекратит борьбу с женской. Количество тестостерона можно регулировать, юноша не будет агрессивным. Даже если у него периодически будут возникать припадки гнева, общество толерантно относится к таким проявлениям, большинство людей считают их показателем брутальности и мужественности. А вот к женщине, легко впадающей в ярость, другое отношение.

— Хороша перспектива, — с горечью перебила Евдокию Ирма, — либо у меня вырастает лесбиянка с неуправляемым характером, либо импотент с кривой психикой. Третьего не дано? И как я, по-вашему, должна объяснить Саше суть происходящего? «Солнышко, мне надоело жить с девочкой, я сделаю из тебя мальчика?» Да ребенок в психушку попадет!

— Эту проблему мы возьмем на себя, — пообещала Рогачева, — есть методики, которые...

— Никогда! — закричала Ирма. — Это невозможный вариант!

— Говорила же тебе, что не надо рожать, — не удержалась от упрека Евдокия, — хоть теперь меня послушайся. До полового созревания, а оно у таких детей может начаться раньше, чем у сверстников, мы произведем коррекцию, позже это будет значительно сложнее.

— Нет, — твердила Ирма, — нет! Я ее перевоспитаю! Ну не родит она детей, ну не будет у нее месячных, и что?

— Ты роешь ребенку яму! — вышла из себя Евдокия. — Пойми, вопрос очень серьезный. Именно сейчас, пока Саша маленькая, нужно попытаться изменить ситуацию, но, когда начнется половое созревание, один бог знает, что произойдет с ребенком. Подростки нелегко переживают гормональный взрыв, а если вспомнить о рекордном количестве тестостерона у Саши даже в детсадовском возрасте, то дело может закончиться плохо. Перевоспитать такого индивидуума нельзя. Это как цвет глаз, можно уговаривать человека, бить его, запугивать, но он не сможет усилием воли изменить оттенок радужной оболочки, только если воспользуется линзами. Излишнее количество тестостерона вызывает неконтролируемую агрессию, об этом эффекте прекрасно известно тренерам, которые потчуют спортсменов стероидами.

— Я Сашу таблетками не кормлю, — отрезала Ирма, — вашим глупостям о двух личностях не верю. Такого не бывает! Просто я плохо занималась ее воспитанием, вот девочка и не может ходить в детсад. Ничего, я исправлю свои ошибки.

Глава 34

Несмотря на протесты врачей, Ирма Сашу в клинику не положила, к хирургу обращаться не стала, решила применять собственные методы: сурово наказывала дочь за проступки, щедро награждала ее за хорошее поведение и внимательно за ней следила. Рогачева и Константиновская потеряли девочку из виду. Ирма не поддерживала с ними отношений. Но Евдокия общалась с Риммой и от нее узнавала в основном безрадостные новости.

Один раз во время семейного праздника, на котором, по счастью, присутствовали только сестры и Петр Михайлович, Мира сделала племяннице невинное замечание, всего-навсего сказала:

— Сашенька, сейчас же прекрати одну за одной есть карамельки, зубы испортишь.

Девочка молча схватила со стола вилку и изо всей силы воткнула ее в руку тетки. Мира не вынесла сора из избы, никому из посторонних не сообщила о случившемся. Сестры сильно повздорили, Мира потребовала немедленно лечить ребенка, категорично заявила:

— Отвези дочь в НИИ психической коррекции, послушайся врачей.

— Не хочу! — закричала Ирма. — Они убьют Сашу и вернут мне какого-то мальчишку. Не нравится тебе моя дочь — не ходи к нам.

Мира ушла и более к Ирме не приходила. Она прервала отношения даже с Риммой, которая пыталась примирить двух сестер. Сказала ей:

— Римка, или ты со мной, или без меня.

Римма выбрала Ирму с Сашей, тетка, не имевшая детей, обожала племянницу. Но, в отличие от Ирмы, Римма понимала: девочку необходимо лечить, настойки валерьяны и пустырника, которыми потчевала дочь мать, не помогут.

Ну а потом грянула беда. Однажды, в самом конце сентября, Евдокии в два часа ночи позвонила Римма и зашептала:

— Дуся, помоги!

— Что случилось? — пробормотала Константиновская, посмотрев на будильник.

— Можешь сейчас подъехать к клинике? — спросила Римма.

— Да, — ответила подруга, сразу сообразив: произошло нечто из ряда вон выходящее, раз всегда уравновешенная Римма побеспокоила ее в столь неурочное время.

Когда Евдокия приехала к зданию НИИ, там уже стояли «Жигули», за рулем сидел Петр Михайлович, а на заднем сиденье, укутанная в одеяло, лежала Саша.

— Помоги нам! — взмолилась Римма. — Ирма погибла, Сашу тоже считают умершей, никто не должен знать, что она жива.

Константиновская схватила Римму за плечи, впихнула в свою «девятку» и приказала:

— Рассказывай все по порядку.

История, озвученная Риммой Марковной, не удивила доктора. Подспудно она ожидала: рано или поздно Саша совершит нечто подобное. Оказывается, девочка участвовала в убийстве Александра Хитрука, брата своего одноклассника. Слава богу, отец погибшего ребенка сразу не обратился в милицию, не потребовал открыть дело, а наоборот, придя в дом к Ирме, попросил ее временно спрятать Сашу. Та позвонила сестре. Как назло, Петр Михайлович накануне слег с гриппом, ему было плохо, терзала высокая температура. Сестры обсуждали ситуацию по телефону. Римма настаивала на помещении девочки в НИИ психической коррекции, повторяла:

— Сашу все равно надо временно спрятать, а лучшего места для изоляции не найти.

Ирме, несмотря на ее нежелание отдавать дочь докторам, наконец стало понятно: Саше требуется серьезная помощь.

— Ладно, — сказала она, — я побеседую с дочкой, попытаюсь ее уговорить, и через несколько дней ты можешь связаться с Рогачевой и Константиновской.

— Завтра я приехать не смогу, — предупредила Римма, — Пете совсем плохо.

— Я справлюсь, — ответила Ирма. — Это трудно признать, но, похоже, Людмила Павловна и Евдокия Матвеевна были правы. Мне потребуется некоторое время, чтобы принять очевидный факт: Саша больна психически. В произошедшем убийстве виновата я, не поверила специалистам, пыталась изменить личность дочери отварами трав, а в результате погиб ни в чем не повинный мальчик.

— Его надо было убить! — заорали из трубки. — Он за мной шпионил!

— Извини, — быстро сказала Ирма, — я потом перезвоню.

Ночь Римма маялась бессонницей. Еще больше она занервничала, когда Ирма утром следующего дня не ответила на телефонный звонок. Проволновавшись до пяти вечера, Римма Марковна решилась оставить больного супруга одного и помчалась к сестре.

И что она увидела?

На месте трехэтажного дома, где жила Ирма, громоздилась куча кирпичей, толпа зевак, оттесненная милицией на значительное расстояние от места трагедии, оживленно обсуждала произошедшее. Здесь же расположился штаб МЧС, где Римме сообщили неутешительные новости: Ирма и Саша погибли. Сильно обезображенные останки женщины были уже обнаружены, и Римма опознала их по медальону, который сестра всегда носила на шее. Труп Саши пока не нашли, но она явно лежала где-то под грудой обломков.

Еще Римма Марковна узнала следующее. Около восьми утра Ирма позвонила классной руководительнице дочери и сказала:

— Саша заболела, она пока не будет посещать занятия.

Учительница пожелала девочке скорейшего выздоровления и поставила в журнале напротив фамилии Васюковой буквы «н.б.», означавшие «не была на занятиях». Значит, Саша спала, когда грянул взрыв.

— После таких катастроф иногда остаются только фрагменты тела, — объяснял Римме сотрудник МЧС, — а порой их не находят, в особенности если жертва маленький ребенок.

Римма не помнила, как добралась до дома и свалилась с приступом гипертонии. У Петра Михайловича, наоборот, от услышанной новости разом прошел грипп, и он сделал жене укол. В десять вечера раздался звонок в дверь. Петр открыл, на пороге стояла маленькая фигурка в черной куртке, брючках и слишком теплой для сентября вязаной шапке, надвинутой на лоб.

— Тебе кого, мальчик? — спросил Петр Михайлович.

Ребенок, не говоря ни слова, шмыгнул в квартиру и снял головной убор.

— Саша! — ахнул дядя. — Ты жива!

Девочку накормили, и она рассказала вполне связную историю о том, что Ирме стало после полудня плохо. Мать отправила дочь за лекарством, но в ближайшей аптеке его не оказалось, Саша поехала в центр и долго искала необходимое средство, вернувшись, увидела развалины дома, пожарных, врачей и милицию. Девочка очень испугалась, убежала куда глаза глядят, бродила по улицам, и только вечером догадалась приехать к тете.

— Не надо никому говорить, что я жива, — всхлипывала она. — Вам ведь мама рассказала про драку? Я ни в чем не виновата, Паша и Майя убили своего брата, а теперь хотят вину свалить на меня. Пусть все думают, что я сгорела!

Римма Марковна, святая душа, поверила племяннице. Но Петра Михайловича обмануть было сложнее. Он отвел жену в сторону и спросил:

— Ты названивала сестре с девяти утра, почему же она не брала трубку, если ей стало плохо только в полдень?

— Действительно, — удивилась Римма.

— Ирма очень испугалась за Сашу, — продолжал Петр, — она не пустила ее в школу, собиралась спрятать дочь. Могла ли твоя сестра отправить Сашу за лекарством? Думаю, нет. Она бы позвонила либо нам, либо в «Скорую». Твоя племянница врет. Ступай в спальню и не выходи, пока я тебя не позову.

Беседа дяди с Сашей продолжалась до часа ночи, затем Петр Михайлович пришел к жене и рассказал, что он выжал из лгуньи. Дело обстояло так.

Рано утром Ирма, поговорив с учительницей, сказала Саше:

— Через несколько дней ты поедешь в больницу.

— Что там со мной сделают? — испугалась девочка.

И здесь Ирма снова не послушалась Константиновскую. Та в свое время предупредила ее:

— Саше нельзя сообщать ни об операции, ни о смене пола, эту информацию очень осторожно будет внедрять в мозг ребенка профессиональный психолог.

Но, очевидно, Ирма решила, что лучше матери никто не побеседует с дочкой, и сообщила Саше правду.

— Меня убьют! — обомлела та.

— Нет, просто ты станешь мальчиком, — попыталась объяснить Ирма, — спокойным, ласковым.

— Но меня, Сашу, убьют! — закричала девочка и толкнула мать, которая падая ударилась виском об угол стола.

Когда девочка осознала, что мама умерла, ее охватила паника. Как всегда, в момент возбуждения Саша схватилась за карамель, съела штук десять конфет, лихорадочно обдумывая, что делать. Тут, как назло, стал звонить телефон. Саша вновь впала в гнев, перерезала провод, разорвала диванные подушки, опять закусила взрыв тестостерона карамелью и внезапно вспомнила, как некоторое время назад мама скандалила с соседкой, старухой Вероникой Львовной, которая открыла конфорки и забыла зажечь газ.

— Весь дом мог на воздух взлететь, — гневалась тогда Ирма. — У нас кухни впритык находятся! Не дай бог люди погибнут, тогда меня обвинят в рассеянности. Поди разбери после обрушения дома, у кого произошла утечка газа, у нас или у вас?..

Саша слазила на антресоли, достала свою зимнюю черную куртку, шапку, оделась, закрыла окна, а в кухне открыла все горелки, поставила на столик горящую свечу и убежала. Газ начал скапливаться под потолком, через некоторое время он вытеснил воздух, и грянул взрыв. Саша не без оснований надеялась, что виновницей несчастья посчитают Веронику Львовну, уже однажды чуть не разрушившую дом.

Выслушав мужа, Римма Марковна бросилась звонить Константиновской...

Евдокия Матвеевна, узнав все обстоятельства дела, незаметно провела Сашу в клинику. Девочка не сопротивлялась, ведь Петр Михайлович сказал племяннице:

354 .... Дарья Донцова

— Или ты едешь к врачу, или я вызываю милицию!

Константиновская и Рогачева сделали все, чтобы Саша смогла начать жизнь с нуля. О том, что девочка Васюкова не погибла от взрыва, не узнал никто из посторонних. Она провела в НИИ не один месяц, из ворот лечебницы вышел мальчик Артем Петрович Васюков, которому предписывалось ежедневно принимать большое количество лекарств и посещать психолога.

Евдокия закашлялась и потянулась к бутылке с минералкой.

— Так вот почему Артем находился на домашнем обучении... — протянула я. — Его побоялись сразу окунуть в детский коллектив. Ясна теперь и мотивация переезда Риммы Марковны и Петра Михайловича. Тетя, желая замести следы, в школьных документах Артема написала адрес дома, который развалился при взрыве, и номер школы, куда ходила Саша. Римма предполагала, что если кто-то из любопытных решит порыться в прошлом мальчика, он наткнется на катастрофу и никогда не узнает правды. Вообще-то это глупо. Мне же удалось установить, что никакого Артема ранее не существовало, он возник из пепла, как птица Феникс.

Евдокия Матвеевна сделала несколько глотков воды прямо из горлышка.

— Вы правы, начни кто-то серьезно копать, дорыться до истины не составило бы труда. Но никому нет дела до чужих детей. Сашу похоронили вместе с матерью, несмотря на то что ее тела не нашли, Римма получила свидетельство о смерти и сестры и девочки. Когда Артем пошел в новую школу, там не изучали в деталях его биографию, потребовалась

лишь справка о домашнем обучении. С одной стороны, в России немыслимая бюрократия, с другой —
удивительный пофигизм. В случае с Артемом преоб-
ладало второе. Мы благополучно справились со всеми проблемами.

— Хотите сказать, что Артем — это совсем другой человек?

— Конечно, — кивнула Константиновская. — Но
приходилось постоянно корректировать количество
лекарства. В особенности трудно пришлось в подростковом периоде. Увеличивали дозировку — Артем
становился тихим, апатичным, его одолевали беско-
нечные простуды, вирусные заболевания, проблемы
со слухом. Уменьшали количество лекарства: у парня начинались истерические припадки, приступы
ярости.

— В школе мне рассказали, что Артем не пользовался авторитетом в классе, был крайне брезглив,
стеснителен, — протянула я.

Евдокия Матвеевна кивнула.

— Подростки в своей массе стесняются своего
обнаженного тела, а у Темы после операции остались шрамы. Он комплексовал, боялся, что одноклассники догадаются, в чем дело, вот и придумал
себе причину, чтобы не посещать школьный туалет,
а когда в расписании уроков была физкультура, приходил в школу, надев дома под верхнюю одежду спортивную форму.

— Значит, вам удалось избавить Тему от агрес-
сивности? — уточнила я.

Хозяйка кабинета стала вертеть в руках шарико-
вую ручку.

— Не все так просто! Да, доминирующей стала
мужская половина, но женская суть никуда не де-

лась. Знаете, мы не ожидали такого эффекта, считали, что, потеряв необходимость отстаивать свое право на существование, мужская сущность лишится агрессии, а женская постепенно уйдет в тень, и мальчик станет адекватен, управляем. В первое время после операции я с удовлетворением наблюдала положительную динамику. Артем отлично реагировал на лекарства, занимался с психологом. Но потом иногда стала проявляться Саша!

Евдокия Матвеевна потерла пальцами виски.

— Сейчас хочу признать, что мы ошиблись в расчетах. Одна личность не вытеснила другую, женская поразительным образом оказалась даже более агрессивной и, если можно так выразиться, криминальной. Юноша получился, простите за ненаучный эпитет, тряпочным, аморфным, неинициативным. А вот когда в нем просыпалась Саша... Тут хоть святых выноси! Хорошо, что мы точно знали, когда это происходит, и молниеносно принимали меры, долгое время держали оборотня в узде.

Я усмехнулась.

— Было расписание? В понедельник — Артем, во вторник Саша?

Врач с укором на меня посмотрела.

— Конечно, нет! Но чем дольше я работала с Артемом, тем больше поражалась. Мальчик не любил сладкое, он предпочитал мясо и соленья. Но в тот момент, когда превалировала Саша, подросток начинал без устали жевать карамель. Как сейчас помню, она обожала дешевые конфеты под названием «Фестиваль» и страшно злилась, если они отсутствовали, могла закатить скандал. Римма всегда держала запас «Фестиваля». Доставала его в нужный момент, Саша истребляла сладкое, Римма звонила мне, я приезжала с уколами и при помощи препаратов подавляла в ней женское начало. Должна заметить, что в любой беде есть положительные стороны. Артем рос творческим человеком, он писал удивительные, странные, но очень талантливые полотна, поступил в художественный вуз, устроился на работу в крупное издательство, стал хорошо зарабатывать. Психическая аномалия подпитывала рисовальщика, без нее Артем был бы обычным человеком.

Я вспомнила школьную учительницу Амалию Карловну, которая рассказывала мне о странном полотне ученика, где изображался мужчина, одетый в кукольную юбку и пиджак с сорочкой, прокрутила в голове рассказанную ею историю о таинственной сестре Артема, с которой она столкнулась, придя навестить заболевшего любимчика, и сразу все поняла.

— Учительница видела Сашу! Артем не занимался сексом с подружкой! Он стоял перед зеркалом в образе женщины, надел пеньюар, парик, наложил макияж. Наверное, паренек забыл запереть входную дверь и был застигнут врасплох. Потом он кинулся в ванную, быстро привел себя в порядок, примчался в гостиную красный, со всклокоченными волосами, трясясь от возбуждения. Когда парень влетел в комнату, от него пахло ацетоном, он снял лак с ногтей! Амалия Карловна подумала об интимных забавах и доложила о казусе Римме Марковне. Мать повела себя странно. Сначала пообещала отвести сына к врачу. Простите, к какому? Который вылечит подростка от желания спать с девушками? Глупее ничего не придумаешь! А потом она быстро соврала про сестру Темы. Еще один тупой поступок. Когда Тема вернулся в школу, он был подавлен и говорил Амалии Карловне шокирующие фразы, типа: «Моя сестра покончила с собой», «Я ее убил». Но теперь понятно, что имел в виду Артем, говоря о смерти девушки, — он истребил в своей душе Сашу. Наверное, вы применили очень мощное средство?

Евдокия кивнула.

— Да. Но поймите...

— И правда, я очень хочу понять, — перебила я Константиновскую. — Почему Римма Марковна так возилась с Артемом? Племянник не родное дитя. Он явно психически ненормален. По какой причине тетя не устроила его в стационар и не умыла руки?

Глава 35

Константиновская оперлась ладонями о стол.

— А вы понимаете, почему я сейчас нарушаю врачебную тайну и рассказываю вам строго секретную информацию о пациенте?

— Нет, — растерялась я.

Евдокия Матвеевна снова откинулась на спинку кресла.

— Так слушайте, не перебивая. Впрочем, я отвечу на ваш вопрос. Римма чувствовала себя виноватой. Когда Ирма сообщила сестрам о беременности, Мира сразу заняла жесткую позицию: надо делать аборт. А Римма уговаривала сестру рожать, повторяла: «Ребенок — это святое, нельзя убивать зародившуюся жизнь, тебе Господь послал подарок, не надо от него отказываться...» На самом деле о малыше давно мечтала Римма, но у них с Петром Михайловичем детей не было. Зато в интересном положении очутилась Ирма, и Римма Марковна упорно твердила сестре: «Роди ребеночка. Если он тебе не нужен, я заберу его себе». Ирма колебалась, и был даже момент, когда она приняла сторону Миры. Но Римма удвоила нажим и победила, в результате на свет появилась Саша. Мало того, что Римма буквально выпросила этого ребенка, она еще и любила малыша, как собственное чадо. Тетя обожала Сашу-Тему, даже понимая, что ребенок убийца, что на его совести гибель Александра Хитрука и родной матери. Римма была из числа безумных мамаш, которые всегда оправдывают свое дитятко.

Я без спроса взяла со стола Константиновской ручку и стала крутить ее между пальцами. Олег рассказывал мне об одном сорокалетнем мужчине, жестоком сексуальном маньяке. На преступнике висело больше десяти трупов изнасилованных и убитых с особой жестокостью женщин. Не успели чудовище упрятать в следственный изолятор, как к Куприну примчалась его мамаша и зарыдала:

— Боренька не виноват! У него было тяжелое детство, я его родила в семнадцатилетнем возрасте, воспитывала без отца!

— Многие растут в неполных семьях в нужде, но не становятся убийцами, — возразил майор.

— Бореньку заставили! — закричала маменька. — Принудили силой!

— Кто? — удивился Олег. — У него был сообщник?

— Эти бабы, — застучала кулаком по столу мамаша, — его соблазняли! Носили короткие юбки! Ходили в узких платьях! Провоцировали моего мальчика! Накажите их, а не его!

— В смысле, жертв наказать? — уточнил Куприн.

— Да, — закивала посетительница.

— Так они в морге, — попытался вразумить ее майор, — мертвые. Их ваш сын убил.

— И правильно сделал! — воскликнула маменька. — Он очень расстраивался из-за того, что приходилось удовлетворять желания распутниц, дразнящих его! Осудите мертвых!

Самое интересное, что тетка была психически здорова. Она даже организовала у дверей суда пикет из своих подруг, поддерживающих маньяка. На таком фоне любовь Риммы Марковны к ребенку Ирмы кажется не столь уж дикой.

Константиновская, ничего не подозревавшая о моих мыслях, тем временем продолжала рассказ...

Когда Амалия Карловна рассказала о встреченной в квартире Васюковых девушке, Римма Марковна очень перепугалась. Значит, Артем переодевается в девочку и даже тайком приобрел парик, косметику и платье. Часто ли мальчик грешит перевоплощением? И чего от него можно ожидать в дальнейшем?

Испытывая сильное беспокойство, Римма позвонила Евдокии.

— Лекарство не действует, необходимо новое средство.

Константиновская и Рогачева всполошились, стали искать кардинально другие препараты.

И тут случилась новая беда. Римму Марковну вызвали в школу, где ей сообщили о драке в раздевалке и диком случае с порезанной рукой. Тетка схватила Тему в охапку и отвезла в клинику. Там он откровенно рассказал Константиновской о происшествии.

Судьба большая шутница, ей нравится ставить людям подножки.

В сентябре в класс привели новенького — Павла Хитрука. Ну надо же было случиться такому совпадению! Из множества московских школ Роман при очередном переезде выбрал именно ту, где учился

Артем. Паша, конечно, не узнал бывшую одноклассницу. Да и как он мог это сделать? Раньше Хитрук сидел за одной партой с девочкой, а теперь увидел мальчика. Но вот фамилия «Васюков» вызвала у Паши не лучшие воспоминания.

Хитрук сильно изменился, он стал крепким, весьма симпатичным, хулиганистым, напористым подростком. И попав в любой детский коллектив, он немедленно становился лидером. Конечно же, Павел начал задирать Артема и его подругу Катю, дразнить, обзывать. Как-то раз Паша очутился с Темой один на один в раздевалке и со словами: «Покажи, что в штанах прячешь», — сдернул с одноклассника спортивные брюки.

Тема взбесился, накинулся на обидчика, Паша достойно ему ответил, мальчишек с трудом разнял физрук. Ну, а потом Артем разрезал себе руку и, капая кровью на тетрадь Паши, поклялся: «Я тебе отомщу — всю правду расскажу». Хитрук онемел, одноклассники замерли, а Васюков наклонился к Павлу и шепнул:

— Я знаю про гараж, Александра и Майю. Я все видел! Я тебя узнал! Бойся меня!

На следующий день Павел не пришел на занятия. Роман спешно забрал сына из школы.

Римма Марковна, узнав правду, налетела на Тему:

— Почему ты мне не сказал, что в класс пришел Хитрук?

— Не думал, что он ко мне привяжется, — ответил Артем. — Да и что такого? Я сам могу с ним справиться.

Римма Марковна снова сменила квартиру. Потом Тема пошел в художественное училище, Рогачева и Константиновская подобрали новую комбинацию препаратов, и вроде бы все улеглось...

— Странно, что Хитрук-старший не захотел встретиться с Темой, чтобы выяснить, откуда он узнал правду о Саше, — вздохнула я. — По логике вещей ему следовало предпринять какие-то меры, чтобы обезопасить Павла.

— Вот тут ничего не скажу, — развела руками Евдокия Матвеевна. — Может, они и пересекались, но мне об этом неизвестно. А после той малоприятной истории последовало несколько спокойных лет. Тема вел себя замечательно, даже подружился с девочкой, забыла, как ее звали...

— Катя Фирсова, — подсказала я, — она уехала на стажировку в Штаты.

Доктор смахнула со стола невидимые крошки.

— Точно. Римма была просто счастлива, ее Тема проявил интерес к противоположному полу. Но потом Катя отправилась в Америку, и Артем стал проводить вечера в одиночестве.

Константиновская перестала возить ладонью по столешнице и стала разгибать железную скрепку.

— Он нас всех обманул. И я, и Людмила, и Римма считали, что период трансформации благополучно пройден. Агрессии Артем не показывал, Саша после той школьной истории никогда не проявлялась, доза лекарств постепенно стала минимальной. Последние годы, приходя в НИИ на осмотр, Тема демонстрировал безупречное поведение. Римма не могла на него нарадоваться. Племянник работал, учился, гром грянул буквально среди ясного неба...

В середине декабря Константиновская и Рогачева улетели в Токио, в Японию их пригласили коллеги для обмена опытом. Рабочая программа была рассчитана на двадцать пять дней, после ее окончания принимающая сторона сделала российским коллегам подарок: тур по стране. Евдокия Матвеевна с радостью согласилась, она любит путешествовать, а вот Людмила Павловна решила вернуться в Москву. Рогачевой не понравилась Япония.

Две недели пролетели как один день, Евдокия Матвеевна влюбилась в Страну восходящего солнца. Ей импонировали трудолюбие и аккуратность японцев, а о технической оснащенности лабораторий, в которых работали местные ученые, можно было только мечтать. В поездке россиянку сопровождала гид Митико, которая и рассказала о монастыре, куда со всех концов света привозят душевнобольных.

— Там творят чудеса, — чирикала Митико, — принесут на носилках спеленутого безумца, а через пару месяцев он делается совсем нормальный. Монахи владеют уникальными методиками и составляют лекарства. Кстати, если человек понравится настоятелю, тот может взять его в ученики, всех тайн он не откроет, но частью знаний поделится.

Константиновская загорелась идеей перенять опыт священнослужителей, и Митико отвезла ее в монастырь. Главный монах оказался приятным, энциклопедически образованным мужчиной, свободно разговаривающим на нескольких языках, Евдокия владела английским. Настоятель предложил россиянке стажировку на суровых условиях: ей предстояло жить в обители с еще тремя женщинами, которые обучались у монахов, питаться в общей столовой, подчиняться местным правилам, запрещающим, в частности, любые разговоры в течение дня, если только разрешение на беседу не дал учитель. Мобильные телефоны были запрещены, телевизора, радио,

компьютера в монастыре не было, газет и журналов,
впрочем, тоже. Носить надо было местное одеяние,
из обуви лишь сандалии. Но все бытовые трудности
с лихвой покрывала возможность учиться таким ме-
тодикам, о которых нигде не прочтешь. И вдруг Евдокия решила, что сможет выдержать четыре месяца
без мягкого матраса, сериалов, болтовни и жареной
картошки с колбасой. Перед началом учебы настоятель разрешил новой ученице сделать один телефонный звонок. Константиновская обратилась к директору НИИ психической коррекции с просьбой о про-
длении командировки, тот не стал возражать, лишь
предупредил, что обучение в монастыре она должна
оплатить сама, а не институт. Митико пообещала связаться с Рогачевой и рассказать ей новость. После
этого Константиновская лишилась связи с внешним
миром и начала обучение.

В Москву дама вернулась совсем недавно, в начале мая, и узнала, что ее коллега и подруга погибла
в январе.

Евдокия Матвеевна умолкла, я задала вопрос:

— Вам ее смерть не показалась странной?

Врач встала и приоткрыла окно.

— Я не успела это осознать, как позвонила Римма. Мы встретились в городе, и я была поражена и
внешним видом, и поведением Васюковой. Но еще
большее впечатление произвел ее рассказ.

Незадолго до Нового года Римма Марковна, вернувшись домой, обнаружила на кухонном столе гору
оберток от конфет «Фестиваль» и увидела ухмыляю-
щегося Тему, который сказал:

— Я совсем забыла, какие они вкусные. Немедленно купи еще. Я нашла в твоем шкафу кулек и весь съела!

Римма приросла к полу. Трудно сказать, что испугало ее больше: отвратительная ухмылка приемного сына или то, что он говорил о себе в женском роде: «забыла», «нашла», «съела». Римма Марковна считала, что Саша больше никогда не появится в ее жизни, врачи тоже разделяли ее оптимизм, полкило оставшихся карамелек давно сохли на полке, Васюкова не могла объяснить, по какой причине она их не выбросила. И вот вдруг вместо доброго сына перед ней вновь возникла отвязная девица.

Как назло, обострение случилось в тот момент, когда оба врача стажировались в Японии. Римме Марковне не у кого было просить помощи, вопрос о вызове обычного психиатра она даже не рассматривала. Васюкова попыталась сохранить трезвую голову, вспомнила слова Людмилы Павловны: «Главное, не дать агрессии разгореться. Не спорь с Темой, постарайся держать ситуацию под контролем. Если увидишь, что Артем становится неадекватен, дай ему вот это лекарство. Но не пытайся предложить таблетку открыто, раствори ее в любой жидкости: в чае, соке, воде. Тема уснет, а ты связывайся с нами».

Римма Марковна хорошо усвоила урок и решила применить его на практике.

— Конечно, солнышко, — дрожащим голосом произнесла она, — сейчас я поеду на фабрику за конфетами. Но сначала дам тебе чайку. Наверное, ты хочешь пить?

Тема рассмеялся.

— Решила меня надуть? Запихнуть таблетки в кружку? Я не дура! Немедленно привези «Фестиваль»...

Я не выдержала и перебила Константиновскую:

— И Римма Марковна бросилась исполнять приказ! Ее соседка Элеонора рассказала мне, что встретила Васюкову во дворе и помогла ей дотащить до квартиры сумку, доверху набитую карамелью. Ну, теперь мне все понятно!

Константиновская вздернула брови.

— Да?

— Да! Элеонора очень боялась какого-то Сашу, бывшего соученика Темы. Римма Марковна не удержалась и поведала приятельнице адаптированную историю семьи. Похоже, Васюковой хотелось с кем-то поделиться, но она не могла сказать правду о болезни ребенка, поэтому в ее изложении Саша превратилась в некого школьника. Думаю, ни в какие Эмираты Римма на Новый год не ездила, письма от сына с объяснением причин ухода из дома не получала. Она наврала Элеоноре и мне. И никто в ее семье гриппом не болел. Правды в рассказах Васюковой было не так уж и много: имя Саша, конфеты «Фестиваль» и невероятная агрессивность «одноклассника». Вот почему Элеонора так перепугалась, когда увидела фантик, выпавший из моего кармана. Эй! Стоп! Я дура!

В Константиновской моментально проснулся врач.

— Не надо излишне резко себя критиковать. Самооценка всегда должна быть положительной. Лучше сказать: «Я умный человек, просто в данной ситуации продемонстрировала не лучшие свои качества».

— Парень, наблюдавший за пожаром! — не успокаивалась я. — Невысокий, худой, джинсы у него болтались ниже некуда, он выбросил фантик. Это была

Саша! То есть Артем! Но как он узнал, что в доме вспыхнул пожар? Ой, да ведь это она сама подожгла квартиру Риммы! Или он? Я совсем запуталась в местоимениях.

Евдокия Матвеевна быстро налила в стакан воды и протянула мне со словами:

— Бедная Римма Марковна, она, наверное, совсем растерялась. Помчалась за карамельками, а когда их привезла, Тема уже был полностью в образе Саши. Некоторое время больной не выходил из дома и никуда не выпускал мать.

Я снова не сдержалась:

— И Римма Марковна придумала историю про грипп! Малькова, обеспокоенная странным затворничеством соседки, пыталась зайти к ней в гости. Но Римма сказала об инфекции и под этим предлогом не впустила Элеонору. Почему же Васюкова не позвонила вам в Японию? Я понимаю, по какой причине Римма не обратилась ни в «Скорую», ни к другим психиатрам, но ведь человечество придумало мобильные телефоны, вы могли дать ей дельный совет!

Константиновская посмотрела на меня с укором.

— Неужели вы не поняли, что случай с Сашей-Артемом уникален? Люди с подобным расстройством встречаются редко, специалистов, способных им помочь, существует еще меньше. Врач, который плохо разбирается в проблеме, только навредит, а по телефону лечить пациента невозможно. Необходимые лекарства в аптеках без рецепта никто не отпустит, а еще огромное значение имеет психотерапия. И абсолютно бытовой момент: ученые и доктора не так уж много зарабатывают, роуминг с Японией страшно дорог, мы с Людмилой даже не стали подключать услугу международной связи. А в монастыре, я уже сказала, мобильные были запрещены.

Я покосилась на Константиновскую. Не надо было ей так долго вещать о трудностях заочного врачевания пациента, сразу бы честно призналась: решила сэкономить, поэтому Римма Марковна никогда бы не дозвонилась до Токио.

Психиатр рассказала о событиях, о которых узнала со слов Васюковой.

Глава 36

Когда в январе Рогачева вернулась в Москву, Тема уже постоянно находился в образе Саши. Людмила Павловна попыталась войти в квартиру Васюковых, но больной не впустил врача и не выпустил мать.

— Вам больше не удастся насильно делать из меня мужчину, — достаточно спокойно сказал он, — я буду тут сидеть, пока снова не стану девушкой.

Неизвестно, как бы развивалась ситуация дальше, но на помощь испуганной Римме Марковне и изрядно растерявшейся Людмиле Павловне пришла болезнь. То ли от большого количества сладких карамелек, то ли от стресса у Артема под мышкой вздулся фурункул. Гнойник приносил страдания, а Рогачева постаралась запугать парня, красочно описала заражение крови, которое неминуемо ждет Сашу-Артема. И тот согласился обратиться к хирургу. Но решительно заявил:

— Я даже близко не подойду к НИИ психической коррекции, ищите врача в обычной больнице.

Римма Марковна, успевшая воспрянуть духом, снова испугалась, но Рогачева справилась с новой задачей. За один день Людмила договорилась с главным врачом клиники, где работала консультантом, и Сашу-Тему положили в вип-палату. Более того, доктор сумела уговорить Васюкова снять женское платье и прийти в больницу в образе мужчины.

— Сашенька, — ласково говорила врач, — я понимаю, что ты девушка, и готова помочь тебе сохранить этот облик навсегда. Но что сказать хирургу? Оцени ситуацию правильно: паспорт у больного на имя Артема Петровича Васюкова, внешне он имеет все признаки мужского пола, но именует себя женщиной. Ну согласись, это странно.

— Я не лягу туда как «Артем»! — заорал больной. — Ненавижу Тему!

— Хорошо, — согласилась Людмила Павловна, — я запишу тебя под другим именем, но оно должно быть мужским. Ты же не хочешь вызвать у постороннего врача град вопросов?

И Саша-Тема неожиданно согласился с ее доводами.

— Вот почему по документам в палате находился Карекин Геннадий Викторович, — кивнула я, опять перебив рассказчицу. — Думаю, при оформлении пациента, за которого просила сама Рогачева, у него даже не попросили документы. Людмила Павловна выдумала имя и назвала от балды номер никогда не существовавшего сотового. Артему удачно вскрыли фурункул и наложили швы. После вмешательства у Васюкова поднялась температура, и его решили оставить в клинике на пару дней. И надо же было такому случиться, что в палату случайно заглянула Элеонора, которая тотчас же узнала Тему!

Константиновская вздохнула.

— Верно. Именно ее визит и послужил катализатором дальнейших событий. Людмила очень надеялась, что ей удастся привести Тему в порядок. Медсестра колола ему антибиотики и лекарства, которые велела вводить Рогачева. Артем ничего не заподозрил. Но после визита Элеоноры он ушел из больницы и пропал, как в воду канул. Людмила с Риммой испугались. С одной стороны, они не могли заявить в милицию об исчезновении Темы, пришлось бы слишком многое объяснять, с другой — они понимали, что душевнобольной человек опасен и для окружающих, и для себя самого. И вдруг Тема объявился. Позвонил Людмиле, пожаловался на свое психическое состояние и согласился приехать к ней, но не в институт, а на дачу. Свое желание он мотивировал просто: «Хочу встретиться на нейтральной территории».

Рогачева, естественно, не стала спорить. Она сообщила Римме о предстоящей встрече с юношей, а потом... потом случился пожар.

— Думаю, я знаю, кто чиркнул спичкой, — мрачно сказала я. — Артем решил уничтожить врача, способного подавить Сашу. Вам повезло, вы находились в Японии и поэтому остались живы.

Константиновская вздрогнула.

— Ну да. На утро после кончины Людмилы Артем позвонил Римме и заявил: «Объяви всем, что я умер от гриппа, и прощай навсегда». Римма побоялась спорить с любимым «малышом», выполнила его приказ и окончательно растерялась. Она не понимала, как себя вести, и в конце концов позвонила Мире, рассказала ей все, спросила совета.

Мира, забыв о ссоре, переехала к сестре. В отличие от Риммы она понимала, что Саша-Тема очень опасен, и хотела уберечь родственницу. Мира побаивалась, что сама Римма натворит глупостей. «Ну зачем ты наврала соседям, что Артем умер, — упрекала она сестру. — Поменьше общайся с людьми в подъезде, сведи контакты к нулю. И разорви дружбу с Мальковой. Ей ни в коем случае нельзя знать правду!» Римма плакала, говорила, что Нора хорошая, и, может, наоборот, надо ввести ее в курс дела. «Ни за что!» — стояла на своем Мира.

Я обхватила колени руками.

— Вот почему Мира старалась не оставлять сестру и Элеонору наедине и соврала Мальковой про родителей, разлучивших при разводе своих детей. Об Ирме Мира даже не упомянула!

Константиновская опять принялась ломать скрепку.

— Римма от горя совсем потеряла разум. Как только я приехала, сразу позвонила ей. Это было буквально на днях. Мира оказалась на работе, а Римма, рассказав мне все, закричала: «Я ищу Тему! Хожу в больницу, пытаюсь отыскать там следы мальчика. И мне повезло: я встретила в клинике телезвезду Тараканову, она обещала сделать о Теме сюжет. Сын увидит эфир, услышит, как я его люблю, и вернется!»

Мне стало до слез жаль бедняжку Васюкову.

— Она так хвалила своего сына! И конечно же, Римма Марковна не открыла мне правды. Неужели действительно она надеялась, что Артем расчувствуется, посмотрев дурацкую программу? Я пыталась объяснить Васюковой, что не имею никакого отношения к телеведущей, просто фамилии одинаковые, но она меня словно не слышала. Плела свою историю, кстати, относительно складную. Даже придумала про визит в милицию и попытки подать заявление о пропаже сына. А кто ей прописал сильное лекарство?

— Я велела Римме прекратить беготню и непременно принять что-то из ряда успокаивающих, а она сказала: «Мне Мира уже купила таблетки, вроде они помогают», — ответила Евдокия Матвеевна.

— Ясно, — кивнула я. — Думаю, правды мы не узнаем, но подозреваю, что Васюкова рассказала сестре о своей удаче: встрече с телезвездой. Той стало понятно, что Римму Марковну надо временно лишить активности, и она дала ей снотворное. Наверное, хотела продержать бедняжку некоторое время в бессознательном состоянии, чтобы отыскать хорошего психиатра, вам она не доверяла. Потом появилась я, ворвалась в спальню, Мире Марковне пришлось на ходу выдумывать историю. Она мне соврала про фантазии сестры, мол, та считает мертвого мужа живым. Ей-богу, Мире следовало писать фантастические повести... А пожар в квартире Риммы Марковны устроил Артем. Сначала он убрал Рогачеву, потом обеих теток, следующая на очереди вы. Единственное, что мне непонятно, так это почему парень так долго не трогал Римму Марковну. Конечно, она фактически стала ему второй матерью, но, подозреваю, эти обстоятельства Сашу-Артема не слишком волновали. Ведь парню, мечтавшему опять стать девушкой, слишком навязчивая в своей любви приемная мать мешала. С вами-то все ясно, вы находились в Японии.

Евдокия Матвеевна нервно дернулась.

— Вот потому-то я сейчас и нарушила врачебную этику, рассказала историю болезни Васюкова. Сашу-Тему необходимо найти, он опасен. Я не хочу умирать!

— И где его искать? — пригорюнилась я. — Москва огромна, навряд ли Васюков использует паспорт на имя Артема или представляется Александрой.

— Александриной, — педантично поправила Евдокия, — в метрике указано: Александрина Васюкова. Ирма хотела звать девочку Риной, но та...

Я уставилась на Константиновскую, в мозгу замелькали обрывки сведений, услышанных в разное время от разных людей. Затем схватила в руки мобильный и набрала трясущимися от возбуждения пальцами номер. Едва абонент откликнулся, я закричала:

— Юра! Это Вилка! Я знаю все!

Эпилог

На шашлык мы с Юрой выбрались в начале июня. Свою машину я уже получила из ремонта, но ехать Шумаков предложил на его тачке. У него, к моему удивлению, оказалась новая дорогая иномарка. В пути мы болтали о всякой ерунде, потом Юра сказал:

— Ты была права. Артем начал принимать большие дозы гормонов, которые сам себе прописал, и у молодого художника совсем съехала крыша. Рогачеву он убил на даче и сжег ее домик, очень не хотел, чтобы она помешала ему выполнить задуманное — превратиться в девушку. От Риммы Марковны Васюков плохого не ждал, знал, что та скорей умрет, чем предаст свою детку. Вот почему он не трогал ее до мая. Но потом гормоны окончательно свели его с ума, и Артем, вновь приняв мужское обличье, приехал домой. А там Мира! Думаю, дальше можно ничего не объяснять. Слава богу, ты уже успела уйти, разминулась с убийцей буквально на десять минут. Следующей в списке у него была Константиновская, ее спасла командировка в Японию.

Я передернулась.

— Что теперь будет с Артемом-Сашей?

Юра пожал плечами.

— Это решать психиатрам. Полагаю, Артем попадет в стационар, и надеюсь, что его запрут там надолго. А ты молодец! И как только догадалась, где и под чьим именем сейчас живет Тема?

Я гордо вздернула подбородок.

— Да, я очень умна и сообразительна. Когда Константиновская вскользь упомянула о том, что девочку Васюкову зовут не Александра, а Александрина, и сократить имя можно не только как «Саша», но и как «Рина», я мигом вспомнила сведения, которые узнала от разных людей. Тема учился в институте и подрабатывал в издательстве «Элефант»... Гарик Ребров жаловался, что лишился молодого художника, который умер от гриппа... В кабинете издателя, куда я вошла без стука, находилась привлекательная блондинка, и Гарик потом сказал, что Рина замечательная рисовальщица, доделала комикс за умершего парня, и никто даже не понял, что художники разные. К тому же она отлично вникла в его стиль и придумала тему про мужеженщину...

Довольная собой, я сделала короткую паузу. Посмотрела на Юру и продолжила:

— Фирсова была единственным другом Темы, но она уехала в Америку, а свою квартиру сдала. Я беседовала со съемщицей, пыталась выяснить у нее, как связаться с Катей. Внезапно у моей собеседницы зазвонил мобильный, вместо мелодии был записан голос: «Рина, возьми трубку». Девушка ответила: «Игорь, может, попозже поговорим?» Еще я видела в руках у ребенка комикс с ужасными картинками про Эллу-Элла, мужчиноженщину, его выпустил «Элефант»... В туалете ресторана мне встретился трансвестит Серджина, он рассказал, как гормоны могут изменить внешний облик человека...

Я опять остановилась. И посмотрела на Шумакова. Он внимательно слушал.

— Вроде все узнанное было бесполезным. Но тут Константиновская сообщила про Александрину.

Калейдоскоп обрывков внезапно сложился в четкую картинку: Артем живет на квартире Кати Фирсовой, принимает гормоны, изменившие тембр его голоса и лишившие растительности лицо, он гримируется, носит парик и работает в «Элефанте». Полное имя Реброва — Игорь. Он и звонил художнице Рине на мобильный в тот момент, когда я общалась с ней по городскому телефону. Как она оформилась в издательство, где так легко подхватила манеру предыдущего иллюстратора? Да они просто один человек! Сам знаешь, что нынче раздобыть поддельное удостоверение личности легче, чем чихнуть, надо лишь зайти в Интернете на определенный сайт, и получай, что хочешь. Я искала Тему, а нашла Рину. Артем — человек-невидимка, он вроде бы есть, но его нет.

— Человек-невидимка, — повторил Шумаков, — прикольно. Никто о нем понятия не имеет, а он существует. Да уж, не следует украшаться стразами, если желаешь остаться незамеченным.

— При чем здесь стразы? — не поняла я.

— Наверное, я поэт в душе, — засмеялся Юра, — надо начинать писать стихи. Как-то утром в углу, увидал я кенгуру! Нравится рифма? Ну зачем Рина пошла работать в издательство? Да еще рисовала серию комиксов про Эллу-Элла? Это же глупо, как украсить человека-невидимку блестящими камушками.

— Но почему Тема решил стать Риной, а не Сашей? — пробормотал Юра, сворачивая с шоссе на проселочную дорогу.

— Думаю, этот вопрос следует задать его психиатру, — пожала я плечами. — Могу лишь предположить, что парень боялся расследования старого преступления, убийства Александра Хитрука, и на всякий случай решил забыть про Сашу Васюкову. Кстати, о Хитруке. Бедная, бедная Римма Марковна... Даже большое ведро воды способно вытечь через маленькую дырочку!

Шумаков с удивлением посмотрел на меня, и я пояснила свою мысль:

— Иногда человек случайно или по глупости выдает крошку крайне важной информации. Васюкова назвала в разговоре со мной имя — Павел Хитрук. Ей не следовало его упоминать, но так уж вышло. Не скажи Римма Марковна о Хитруке, раскопать правду оказалось бы намного труднее. Или даже вообще невозможно. Мораль: хочешь сохранить свои тайны — крепко запри рот на замок.

— Все совершают ошибки, — согласился Шумаков и резко перевел разговор на другую тему. — Ты поймала в своей машине хомяка?

— Да, — засмеялась я. — Правда, Николай Николаевич продемонстрировал огромное недовольство, ему понравилось жить в багажнике. Скажи, кто будет на шашлыках?

— Несколько человек, все мои друзья, — все так же туманно пояснил Юра. — А вот и наш дворик...

Машина въехала на участок, я вылезла, полной грудью вдохнула свежий воздух, увидела мангал, нескольких женщин и мужчин, упоенно нанизывавших мясо на шампуры и... Билли, который нес эмалированное ведро.

— Кто это? — ткнула я в него пальцем.

— Эй, топай сюда! — загремел Шумаков. — Знакомьтесь — это Виола, моя девушка. Билли — мой бывший одноклассник и лучший друг.

— Одноклассник? — ахнула я. — Сколько же тебе лет?

— Сто, — серьезно ответил Юра и пошел к костру.

— Ну круто! — бурно обрадовался Билли. — Вообще-то ты мне самому понравилась, но раз у вас с Юркой все тип-топ, то я очень рад. Честно! А я себе еще кого-нибудь найду.

— Ничего у нас не тип-топ, — промямлила я, — просто я на шашлык приехала. И... ну... в общем...

— Что? — заморгал Билли.

— Знаешь, какая дата рождения стоит у меня в паспорте? — грустно спросила я. — А еще сестра Юры, Анна Наварро, работает с моим бывшим мужем.

— И чего? — не понял парень.

— Расскажет Куприну...

— Ты его боишься? — прищурился спортсмен.

— Конечно, нет! — рассердилась я. — С какой стати?

— Тогда чего дергаешься? — спросил Билли. — Юрка в тебя влюбился, вон как пялится! Уж поверь, я его тыщу лет знаю. А он тебе нравится? Только честно!

— Симпатичный, — признала я. — Если бы не мой возраст...

— А это тут при чем? — заморгал Билли. — В кровати паспорт не спрашивают.

— Страшно связываться с человеком, который на столько лет тебя моложе, — нехотя объяснила я.

Билли покрутил пальцем у виска и громко сказал:

— Никогда не позволяй страху завладеть тобой. Если боишься выйти ночью из дома, то через некоторое время струсишь ступить за порог днем. Нельзя кормить свой страх, он разжиреет и тебя задушит.

Я заморгала: кто бы мог подумать, что Билли философ? Но в чем-то он прав.

— Вилка! — закричал Юра. — Если хочешь шашлык, помоги его приготовить!

Я продолжала стоять на месте, Билли толкнул меня в спину.

— Иди, перестань комплексовать. Страшно стоять перед запертой комнатой, из которой доносятся странные звуки, но стоит в нее войти, как ужас пропадает. И вообще, ты ведь уже была замужем? Второй раз с дерева падать легче. Давай, топай к мясу. Не в дате рождения дело!

Я посмотрела на Билли и пошла к мангалу. Действительно, парень прав, возраст никакой роли не играет, не надо обращать внимание на пустяки. Если боишься встретить в своей квартире призрака, то просто не верь в него, а если хочешь оставаться молодой — считай, что тебе всегда восемнадцать лет.

Донцова Д.

Д 67   Человек-невидимка в стразах : роман / Дарья Донцова. — М. : Эксмо, 2009. — 384 с. — (Иронический детектив).

Неприятности льются мне на голову водопадом! Я, Виола Тараканова, попала в сплошную полосу невезения! Новая книга не пишется, аванс в издательстве не дали, ремонт в квартире затягивается, кредит в банке просрочен, да еще в аварию попала. Лежу теперь на каталке в коридоре какой-то облезлой больницы. Только что пришла в себя и обнаружила — обувь забрали! Босиком, что ли, в транспорте через всю Москву ехать?! Но мир не без добрых людей: случайно встреченная женщина дала денег на кроссовки, а сосед по койке оказался соседом по дому, домчал с ветерком да еще предложил работу. Живем! Кстати, и новое расследование нарисовалось — надо помочь Римме Марковне Васюковой разыскать похищенного сына. «А был ли мальчик?» — как говорил классик. Интересно все поворачивается! Вот и сюжет для детектива!

УДК 82-3
ББК 84(2Рос-Рус)6-4

ISBN 978-5-699-35153-4

Оформление серии *В. Щербакова*

Литературно-художественное издание

ИРОНИЧЕСКИЙ ДЕТЕКТИВ

Дарья Донцова

ЧЕЛОВЕК-НЕВИДИМКА В СТРАЗАХ

Ответственный редактор *О. Рубис*
Редакторы *И. Шведова, Т. Семенова*
Художественный редактор *В. Щербаков*
Технический редактор *Н. Носова*
Компьютерная верстка *Е. Кумшаева*
Корректор *М. Колесникова*

Иллюстрация на переплете *В. Остапенко*

ООО «Издательство «Эксмо»
127299, Москва, ул. Клары Цеткин, д. 18/5. Тел. 411-68-86, 956-39-21.
Home page: **www.eksmo.ru**   E-mail: **info@eksmo.ru**

Подписано в печать 29.04.2009. Формат 84×108¹/₃₂.
Гарнитура «Таймс». Печать офсетная. Бумага тип. Усл. печ. л. 20,16.
Тираж 250 000 (1-й завод — 115 100) экз. Заказ № 6618 .

Отпечатано в ОАО «Можайский полиграфический комбинат».
143200, г. Можайск, ул. Мира, 93.

Оптовая торговля книгами «Эксмо»:
ООО «ТД «Эксмо». 142700, Московская обл., Ленинский р-н, г. Видное,
Белокаменное ш., д. 1, многоканальный тел. 411-50-74.
E-mail: **reception@eksmo-sale.ru**

По вопросам приобретения книг «Эксмо»
зарубежными оптовыми покупателями обращаться в ООО «Дип покет»
E-mail: **foreignseller@eksmo-sale.ru**

International Sales:
International wholesale customers should contact «Deep Pocket» Pvt. Ltd. for their orders.
foreignseller@eksmo-sale.ru

По вопросам заказа книг корпоративным клиентам,
в том числе в специальном оформлении,
обращаться по тел. 411-68-59 доб. 2115, 2117, 2118.
E-mail: **vipzakaz@eksmo.ru**

Оптовая торговля бумажно-беловыми
и канцелярскими товарами для школы и офиса «Канц-Эксмо»:
Компания «Канц-Эксмо»: 142702, Московская обл., Ленинский р-н, г. Видное-2,
Белокаменное ш., д. 1, а/я 5. Тел./факс +7 (495) 745-28-87 (многоканальный).
e-mail: **kanc@eksmo-sale.ru**, сайт: **www.kanc-eksmo.ru**

Полный ассортимент книг издательства «Эксмо» для оптовых покупателей:
В Санкт-Петербурге: ООО СЗКО, пр-т Обуховской Обороны, д. 84Е.
Тел. (812) 365-46-03/04.
В Нижнем Новгороде: ООО ТД «Эксмо НН», ул. Маршала Воронова, д. 3.
Тел. (8312) 72-36-70.
В Казани: Филиал ООО «РДЦ-Самара», ул. Фрезерная, д. 5.
Тел. (843) 570-40-45/46.
В Ростове-на-Дону: ООО «РДЦ-Ростов», пр. Стачки, 243А.
Тел. (863) 220-19-34.
В Самаре: ООО «РДЦ-Самара», пр-т Кирова, д. 75/1, литера «Е».
Тел. (846) 269-66-70.
В Екатеринбурге: ООО «РДЦ-Екатеринбург», ул. Прибалтийская, д. 24а.
Тел. (343) 378-49-45.
В Киеве: ООО «РДЦ Эксмо-Украина», Московский пр-т, д. 9.
Тел./факс: (044) 495-79-80/81.
Во Львове: ТП ООО «Эксмо-Запад», ул. Бузкова, д. 2.
Тел./факс (032) 245-00-19.
В Симферополе: ООО «Эксмо-Крым», ул. Киевская, д. 153.
Тел./факс (0652) 22-90-03, 54-32-99.
В Казахстане: ТОО «РДЦ-Алматы», ул. Домбровского, д. 3а.
Тел./факс (727) 251-59-90/91. gm.eksmo_almaty@arna.kz

Полный ассортимент продукции издательства «Эксмо»:
В Москве в сети магазинов «Новый книжный»:
Центральный магазин — Москва, Сухаревская пл., 12. Тел. 937-85-81.
Волгоградский пр-т, д. 78, тел. 177-22-11; ул. Братиславская, д. 12. Тел. 346-99-95.
Информация о магазинах «Новый книжный» по тел. 780-58-81.
В Санкт-Петербурге в сети магазинов «Буквоед»:
«Магазин на Невском», д. 13. Тел. (812) 310-22-44.

По вопросам размещения рекламы в книгах издательства «Эксмо»
обращаться в рекламный отдел. Тел. 411-68-74.

Дарья Донцова

С момента выхода моей автобиографии прошло три года.
И я решила поделиться с читателем тем, что случилось со мной за это время...

В год, когда мне исполнится сто лет, я выпущу еще одну книгу, где расскажу абсолютно все, а пока... Жизнь продолжается, в ней случается всякое, хорошее и плохое, неизменным остается лишь мой девиз: "Что бы ни произошло, никогда не сдавайся!"

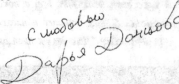